JN002133

Pythonで学ぶ
アルゴリズムとデータ構造

独学コンピューターサイエンティスト

THE SELF-TAUGHT
Computer Scientist
The Beginner's Guide to Data Structures & Algorithms

コーリー・アルソフ
清水川貴之 監訳

日経BP

Japanese translation published by arrangement
with Triangle Connection LLC c/o Hodgman Literary LLC
through The English Agency (Japan) Ltd.

愛する二人、妻ボビイと娘ルカにこの本を捧げます。

Contents

訳注コラム

- 本書に登場するウェブページのURLは、本書編集時点（2022年7月）のものです。
- 本書掲載のコードで1行に入り切れないものは、行末で改行したうえで、行番号分字下げして掲載しています。
- 本書掲載のコードは以下からダウンロードいただけます。補足情報等も以下からご覧いただけます。
  https://bookplus.nikkei.com/atcl/catalog/22/07/19/00285/

第1部

アルゴリズム入門

第0章

イントロダクション

私のプログラミングを学ぶ道のりは、大学で政治学科を卒業してから始まりました。大学を卒業したものの、企業が欲しがるようなスキルを持っていなかったため、仕事を探すのに苦労しました。もっと実用的な学科を出た同級生たちが良い給料の仕事に就いていく中、私も求人に応募し続けましたが、仕事は得られず、お金を稼ぐこともできず、落ちこぼれたように感じていました。そのような状況でしたが、シリコンバレーに住んでいてプログラマーたちに囲まれていたこともあって、プログラミングを学ぼうと決意しました。当時は、とても挑戦に満ちていて、人生でもっともやりがいがあることを始めたんだとは、気づいてもいませんでした。

プログラミングを学ぶのは初めてではなく、以前にも学ぼうとして挫折したことがありました。大学1年生のときにプログラミングの授業を履修しましたが、全く理解できなくてすぐにやめてしまいました。多くの学校では最初のプログラミング言語としてJavaを教えていますが、残念ながら初心者にとってJavaを理解するのはとても難しいのです。そのため初心者にとって学びやすい言語のひとつ、Pythonを習得しようと思いました。しかし、プログラミングを学ぶには多種多様な情報を集めて組み立てなければならず、そのストレスからPythonすら投げ出しそうになりました。一人っきりの孤独な学習を続けるのもストレスでした。一緒に学んだり、頼ったりする友だちがいなかったのです。

Pythonをあきらめそうになった頃、スタック・オーバーフロー（プログラマー向け質問サイト）のようなオンラインコミュニティに参加するようになりました。コミュニティへの参加によってモチベーションが維持できるようになり、再びやる気も出てきました。プログラミングを学ぶという壮大な決心をして始めましたが、うまくいくときもいかないときもあり、やめようと思うときもありました。しかし、プログラミングを学習し始めてから1年も経たないうちに、eBayでソフトウェアエンジニアとして働き始めることができました。1年前の私はカスタマーサポートの仕事ができればラッキーだと思っていたのに、有名な会社で時給50ドルのプログラミングの仕事を得るまでになったのです。これは自分でも信じられませんでした。時給も良かったのですが、それ以上に良かったのは「ソフトウェアエンジニアになれた」ということです。これで自信を持てるようになりました。プログラミングを学ぶことで、何かを成し遂げる自信がついたのです。

eBayを退職後、カリフォルニア州のパロアルトにあるスタートアップで働き始めました。その後しばらく仕事を休んで、東南アジアでバックパックの旅をしました。雨の中、バリのスミニャック地区の細い通りでタクシーに乗っていたとき、アイデアが思い浮かびました。アイデアの元になったのは、休暇前にソフトウェアエンジニアとしての経験をたくさんの人からたびたび尋ねられていたことです。シリコンバレーで働く多くのソフトウェアエンジニアたちの中で、コンピューターサイエンスの学位を持っていない私は珍しかったのです。

そのアイデアとは、『独学プログラマー』という本を書くことでした。プログラミングのことだけでなく、ソフトウェアエンジニアの仕事に就くために学んだことすべてを書こうと思いました。同じ道のりを歩もうとする人たちを助けたいと思ったからです。そんな思いから、独学プログラマーを目指すためのロードマップを作り始めました。1年かけて『独学プログラマー』を書き、自費出版しました。読んでくれる人がいるかどうか分かりませんでしたが、自分の経験を共有したいと思っていました。それが最初の数カ月で何千冊も売れたのには驚きました。本が売れるとともに、世界中にいる独学プログラマーや、そうなりたいという人たちからメッセージが届きました。

このメッセージがきっかけになり、プログラミング学習中に感じたもう1つの問題を解決しようと思いました。1人で大変な学びに向き合っているという孤独感です。そこで、参加者がお互いにサポートできる場所として、独学プログラマーのためのFacebookグループ「Self-Taught Programmers」を作りました。このグループは今や6万人以上のメンバーがいて、独学プログラマーたちがお互いに疑問を解決したり、情報を交換したり、成功事例を共有したりする独学コミュニティへと進化を遂げています。この独学コミュニティには、以下から参加できます。

https://facebook.com/groups/selftaughtprogrammers

また、私が発行しているニュースレターを以下から購読できます[訳注1]。

https://theselftaughtprogrammer.io

以前は、コンピューターサイエンスの学位を持たずにソフトウェアエンジニアとして働くことについて投稿すると、必ずといっていいほど、学位なしにプログラマーとして働くことは不可能だ、という悲観的なコメントが付きました。「独学でプログラミングを学んでどうするんだ？ 学位を持ってない人を採用する企業なんてないよ！」と強く否定してくる人たちもいました。近頃では、こういうコメントはずいぶん減りましたが、この手のコメントを書いてくる人たちには、独学プログラマーのグループを紹介しています。そこには独学でプログラミングを学んだ、新人エンジニアからエンジニアを束ねる責任者まで、世界中の企業のあらゆるポジションで活躍している独学プログラマーたちがいるのです。

書籍『独学プログラマー』は私の想像を超えて売れ続け、Udemyのコースも人気講座になりました。プログラミングを学ぶ多くのすばらしい人たちと交流を持つことは、楽しく、多くの気づきもありました。本書を通して、またその経験ができることをとても楽しみにしています。本書は『独学プログラマー』の続編です。プログラミングの基礎を知らない場合は、先に『独学プログラマー』を読んでおくと良いでしょう。本書は、Pythonでプログラミングができる人を想定しています。もしそうでなければ、『独学プログラマー』を読んだり、私のUdemyのコース[訳注2]を受講するか、あなたに合った方法で事前にPythonを学んでください。

この本で学ぶこと

前作『独学プログラマー』では、プログラミングとプログラミングの仕事をするうえで必要なスキルを紹介しました。本書はコンピューターサイエンス（計算機科学）の入門書で、特にアルゴリズムとデータ構造について紹介します。コンピューターサイエンスは、コンピューターとその動作について学ぶ学問です。ソフトウェアエンジニアになるために大学に行く場合、プログラミングを専攻するのではなくコンピューターサイエンスを専攻します。コンピューターサイエンス

[訳注1] どちらも英語のみですが、英語が苦手な方もDeepL翻訳などの機械翻訳を使うことで言語を気にせず参加できます。ぜひ参加してみてください。

[訳注2] このUdemyのコースは以下です（英語のコンテンツです）。
https://www.udemy.com/user/coryalthoff/

の学生は、数学、コンピューターの設計、コンパイラ、オペレーティングシステム（OS）、データ構造、アルゴリズム、ネットワークプログラミングなどを学びます。

それぞれの分野について詳細に解説している分厚い書籍がいくつもあり、本書ですべてを扱えるものではありません。コンピューターサイエンスという学問が扱う範囲は広大で、一生をかけても学びきれないものだと思います。本書はコンピューターサイエンスの学位に必要な内容を網羅するのではなく、独学プログラマーが活躍するうえで役に立つ、コンピューターサイエンスの基本的な概念に絞って紹介します。

独学プログラマーが理解しておくべきもっとも大切な分野は、アルゴリズムとデータ構造です。本書ではこの2つに焦点を当てることにしました。本書は第1部と第2部に分かれています。第1部はアルゴリズム入門です。アルゴリズムとは何か、アルゴリズムの優劣を決めるのは何か、そして線形探索、二分探索などのさまざまなアルゴリズムを学びます。第2部はデータ構造入門です。データ構造とは何か、そして配列、連結リスト、スタック、キュー、ハッシュテーブル、二分木、二分ヒープ、グラフについて学びます。最後に、本書を読み終えた後にやるべきこと、プログラミングを学び続けるのに役立つ情報や次のステップについて紹介します。

前作『独学プログラマー』では、プログラミングを学ぶ前にコンピューターサイエンスを学ぶのは有意義ではない、と伝えていました。それはコンピューターサイエンスを無視して良いといっているのではありません。プログラマーとして成功したければ、コンピューターサイエンスを学ぶべきです。そもそも、コンピューターサイエンスを理解していないプログラマーは採用されません。大抵の企業はプログラマーを採用するとき、技術面接を行います。技術面接で重視することはどの企業でも同じで、コンピューターサイエンス、特にアルゴリズムとデータ構造を重視します。FacebookやGoogle、Airbnbなど著名な企業では、多かれ少なかれアルゴリズムとデータ構造に関する技術面接があり、これに合格する必要があります。この2つについての深い知識を持っていないと、技術面接で落とされてしまいます。技術面接はぶっつけ本番で対応できるものではありません。アルゴリズムやデータ構造などについて、採用に値する知識を持っているかを確認するため詳細に質問されるので、採用されたいのであれば準備をしておくべきです。

採用後は、上司や同僚たちはあなたがコンピューターサイエンスの基礎をすでに身に付けているものとして接してきます。$O(n^3)$ のアルゴリズムが良くない理由から説明しなければならないとしたら、同僚たちにとって嬉しいことではありません。私がeBayでプログラミングの仕事を始めたときが、まさにこの状況でした。

私は当時、スタンフォード大学、カリフォルニア大学バークレイ校、カリフォルニア工科大学を出た優秀なプログラマーと一緒のチームにいました。コンピューターサイエンスを十分に理解している同僚たちの中で、不安で、居心地の悪さを感じていました。独学プログラマーとしてコンピューターサイエンスを学ぶことで、このような不安を最小限に抑えられます。

さらに、アルゴリズムとデータ構造を学ぶことで、プログラマーとして成長できます。成長の鍵は、フィードバックループにあります。フィードバックループとは、学んだことを実行してみて、それが期待どおりかどうかすぐに確認することです。プログラミングを学ぶときには、答えが1つではないので分かりやすいフィードバックを得るのは難しいでしょう。たとえば、あなたの作ったウェブサイトは動作しているものの、そのコードはひどい出来かもしれません。コードの良し悪しを判断する基準がないのです。しかし、アルゴリズムを学んでいるときは違います。コンピューターサイエンスにはたくさんの有名なアルゴリズムがあります。自分が書いたコードと既存のアルゴリズムの実行結果を比べて、適切な結果を出せたかすぐに分かります。建設的なフィードバックを頻繁に受け続けることで、コーディングスキルが上達します。

独学プログラマーになりたてだった頃の私が犯した最大のミスは、アルゴリズムやデータ構造について十分に学ぶ時間をとらずにソフトウェア業界に入ろうとしたことです。この2つを学ぶことにもっと時間をとっていたら、もう少し順調だったでしょう。同じ間違いをしないでくださいね。

コンピューターサイエンスの分野は広大で、学ぶべき内容がとても多いので、大学では4年かけて学生に教えます。だからといって、独学プログラマーがコンピューターサイエンスに4年かけるわけにはいかないでしょう。そこで本書では、ソフトウェアエンジニアとして成功するために必要な、もっとも重要な内容を網羅しています。本書はコンピューターサイエンスの学位の代わりにはなりませんが、本書を読み、例題を練習すれば、技術面接を合格するためのしっかりとした基礎を身に付けられます。コンピューターサイエンス専攻の同僚ばかりのチームにいても気後れせず、プログラマーとして大きく成長するでしょう。

対象読者は誰？

独学プログラマーは、プロとしてプログラミングができること、そしてコンピューターサイエンス、特にアルゴリズムとデータ構造を学ぶ必要があると納得してもらえたと思います。授業でプログラミングを学んでいる学生もぜひ本書を読んでください！ 私が始めた独学コミュニティには誰でも参加できます。前作『独学プログラマー』は意外なことに、大学生にも人気があります。大学でも『独学プログラマー』を授業で使っていると、何人かの教授から連絡をもらいました。

時々、コンピューターサイエンス専攻の学生から、中退するかどうかの相談を受けることがあります。そんなときは、大学を辞めるべきじゃない！と伝えています。私の目標は、できるだけ多くの人にプログラミングを学ぼうと思ってもらえること、そして、コンピューターサイエンスの学位がなくてもプログラミングの仕事に就けるのを知ってもらうことです。若いうちに大学で学べるのであれば、それに越したことはありません。そして、学校に通いながらでも独学コミュニティの一員として「常に学ぶ」姿勢を勉強に活かし、大学で教えてもらう以上に学びましょう。

では、自分がコンピューターサイエンスを学ぶ準備ができているか、どうやって確認したら良いでしょう？ 簡単です。プログラムの書き方さえ知っていれば準備はバッチリです。本書はコンピューターサイエンスをもっと学びたいという人に向けて書きました。知識の不足を補いたい、技術面接の準備をしたい、仕事で必要な知識を得たい、プログラマーとして成長したい。本書はそんな人たちのためのものです[訳注3]。

独学プログラマーの成功例

私自身も学位なしでソフトウェアエンジニアの職に就きましたが、ほかにも独学プログラマーの成功事例を毎日のように聞いています。学位のない独学プログラマーがソフトウェアエンジニアになれるのか、人によってはとても気になる点だと思います。そこでコンピューターサイエンスの前に、独学プログラマーの成功例をFacebookの独学コミュニティからいくつか紹介します。

Matt Munsonさん

最初は、Matt Munson（マット・マンソン）さんです。彼はFacebookの独学プログラマーグループのメンバーです。ここからは彼による文章です。

すべては、FinTechの仕事を失ったことで始まりました。生活を支え

るための臨時の仕事として、眼鏡のレンズを削ったり、クルマの修理をしたり、お祭りのバイトなどをしていました。ちょっとしたプログラミングをしたこともあります。頑張りましたが、数カ月後には家を失うことになりました。これは、プログラマーになりホームレスを脱出した話です。

仕事を失ったとき、私はまだ学校に通っていました。家を失った後の数カ月間は、クルマやテントの中で学校の勉強を続けていました。家族の援助はありませんでした。最低賃金の仕事では、住まいを確保しつつ1人の人間を養い、生活に必要な車を維持することができないのを家族は理解していなかったのです。そんな状況でしたが、友だちに頼りたくはありませんでした。9月に入り、自分のトラックを手放し、残っていた401k[訳注4]を現金化し、チャンスを求めてモンタナ州のヘレナにある故郷から約1,800マイル[訳注5]離れたテキサスのオースティンに向かいました。

オースティンに着いて1週間のうちに面接を2、3回受けましたが、スキルの有無にかかわらず、ホームレスにチャンスをくれる企業はありませんでした。数カ月後、私のGoFundMe[訳注6]に友だちや見知らぬ人が自立支援の寄付をしてくれるようになりました。この頃は1日に一度の食事でなんとか食いつないでいました。まともな食事は一度もできませんでした。この状況から抜け出す最後の手段が、プログラマーになることでした。

ついに、もうひと頑張りする決意をしました。少しでも受け入れてくれそうな求人に、一斉に職務経歴書を送りました。その中で、小さなスタートアップ企業が面接に呼んでくれました。私は、身なりを整えベストを尽くしました。ひげをそり、清潔な服を選び、髪を整え、シャワーを浴びて（ホームレスにとっては大変なんです）、面接に向かいました。自分の状況や、なぜオースティンにチャンスを求めて来たかを正直に説明し、この時点では最高の人材ではないかもしれないけれど、機会をもらえれば、最高の人材になるために必死に働くことを全力で伝えました。

面接の後、あまりにも正直に話してしまったのは大失敗だったろうと思いました。10日後、すっかりあきらめた頃に、そのスタートアップか

[訳注3]　日本語版あとがきの「本書の読み方」もご参照ください。
[訳注4]　アメリカの確定拠出型の個人年金制度の1つ。
[訳注5]　3,000km弱。日本領土の北端から南端までと同じくらい。
[訳注6]　クラウドファンディングプラットフォーム。社会的意義を重視した募金活動、資金集めを重視。

ら2回目の面接の連絡がきました。

面接に行くと、そこには責任者だけがいました。その人は「あなたの正直さに感心したので、チャンスを与えたい」と言いました。続けて「あなたは、ちゃんとした素養があり、頑丈な空の箱のようだ。どんな仕事にもめげず、学びながらこなしていけるだろう」と。最後に「12月6日から働いてくれ」と言われました。

それから1年が過ぎ、今はプログラマーになる前よりずっと良い住まいで暮らしています。同僚から敬意を払われているし、会社の重要なことについて意見を求められることもあります。あなたは何でもできるし、何にでもなれます。挑戦することをためらわないでください。たとえ何もかもうまくいっていないときだとしても。

Tianni Myersさん

次は Tianni Myers（ティアニ・マイアーズ）さんです。『独学プログラマー』を読んで私にメールをくれました。ここからは学校の外でプログラミングを学んだ彼の冒険についての話です。

私の独学の冒険は大学でメディアコミュニケーションの学位を取るために履修したウェブデザインのクラスから始まりました。この頃の私はライティングに興味を持ち、マーケティング関連の職種で働くことを夢見ていました。でも、プログラミングを学ぼうと決めたことで目標が変わりました。お店のレジ係だった私が13カ月で新人ウェブ開発者になるまでの、独学についての話を書きたいと思います。

はじめは、Code Academy（プログラミング学習サービス）でHTMLとCSSの基礎を学びました。初めて書いたPythonのプログラムは数字当てゲームで、コンピューターがランダムな数字を選び、ユーザーが正解を推測して3回まで数字を入力できる、というものでした。Pythonによるこのプログラミング経験によって、私はコンピューターに夢中になってしまいました。

朝4時に起きて珈琲をいれ、1日に6時間から10時間はコードを書いたりプログラミングの本を読んだりしました。そのとき21歳で、リサイクルショップのバイトで生活を支えていました。自分用のツールとしてプロ

グラミング言語を作るなど、大好きなことを1日中していたので、とても満たされた日々でした。

あるとき、軽い気持ちで求人サイトの採用募集に応募しました。返事がくると思っていませんでしたが、数日後にマーケティングの会社から連絡がありました。SQLの試験、電話面接、コーディング試験と続き、その後すぐに対面での面接がありました。面接ではウェブ開発のリーダーと2人のベテラン開発者が参加し、コーディング試験での私の回答についてレビューが行われ、良い感触を得ました。試験で提出した回答に驚いていたようだし、独学だと伝えたときにはもっと驚いていたようでした。私の試験回答のいくつかは、同じ試験を受けた先輩開発者のものより良かったと言っていました。そして2週間後には採用が決まりました。

努力や挑戦をして、つらさを乗り越えられれば、私が経験したように夢を叶えられるのです。

さあ、はじめよう

本書のコードの例は、Pythonで書かれています。Pythonを選んだ理由は、もっとも読みやすい言語の1つだからです。本書では、コード例とその実行結果を以下のように提示していきます。

```
1  for i in range(100):
2      print("Hello, World!")
```

```
>> Hello, World!
>> Hello, World!
>> Hello, World!
...
```

プログラムの後半に登場する >> は、Pythonの対話シェルからの出力です。... がついているときは、長い出力を紙面上省略しています。プログラムからの出力がない、またはコンセプトを説明しているため出力が重要ではない場合、>> の記載はありません。等幅フォント（ `monospaced font` ）で書かれた部分は、コードの一部かコードの出力、またはプログラミング用語のいずれかです。

Pythonのインストール

この本を読み進める前に、Pythonのバージョン3をインストールしておきましょう。公式サイト https://www.python.org/downloads/ からWindowsとmacOS用のPythonをダウンロードできます。もしUbuntuを利用しているのであれば、Python 3はデフォルトでインストールされています。Python 2ではなくPython 3をダウンロードするように気をつけてください。この本のコード例にはPython 2では動かないものがあります。

Pythonは32bitと64bitのどちらの環境でも利用できます。もし2007年以降に発売されたコンピューターを利用しているのであれば、64bitであると考えて良いでしょう。不安であれば、インターネットで調べておきましょう。

WindowsかmacOSを利用しているのであれば、それぞれのOS向けの32bitか64bitのインストーラーをダウンロードしてファイルを開き、画面の指示に従ってください。次のURLで、Pythonのインストール手順を動画で説明しています[訳注7]。

https://theselftaughtprogrammer.io/installpython

困ったときは？

Pythonのインストールに困ったら、独学プログラマーのFacebookグループ https://facebook.com/groups/selftaughtprogrammers で相談してみてください[訳注8]。オンラインでコードの質問をする場合、GitHub Gistにコードを置くなどしてください。コードのスクリーンショットを投稿するのはやめましょう。コードが画像だと、手伝おうとしてくれる人が実際にコードを動かそうとしたときコードをすべて手入力しなければなりません。GitHub Gistにコードをおいておけば、コードをコピー&ペーストしてすぐに試せます。

[訳注7] 動画は英語ですが、インストール手順が分かりやすく紹介されています。日本語での手順は以下を参照してください。
https://www.python.jp/install/install.html
https://pycamp.pycon.jp/textbook/1_install.html

[訳注8] 日本語で相談ができるQ&Aサイトとして、以下があります。こうしたウェブサイトでは、プログラミングについての質問を誰でも投稿でき、そのコミュニティのメンバーが質問に答えてくれます。
https://ja.stackoverflow.com
https://teratail.com/

チャレンジ

本書では、各章の最後にチャレンジ問題があるので挑戦してみてください。このチャレンジ問題は内容の理解を確認するためのものですが、プログラマーとしての成長を促し、技術面接への準備にもなります。

チャレンジ問題の回答は、以下のGitHubのリポジトリに掲載しています。

https://github.com/calthoff/tstcs_challenge_solutions

この本を読んでいることやチャレンジ問題を解いていることなどを、Twitterでハッシュタグ #selftaughtcoder を付けて独学コミュニティの仲間にシェアすることをお勧めします。コードを学ぶ道のりで感じた成長や興奮をシェアすることで、独学仲間たちも励まされるでしょう。またツイートに @coryalthoff を付けて、気軽に私にメンションしてください。

断固として継続しよう

最後に、コンピューターサイエンスを学ぶ前に1つだけ伝えておきたいことがあります。本書を読み始めたあなたは、もうプログラミングの独学を始めています。プログラミングのような新しいスキルを身に付けるうえで一番難しいのは、学ぶ内容の難しさではなく、学び続けることです。私も学習を継続するコツを見つけるまで何年ももがいていました。見つけたコツというのは、「鎖を切らすな」です。

「鎖を切らすな」はジェリー・サインフェルド[訳注9]が考えだしました。彼がこの言葉を思いついたのは、最初のスタンダップコメディのネタを考えているときでした。まず、部屋の壁にカレンダーをかけます。ジョークを書けた日はカレンダーに赤のXを付けます（私は緑のXのほうが好きです）。それだけです。これがコツのすべてで、とても強力なものでした。

Xが並び、鎖ができ始めると、途切れさせたくない気持ちになるのです。緑のXが2つ並び、やがて5つ並びます。そして10になり、20になります。鎖が長くなると、途切れさせるのがつらくなります。想像してみてください。月末にカレンダーを見たとき緑のXが29並んでいて、あと1つあればパーフェクトなのです。最後

[訳注9]　アメリカの俳優、コメディアン、脚本家。日本では彼の習慣化の手法が「サインフェルド・メソッド」として知られている。

の1日に鎖を途切れさせる理由などないでしょう。ジェリー・サインフェルドはこうも言っています。

> *何日か経つと鎖ができます。後はその鎖を維持するだけで、鎖は日々長くなっていくのです。何週間かして、それが自分のものになってくると、鎖を見るのが楽しみになりますよ。後やるべきことは、この鎖を切らさないことだけです。*

私もいくつか鎖を作っていますが、その中の1つ「ジムに行く」を切らさないよう夜中にジムに行くなんていう、とんでもない行動をしたこともありました。最初に制覇した月のカレンダーを見て、緑のチェックでいっぱいになっていると、最高の気分になります。マンネリ化してしまった場合でも、カレンダーを振り返ってちゃんとできていた月のことを思い返せば良いのです。

技術書を読み進めるのは難しいものです。私も途中であきらめた本が何冊あるか数え切れません。本書はできるだけ楽しく理解しやすいように作ってみましたが、さらに保険として「鎖を切らすな」で本書を最後まで読み終えてください。

コンピューターサイエンスを学ぶ準備はできましたか？ さあ始めましょう！

第 1 章

アルゴリズムとは何か?

宇宙の真理を解き明かそうとするときも、ただ21世紀のキャリアを求めるときも、コンピュータープログラミングの基礎は学ぶべき不可欠なスキルである。

——スティーヴン・ホーキング（Stephen Hawking）理論物理学者

アルゴリズムとは、問題を解決する一連の手順です。たとえば、次のようなスクランブルエッグを作るアルゴリズムがあります。3個の卵をボールに割り入れたら、泡立て器で混ぜて、コンロでフライパンを熱し、混ぜた卵をフライパンに入れて、かき混ぜます。卵にとろみがなくなったら、フライパンから取り出して、できあがりです。本書の第1部では、アルゴリズムについて説明します。ここでは、素数を見つけるといった問題解決のためのアルゴリズムを学びます。さらに、新しいアルゴリズムの書き方、すばらしいアルゴリズム、データを探索や整列する方法を学びます。

本章では、アルゴリズムの理解を促進するために、2つのアルゴリズムを比較する方法を紹介します。プログラマーは、アルゴリズムの実装とそれに伴うデータ構造を決めることに多くの時間を使います。そのため、どちらのアルゴリズムがなぜ優れているのかを理解することは重要です。アルゴリズムを選択した理由を説明できないなら、優秀なプログラマーにはなれないでしょう。そのため、この章はとても重要なのです。

アルゴリズムはコンピューターサイエンスの基本的な概念ですが、合意された特定の定義はありません。多くの定義がありますが、ドナルド・クヌースの定義は一番有名です。彼の定義では、アルゴリズムとは、入力に基づいて出力を生成する、明確で、実効で、有限の処理です。

明確性とは、「アルゴリズムの手順は、明確かつ簡潔に表され、曖昧であってはならない」という意味です。

実効性とは、「各操作を正確に実行したら、問題を解決できる」という意味です。

有限性とは、「アルゴリズムは有限回のステップを実行後、停止しなければならない」という意味です。

この定義に一般的に追加されるのは、**正確性**です。アルゴリズムは与えられた入力が同じなら、常に同じ出力を生成します。この出力は、アルゴリズムが解決する問題の正しい答えであるべきものです。

ほとんどのアルゴリズムは上記の要件を満たしますが、例外があることを知っておくのも重要です。たとえば、乱数を作る機能を開発するときは、インプットからアウトプットを予想できません。また、多くのデータサイエンスのアルゴリズムには、厳密な正確性がありません。たとえば、推定値を出力するアルゴリズムであれば、その出力がどのくらい不確かなのかを分かっていれば良いのです。しかし、それ以外は、アルゴリズムは上記の要件を満たすべきです。スクランブルエッグを作るアルゴリズムを書いたのに、そのアルゴリズムがスクランブルエッグの代わりにオムレツやゆで卵を作ってしまうとユーザーは困ってしまいます。

アルゴリズムを分析する

大抵の場合、ある問題を解くのに複数のアルゴリズムが使えます。たとえば、リストを並べ替える方法はいくつかあります。複数のアルゴリズムで同じ問題が解ける場合、何を基準に一番良い方法を決めると思いますか？ 万人がそのコードを読んで一番分かりやすいことですか？ 処理速度が一番速い？　コードが一番短い？　ほかに何かありますか？

1つの方法は、アルゴリズムを実行時間で判定するというものです。アルゴリズムの **実行時間**は、Pythonなどのプログラミング言語で書かれたアルゴリズムをコンピューターで実行するのにかかる時間です。例として以下に「1から5までのすべての数字を出力するアルゴリズム」を、Pythonで実装したものを示します。

```
1  for i in range(1, 6):
2      print(i)
```

Python組み込みの time モジュールを使って、コンピューターでこのアルゴリズムがどれくらいの時間で実行できるか計測できます。

```
1  import time
2
3  start = time.time()
4  for i in range(1, 6):
5      print(i)
6  end = time.time()
7  print(end - start)
```

```
>> 1
>> 2
>> 3
>> 4
>> 5
>> 0.15141820907592773
```

プログラムを実行すると、1から5までの数字を表示するのにかかった時間が出力されます。この場合、0.15秒かかっています。

もう一度プログラムを実行します。

```
1  import time
2
3  start = time.time()
4  for i in range(1, 6):
5      print(i)
6  end = time.time()
7  print(end - start)
```

```
>> 1
>> 2
>> 3
>> 4
>> 5
>> 0.14856505393981934
```

2回目のプログラムの実行は、異なる実行時間になりました。さらに3回、4回と実行したら、違う実行時間になるでしょう。このアルゴリズムは実行するたびに実行時間が異なります。これは、プログラムを実行するときに使用できるコンピューターの処理能力が変化して、プログラムの実行時間に影響を与えるためです。

もちろん、このアルゴリズムをほかのコンピューターで実行すると、実行時間は変わります。処理能力が低いコンピューターでこのアルゴリズムを実行したら遅くなりますし、処理能力が高いコンピューターで実行したら速くなります。また、プログラミングの実行時間は、書かれているプログラミング言語によっても異なります。たとえば、C言語で書かれた同じプログラムを実行すると、実行時間は速くなります。これは、C言語はPythonよりプログラムを速く実行できるためです。

アルゴリズムの実行時間は、コンピューターの処理能力やプログラミング言語など、多くの要因の影響を受けるので、実行時間は2つのアルゴリズムを比較するのに有効ではありません。代わりに、アルゴリズムが必要とするステップ数を元に、アルゴリズムを比較してみましょう。アルゴリズムのステップ数を入力値とする数式を利用することで、プログラミング言語やコンピューターの能力に影響されず、2つ以上のアルゴリズムを比較できます。例を見ていきましょう。前述した1から5までを表示するプログラムです。

```
1  for i in range(1, 6):
2      print(i)
```

このプログラムは5ステップで完了します（ループで5回 i をプリントしています)。アルゴリズムに必要なステップ数を方程式で表すとすると、以下のように書けます。

$$f(n) = 5$$ [訳注1]

もし、プログラムがより複雑な場合、方程式は変化します。たとえば、表示したすべての数の合計を保存したい場合は、次のようになります。

```
1  count = 0
2  for i in range(1, 6):
3      print(i)
4      count += i
```

このアルゴリズムは11ステップで完了します。最初に、count に 0 を代入します。そして、5回数値を表示し、5回加算します（1 + 5 + 5 = 11）。

以下は、先ほどと同じように、アルゴリズムのステップ数を出力とする関数を方程式で表現したものです。

$$f(n) = 11$$

コード上の6を変数に変えたらどうなるでしょうか？

```
1  count = 0
2  for i in range(1, n):
3      print(i)
4      count += i
```

方程式は以下のようになります。

$$f(n) = 1 + 2n$$

このアルゴリズムのステップ数は、n が何なのかに依存します。方程式にある1

[訳注1] f(n) は、ある入力値 n をとる関数を表します。この例のプログラムでは、入力値 n に依存せず、常に 5 ステップなのでこのように書きます。

は、最初のステップである count = 0 を表します。この後ろに n の2倍のステップがあります。たとえば、n が5だと、f(*n*) = 1 + 2 × 5 です。アルゴリズムのステップ数を示す方程式における、変化する値 n を**問題の大きさ**と呼びます。この場合、大きさが n の問題を解くのにかかる時間は、1 + 2n となり、数学表記では、T(*n*) = 1 + 2n です。左辺がTなのはtimeを算出する方程式なので、その頭文字をとっているためです。

アルゴリズムのステップ数を表す方程式は、あまり役に立ちません。というのも、いつもアルゴリズムのステップ数が確実に得られるわけではないからです。

たとえば、アルゴリズムがたくさんの条件式を含む場合、どの条件から実行されるかを事前に知る方法はありません。ラッキーなことに、アルゴリズムの正確なステップ数を気にしなくても、アルゴリズムの良し悪しを評価できます。知りたいことは、n が大きくなるにつれてアルゴリズムのパフォーマンスがどうなるかです。大抵のアルゴリズムは、小さいデータセットでは良い結果を出しますが、大きなデータセットでは最悪のパフォーマンスになる場合もあります。恐ろしく非効率なアルゴリズムでさえ、n が1なら良い結果を出します。しかし現実は、n は1ではないのです。n は、何百、何千、何万か、それ以上です。

アルゴリズムについて知るために重要なのは、正確なステップ数ではなく、n が大きくなるときにステップ数がどうなるか、です。n が大きくなると、方程式の一部のステップがあまりにも多すぎて残りの部分が重要ではなくなってしまいます。

次のPythonコードを見てください。

```
1  def print_it(n):
2      # ループ 1
3      for i in range(n):
4          print(i)
5      # ループ 2
6      for i in range(n):
7          print(i)
8          for j in range(n):
9              print(j)
10             for h in range(n):
11                 print(h)
```

アルゴリズムを完了するために何ステップあるかを決定するには、このプログラムのどこが一番重要でしょうか？ たぶん、両方のパート（1つ目のループと残りのループを含む2つ目のループ）が重要だと思うでしょう。結局、n が10,000だったら、両方のループでたくさんの数値を出力します。

実は、アルゴリズムの効率を判断する際には、以下に示す「ループ 1」のコードは効率とほとんど関係ありません。

```
2    # ループ 1
3    for i in range(n):
4        print(i)
```

なぜそうなのかを理解するには、n が大きくなるにつれて何が起きているかを見る必要があります。次の方程式は、アルゴリズムのステップ数を表しています。

$$T(n) = n + n^3$$

n ステップの2つの for ループが入れ子になっていると、n^2（n の二乗）と言い換えられます。これは、n が10だと、10ステップを2重に（または、10^2 回）実行しなければならないからです。for が3つあり、入れ子になっているループだと、同じ理由でいつも n^3 になります。この方程式では、n が10のとき、ループ1は10ステップですが、ループ2は 10^3、つまり1,000ステップです。n が1,000だと、ループ1は1,000ステップで、ループ2は $1{,}000^3$、つまり10億ステップです。

何が起こるか分かりましたよね？ n が大きくなるにつれて、アルゴリズムの2番目のステップ数が急速に大きくなるので、1つ目のステップ数が重要ではなくなるのです。たとえば、このプログラムをデータベースの100,000,000レコード分動かすと、2つ目のパートのステップ数が指数関数的に増えるため、1つ目のパートに何ステップあるかは問題ではなくなります。100,000,000レコードの場合、アルゴリズムの2つ目のパートはセプティリオン（1に続いて24個のゼロが続く数）ステップ以上になります。ステップ数が多すぎて、実際に使えるようなアルゴリズムではないのです。その最初にかかる100,000,000ステップは、比較すると小さなステップ数ですので、アルゴリズムの良し悪しを決める判断材料ではなくなります。

アルゴリズムにおいては、n が大きくなるにつれてもっとも増える部分が重要になるので、方程式 T(*n*) の代わりに、アルゴリズムの効率を表す大文字のOを用いたO記法（オーダー記法）を使います。**O記法**は、nのサイズの増加に伴って、アルゴリズムにかかる時間や記憶領域（必要な記憶領域については後ほど学びます）がどのように増加するかを示す数学の表記です。

コンピューターサイエンティストは、T(*n*)に基づいてO記法で表現した、オーダー関数を作ります。**オーダー**とは、桁が何倍大きいか小さいかを数学的に表す仕組みです。オーダー関数では、方程式T(*n*)のうちステップ数がもっとも多い部分だけを使い、その他の部分を無視します。方程式T(*n*)のステップ数がもっとも多い部分がアルゴリズムのオーダーです。以下は、O記法のオーダーを表す代表的な種類で、もっとも効率的なものから、非効率なものの順で並べています。

定数時間：Constant time
対数時間：Logarithmic time
線形時間：Linear time
対数線形時間：Log-linear time
多項式時間（二乗）：Quadratic time
多項式時間（三乗）：Cubic time
指数時間：Exponential time

それぞれのオーダーはアルゴリズムの時間計算量を表します。**時間計算量**は、nが大きくなるにつれてアルゴリズムを実行するのに必要な最大のステップ数です。

それでは、それぞれのオーダーについて説明します。

定数時間

一番効率的なオーダーは、定数時間計算量と呼ばれています。問題の大きさにかかわらず同じステップ数のときは、アルゴリズムは**定数時間**で実行されます。定数時間を表すO記法は、$O(1)$です。

わかりやすいように、少し具体例を考えてみましょう。あなたが、オンライン書店を運営していて、その書店では毎日、1番目の訪問者に本を無料でプレゼントするキャンペーンを行っているとします。customersと呼ばれるリストに訪問者を記録している場合、アルゴリズムは以下のようになるでしょう。

```
free_books = customers[0]
```

式 T(*n*) は、以下のようになります。

```
T(n) = 1
```

このアルゴリズムは、何人の訪問者がいようと関係なく1ステップです。1,000人の訪問者がいたとしても、アルゴリズムは1ステップです。10,000人の訪問者でも、アルゴリズムは1ステップですし、たとえ1兆人の訪問者だとしても、たった1ステップなのです。

この定数時間の計算量について、x軸を入力値、y軸をステップ数とするグラフを描くと、平坦になります（**図1.1**）。

このように、アルゴリズムが完了するためのステップ数は、問題が大きくなったとしても増えません。入力値がどれだけ大きくなってもアルゴリズムの実行時間は増えないので、定数時間計算量は一番効率的なアルゴリズムと言えます。

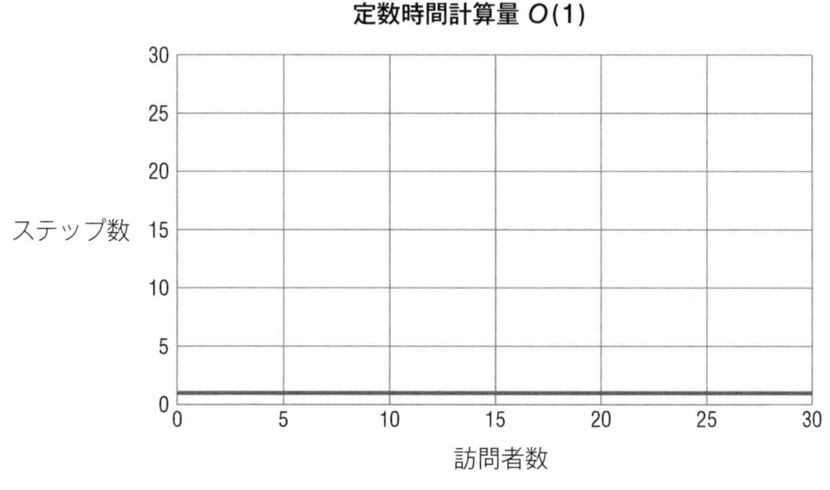

図1.1　定数時間計算量

対数時間

対数時間は2番目に効率的な時間計算量です。アルゴリズムの実行時間が入力値の大きさに比例して大きくなる場合、アルゴリズムは、**対数時間**を必要とします。繰り返すたびに多くの値を切り捨てる二分探索法のようなアルゴリズムは、対数時間計算量です。後ほど詳しく説明するので、ここでよく分からなくても心配いりません。対数時間のアルゴリズムはO記法で、$O(\log n)$ と表現します。

図1.2は、対数時間のアルゴリズムの計算量を示すグラフです。対数時間のアルゴリズムでは、データセットが大きくなるにつれて緩やかにステップ数が増加します。

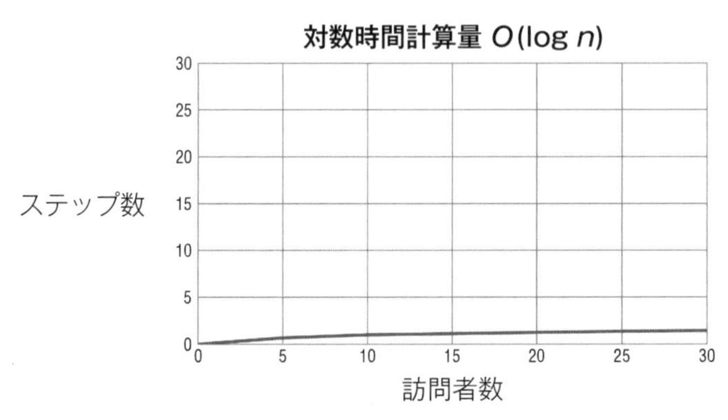

図1.2　対数時間計算量

線形時間

次に効率的なアルゴリズムは、線形時間で実行されるものです。**線形時間** は、問題の大きさと同じ比率で実行時間が長くなります。線形時間のアルゴリズムはO記法で、$O(n)$ と表現します。

先ほどの、本の無料プレゼントの条件を変更しましょう。最初の訪問者にではなく、名前が「B」で始まる訪問者に無料で本を送るようにします。しかし、訪問者リストはアルファベット順に並んでいません。名前がBで始まる訪問者を見つけるためには、訪問者リストを1行ずつ確認する必要があります。

```
1  customers = ["Lexi", "Britney", "Danny", "Bobbi", "Chris"]
2  for customer in customers:
3      if customer[0] == 'B':
4          print(customer)
```

訪問者リストに5つの要素があるとき、プログラムは完了までに5ステップ実行します。10人の訪問者のリストだと、10ステップ、20人だと20ステップとなっていきます。

以下は、このプログラムの時間計算量の式です。

$$f(n) = 1 + 1 + n$$

O記法では、定数を無視して、式の中で1番影響を与える部分に注目します。

$$O(n) = n$$

線形時間のアルゴリズムでは、n が増加するに従って、アルゴリズムのステップ数も n に比例して増加します（**図1.3**）。

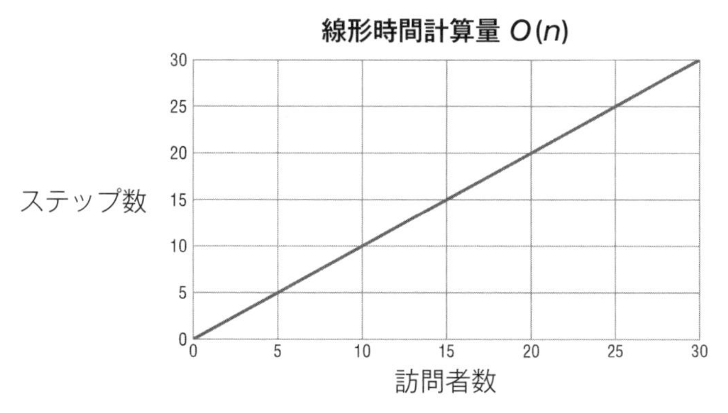

図1.3　線形時間計算量

対数線形時間

対数線形時間 で実行されるアルゴリズムは、対数時間計算量と線形時間計算量の組み合わせ（掛け算）の計算量です。たとえば、対数線形時間のアルゴリズムは、$O(\log n)$ を n 回分実行します。O記法で表すと対数線形時間のアルゴリズムは、$O(n \log n)$ です。対数線形時間のアルゴリズムの多くは、最初にデータを小さく分割し、その後、各部分を個別に処理していきます。後ほど学ぶ、マージソートのような効率的なソートアルゴリズムは対数線形です。

```
O(n) = n log n
```

図1.4は、対数線形時間のアルゴリズムのグラフです。

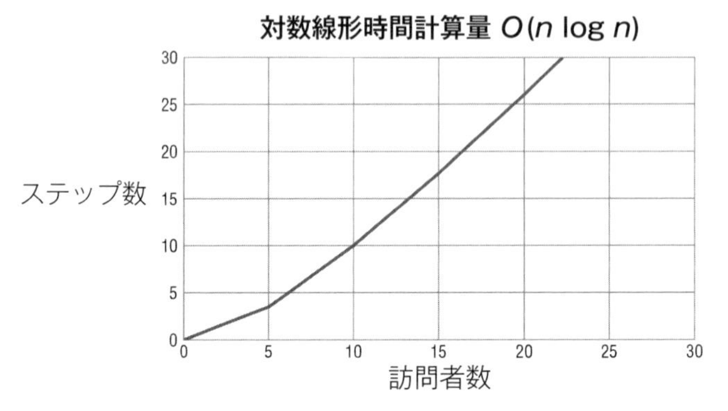

図1.4　対数線形時間計算量

このように、対数線形時間計算量は線形時間計算量より効率的ではありません。それでも、この計算量は次に学ぶ多項式時間よりは効率的です。

多項式時間（二乗）

対数線形の次に効率的な計算量は、多項式時間（二乗）です。**多項式時間（二乗）**のアルゴリズムのパフォーマンスは、問題の大きさの二乗に正比例します。O記法では、多項式時間（二乗）のアルゴリズムを $O(n^2)$ と表現します。

以下は、多項式時間（二乗）計算量の例です。

```
1  numbers = [1, 2, 3, 4, 5]
2  for i in numbers:
3      for j in numbers:
4          x = i * j
5          print(x)
```

このアルゴリズムは、リスト内のすべての数字同士を掛け算し、結果を変数に代入して、表示します。

この場合、n は numbers の要素数です。このアルゴリズムの時間計算量の方程式を次に示します。

$$f(n) = 1 + n \times n \times (1 + 1)$$

方程式中の (1 + 1) は、掛け算とprint文による出力のステップ数です。2つの for ループの入れ子の中で、n × n 回の掛け算と出力の処理を繰り返します。

$$f(n) = 1 + (1 + 1) \times n^2$$

この式は以下と同じです。

$$f(n) = 1 + 2 \times n^2$$

これまでと同様に、n^2 のステップ数が他の部分よりも圧倒的に多いので、O記法では以下のように表します。

$$O(n) = n^2$$

多項式時間（二乗）計算量のアルゴリズムのグラフでは、問題の大きさが増えるとステップ数が急激に増えていきます（**図1.5**）。

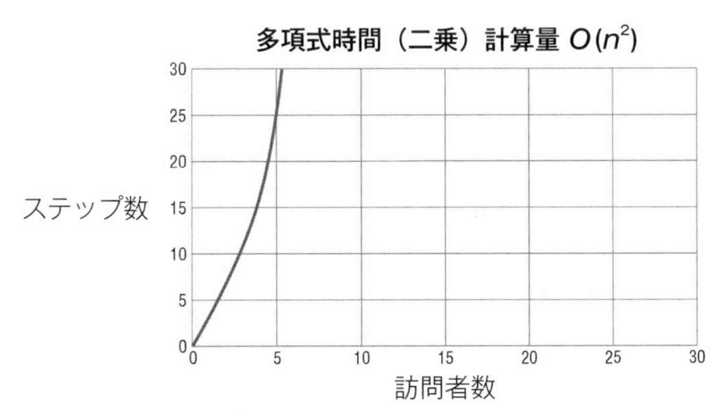

図1.5　多項式時間（二乗）計算量

原則として、1 から n まで（または、0 から n−1 まで）の2つの入れ子になったループを含むアルゴリズムを実行すると、少なくとも時間計算量は $O(n^2)$ になります。後ほど学ぶ、挿入ソートやバブルソートのような多くのソートアルゴリズムは、多項式時間（二乗）に従います。

多項式時間（三乗）

多項式時間（二乗）の次は、多項式時間（三乗）です。**多項式時間（三乗）**のアルゴリズムのパフォーマンスは、問題の大きさの三乗に正比例します。O記法では、多項式時間（三乗）のアルゴリズムを $O(n^3)$ と表現します。多項式時間（三乗）のアルゴリズムは、nが二乗の代わりに三乗されること以外は多項式（二乗）に似ています。

以下は、多項式時間（三乗）のアルゴリズムです。

```
1  numbers = [1, 2, 3, 4, 5]
2  for i in numbers:
3      for j in numbers:
4          for h in numbers:
5              x = i + j + h
6              print(x)
```

このアルゴリズムのステップ数を求める方程式は以下です。

$$f(n) = 1 + n \times n \times n \times (1 + 1)$$

これも、以下のように書けます。

$$f(n) = 1 + 2 \times n^3$$

多項式時間（二乗）のアルゴリズムのように、この方程式のもっとも重要な部分は、n^3 です。n^2 が残りの部分に含まれていたとしても、n^3 のほうが急激に大きくなります。そのため、O記法では、以下のように表します。

$$O(n) = n^3$$

2つのループで入れ子構造になっている場合は、多項式時間（二乗）計算量と考えられますが、この場合は3つの 0 から n までのループが入れ子になっているので、多項式時間（三乗）を意味しています。データサイエンスや統計など多くの複雑なデータに関わると、多項式時間（三乗）の状況に出会うこともあるでしょう。

多項式時間（二乗）計算量と多項式時間（三乗）計算量は、多項式時間計算量という、より大きな分類の一部です。これは、$O(n^a)$ で表せる**多項式時間**のアルゴリズムです。a が 2のときは多項式時間（二乗）、a が 3のときが多項式時間（三乗）です。多項式時間は n が大きくなるととても遅くなるため、アルゴリズムを設計するときはできるだけ多項式時間にならないようにしましょう。時として多項式時間が避けられないこともあります。その場合は、多項式計算量がオーダーの分類の中で最悪ではないと知っていれば、ある程度あきらめがつくかもしれません。

指数時間

最悪時間計算量グランプリの栄冠に輝いたのは、指数時間計算量です！ **指数時間**で実行されるアルゴリズムは、c の n 乗のステップ数で完了します。指数時間計算量のO記法は $O(c^n)$ で、c は定数です。定数の値はここでは問題ではなく、n が指数であることで時間が指数関数的に増大することが重要です。

幸運なことに、そんなに指数時間計算量にお目にかかることはありません。指数時間計算量の1つの例として、n 桁の10進数のパスワードをすべての組み合わせでテストする場合があります。計算量は$O(10^n)$ になります。

以下は、$O(10^n)$ の計算量のパスワードを解読する例です。

```
1  pin = 931
2  n = len(str(pin))
3  for i in range(10**n):
4      if i == pin:
5          print(i)
```

このアルゴリズムのステップ数は、n が増加すると信じられないほど大きくなります。n が1のとき、このアルゴリズムは10ステップです。n が2のときは、100ステップです。n が3になると、1000ステップです。パッと見た感じでは、指数時間のアルゴリズムは急に大きくならないように思えますが、それは最初だけです。

8桁の10進数のパスワードを解読するには、1億ステップかかります。10桁の10進数のパスワードを解読するには、100億ステップ以上かかります。こうしたプログラムは指数関数的にステップ数が増大するので、長いパスワードを作っておく必要があるのです。もし誰かがこのようなプログラムでパスワードを解読しようとしたら、パスワードが4桁の場合は簡単です。しかし、パスワードが20桁だと、人の寿命以上の実行時間が必要なので、解読できないのです。

このパスワードを解読するアルゴリズムは、力まかせ探索アルゴリズム（ブルートフォースアルゴリズム）の一例です。**力まかせ探索アルゴリズム** は、すべての可能性をテストするアルゴリズムの種類です。力まかせ探索アルゴリズムは通常効率的ではないため、最後の手段とすべきです。

これまで見てきたアルゴリズムの効率を比較して**図1.6**に示します。

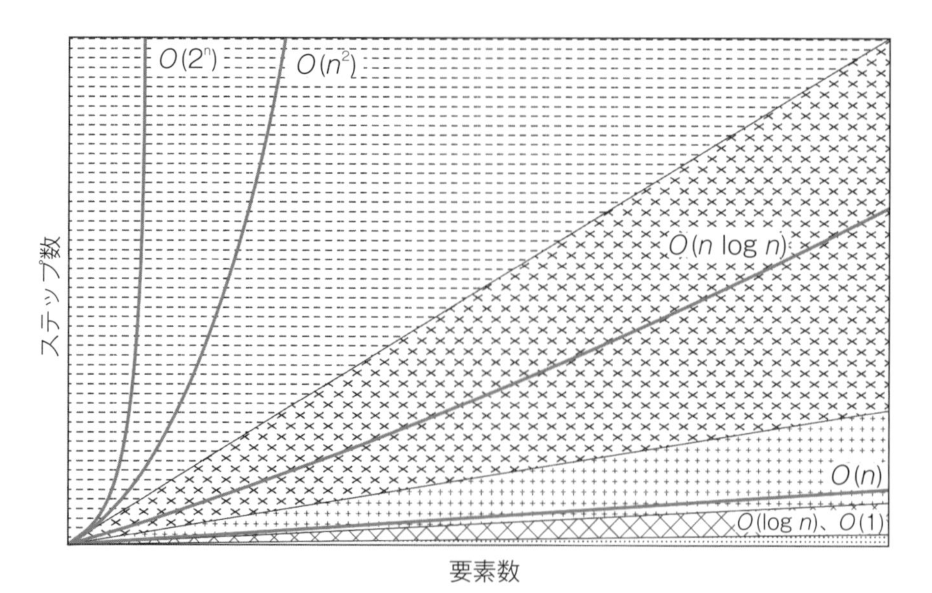

図1.6　O記法の計算量のチャート

最良な場合 対 最悪な場合の計算量

アルゴリズムのパフォーマンスは、使っているデータの種類など、さまざまな要因が影響します。このため、アルゴリズムのパフォーマンスを評価するときは、最良、最悪、さらに、平均的な場合の計算量、を考慮するべきです。アルゴリズムの**最良な場合の計算量**とは、想定される最良のシナリオで実行されるときの計算量です。アルゴリズムの**最悪な場合の計算量**は、想定される最悪なシナリオで実行されるときの計算量です。アルゴリズムの**平均的な場合の計算量**とは、想定できる一般的なシナリオで実行されるときの計算量になります。

たとえば、リストを1要素ずつ検索するとき、あなたが幸運なら、リストの1つ目の要素を確認した途端に探していたものが見つかるかもしれません。それが、最良な場合の計算量になります。しかし、あなたが探していたものがそのリストになかった場合、リスト全体を検索する必要があります。これが最悪な場合の計算量です。

もし、リストを1要素ずつ100回検索しなければならないなら、見つけるのに平均で $O(n/2)$ 時間かかるでしょう。これは $O(n)$ 時間と同じことです。アルゴリズムを比較するときは、平均的な場合の計算量を見ることから始めます。もし、詳細に分析したい場合は、最良な場合と最悪な場合の計算量の比較もできます。

領域計算量

コンピューターはメモリーのような有限なリソースを備えているため、アルゴリズムの時間計算量に加えてリソースの使い方も考慮しなければなりません。**領域計算量**は、アルゴリズムに必要なメモリー領域の大きさであり、静的領域、データ構造領域、一時領域を含みます。**静的領域**は、プログラムに必要なメモリーの量です。**データ構造領域**は、プログラムがデータを保存するのに必要なメモリーの量です。 **一時領域** は、アルゴリズムが中間処理をするのに必要なメモリーの量です。たとえば、アルゴリズムがデータを転送するためのリストを一時的にコピーする場合などです。

前に学習した時間計算量の概念は、領域計算量にもあてはまります。たとえば、定数 $O(1)$ の領域計算量を持つアルゴリズムを使うことで、n の階乗（n 以下のすべての正の整数の積）を計算できます。

```
1  x = 1
2  n = 5
3  for i in range(1, n+1):
4      x = x * i
```

nが大きくなっても、アルゴリズムが必要とする領域が変化しないので、この領域計算量は定数です。nまでのすべての階乗をリストに保存する場合、アルゴリズムは線形領域計算量 $O(n)$ になります。

```
1  x = 1
2  n = 5
3  a_list = []
4  for i in range(1, n+1):
5      x = x * i
6      a_list.append(x)
```

その領域の量は、nと同じペースで成長するため、アルゴリズムの領域計算量は $O(n)$ です。

時間計算量のように、アルゴリズムのための領域計算量の好ましいレベルは状況によります。ただ、一般的には必要な領域が少ないほうが良いとされています。

どうして重要なのか？

アルゴリズムを最適化するためには、オーダーの違いを理解する必要があります。アルゴリズムを改善する際は、まずオーダーの変化に注目するべきです。たとえば、2つの for ループを使った $O(n^2)$ のアルゴリズムがあるとします。このとき、ループの中で起こることを最適化するよりも、アルゴリズムを書き直し、for ループを2つ使わないようにして、オーダーを小さくすることを最優先すべきです。

入れ子にしていない2つの for ループを書いてこの問題を解決できたとしたら、アルゴリズムは $O(n)$ になり、そのパフォーマンスには大きな違いが生じます。この変更は、$O(n^2)$ のアルゴリズムを微調整して得られる効果よりも大きな違いをアルゴリズムのパフォーマンスにもたらします。それでも、アルゴリズムのために最良と最悪な場合のシナリオについて考えることは重要です。$O(n^2)$ のアルゴリズムでも、最良な場合は計算量が $O(n)$ になります。この場合のアルゴリズムの選択は良いといえるでしょう。開発者が選択したアルゴリズムは、現実の世界に大きな影響を与えます。顧客のウェブリクエストに応答するアルゴリズムを書くウェブ開発者が、定数のアルゴリズムか多項式のアルゴリズムのどちらを書くかで、ウェブサイトの読み込み時間に大きな違いが生じます。ウェブサイトが1秒以内で表示されて顧客が幸せになるか、1分以上かかって表示される前に顧客を失ってしまうか、という違いをもたらすのです。

用語集

アルゴリズム 問題を解決する一連の手順

実行時間 Pythonのようなプログラミング言語で書かれたアルゴリズムをコンピューターが実行するのにかかる時間

問題の大きさ 方程式のアルゴリズムのステップ数を表現するための変数n

O記法 nのサイズの増加によって、アルゴリズムの時間や必要な領域がどのように増加するかを表す数学的表記

オーダー 桁が何倍大きいか小さいかを数学的に表す仕組み

時間計算量 nが大きくなったときに、アルゴリズムを完了するのに必要な最大のステップ数

定数時間 問題のサイズにかかわらず、同じステップ数で実行されるアルゴリズムの時間計算量

対数時間 入力サイズの対数に比例した実行時間で実行されるアルゴリズムの時間計算量

線形時間 問題のサイズと同じ比率の実行時間で実行されるアルゴリズムの時間計算量

対数線形時間 対数時間計算量と線形時間計算量を組み合わせた（掛け算した）実行時間で実行されるアルゴリズムの時間計算量

多項式時間（二乗） アルゴリズムのパフォーマンスが問題のサイズの二乗に正比例する場合の、アルゴリズムの時間計算量

多項式時間（三乗） アルゴリズムのパフォーマンスが問題のサイズの三乗に正比例する場合の、アルゴリズムの時間計算量

多項式時間 アルゴリズムが$O(n^a)$として増える場合の時間計算量。a = 2の場合は多項式時間（二乗）、a = 3の場合は多項式時間（三乗）となる

指数時間 アルゴリズムがcのn乗のステップ数を含む場合の時間計算量

力まかせ探索アルゴリズム すべての可能な選択肢をテストするタイプの問題解決手順

最良な場合の計算量 想定できる最良のシナリオで実行される場合のアルゴリズムのパフォーマンス

最悪な場合の計算量　想定できる最悪なシナリオで実行される場合のアルゴリズムのパフォーマンス

平均的な場合の計算量　想定できる一般的なシナリオで実行される場合のアルゴリズムのパフォーマンス

領域計算量　アルゴリズムが必要とするメモリー領域の総量

静的領域　プログラムが必要とする固定的なメモリーの量

データ構造領域　プログラムがデータを保存するために必要なメモリーの量

一時領域　アルゴリズムが中間処理のために必要とするメモリーの量。たとえば、アルゴリズムがデータを転送するために一時的にコピーするのに必要な領域

チャレンジ

1. 過去に実装したプログラムに含まれるさまざまなアルゴリズムの時間計算量を確認しよう。

第 2 章

再帰

再帰を理解するには、まず再帰を理解する必要がある。

——作者不明

反復的アルゴリズムでは、通常はループを使って、処理を何回も何回も繰り返しながら、問題を解いていきます。あなたが今までに経験してきたプログラミングは、ほとんどが反復的アルゴリズムなのではないかと思います。**再帰的アルゴリズム**とは、問題解決方法の1つで、元々の問題を小さな同様の問題に分割し、そのすべてを解決することで、元々の問題を解決します。再帰的アルゴリズムは自分自身を呼び出す関数により実現されています。反復的アルゴリズムを用いて問題解決ができる場合は、再帰的アルゴリズムでも解決できます。再帰的アルゴリズムのほうが、より好ましい場合もあります。

再帰的アルゴリズムは、自身を何回も呼び出す関数などで書かれます。関数の中にあるコードは、入力値を取り込み、コード内で結果の値を算出し、もう一度その関数を呼び出す際、更新されたその値を入力値として渡します。この呼び出しが永遠に続かないように、再帰的な関数には終了する条件が必要です。これを**終了条件**と呼びます。毎回関数が自身を呼び出す際に、少しずつ終了条件に近づきます。最終的に終了条件に当てはまると、問題を解き終え、その関数は自身を呼び出すのをやめます。このアルゴリズムは以下の再帰の三原則を満たします。

- 再帰的アルゴリズムは、終了条件を持つ
- 再帰的アルゴリズムは、毎回状態を変え、終了条件に近づく
- 再帰的アルゴリズムは、それ自身を再帰的に呼び出す

再帰的アルゴリズムの仕組みを理解するために、再帰的アルゴリズムと反復的アルゴリズムの両方を使って、数の階乗（かいじょう）を求めてみましょう。数の**階乗**とは、ある数以下の正の整数すべての積のことです。たとえば、5の階乗というときは、5 × 4 × 3 × 2 × 1 を意味します。

$$5! = 5 \times 4 \times 3 \times 2 \times 1$$

まずは反復的アルゴリズムで、n の階乗を計算してみます。

```
1  def factorial(n):
2      the_product = 1
3      while n > 0:
4          the_product *= n
5          n = n - 1
6      return the_product
```

factorial（ファクトリアル、つまり、階乗という意味）という関数は、n を入力値として受け入れます。

```
1  def factorial(n):
```

この関数内で、the_product という名前の変数を定義し、1 を代入します。the_product は、n と n-1 の積を覚えさせるために利用します。

次に、while ループで整数 n から 1 まで反復的に積を計算していきます。その際には、毎回 the_product に、積を覚えさせておきます。

```
3      while n > 0:
4          the_product *= n
5          n = n - 1
```

while ループが終わった後に、the_product の値を返します。これが n の階乗の値です。

```
6       return the_product
```

次に同じことを再帰的に書いてみましょう。

```
1  def factorial(n):
2      if n == 0:
3          return 1
4      return n * factorial(n - 1)
```

最初に、factorialという名前の関数を書きます。この関数は、nを引数とします。次に、終了条件があります。この関数はnが0になるまでそれ自身を呼び出し続けます。nが0になったとき、1を戻り値として返し、呼び出しをストップします。

```
2      if n == 0:
3          return 1
```

終了条件に当てはまらないときは、以下のコードを実行します。

```
4      return n * factorial(n - 1)
```

見て分かるように、このコードは、自身であるfactorial関数を呼び出します。再帰的アルゴリズムを見るのが初めてなら、このコードに違和感を持つかもしれませんし、こんなコードが動くわけがないと感じるかもしれません。でも、ご心配なく。これは本当に動くんです。この例では、factorial関数は自身を呼び出して、結果を得ます。このとき関数は前の状態と変わり、入力値をnとするのではなく、n-1を入力値として呼び出します。この再帰を繰り返すと、最終的にnは0になります。そのときに終了条件に当てはまり、再帰が止まるという仕組みです。

```
2       if n == 0:
3           return 1
```

再帰的アルゴリズムだと、以下のように、たった4行のコードで書けてしまいます。

```
1   def factorial(n):
2       if n == 0:
3           return 1
4       return n * factorial(n - 1)
```

これは、どのように動くのでしょうか？ 内部的には、毎回関数が return に到達するたびに、スタックに中間結果を記憶します。この内部スタックはデータ構造の1つで、第2部にて詳細に学びます。スタックはPythonにおけるリストのようなものです。ただし、追加した順番どおりに要素が取り除かれます。

たとえば、以下のように再帰的な factorial 関数を呼び出すとします。

```
factorial(3)
```

引数の n は3からスタートします。関数は終了条件をテストし、それが False なら以下のコードを実行します。

```
4       return n * factorial(n - 1)
```

Pythonは n * factorial(n-1) をまだ計算できません。そこで計算を保留した状態を内部スタックに置きます。

```
# 内部スタックの状態（このコードは実行しようとしないでください）

[return n * factorial(n-1)  # n = 3]
```

関数は自分自身を呼び出し、n を1つ減少させます。

```
factorial(2)
```

関数はまた終了条件をテストします。False が帰ってくるので、Pythonは以下のコードを実行します。

```
4       return n * factorial(n - 1)
```

Pythonはまだ n * factorial(n-1) の実行結果を知りません。そのため評価前の状態を内部スタック内に置きます。

```
# 内部スタックの状態

[return n * factorial(n-1),  # n = 3
 return n * factorial(n-1)   # n = 2]
```

関数はもう一度自分自身を呼び出し、n を1つ減少させます。

```
factorial(1)
```

Pythonはまだ n * factorial(n-1) の実行結果を知りません。そのためこの状態を内部スタック内に置きます。

```
# 内部スタックの状態

[return n * factorial(n-1),  # n = 3
 return n * factorial(n-1),  # n = 2
 return n * factorial(n-1)   # n = 1]
```

関数はもう一度自分自身を呼び出し、n を1つ減少させます。ただし今回は、n は 0 になります。この場合、終了条件は満たされるので、1 が結果として返されます。

```
2       if n == 0:
3           return 1
```

Pythonは内部スタックに戻り値を置きます。ただし、今回は数字の 1 が返されます。Pythonの内部スタックは以下のようになります。

```
# 内部スタックの状態

[return n * factorial(n-1),    # n = 3
 return n * factorial(n-1),    # n = 2
 return n * factorial(n-1),    # n = 1
 1]
```

Pythonは最後の結果を知っているので、その結果を使ってそれ以前の結果を計算でき、その結果を内部スタックから取り除きます。つまり、Pythonは n × 1 の乗算を n = 1 で行います。

1 × 1 = 1

この時点でPythonの内部スタックは以下のようになります。

```
# 内部スタックの状態

[return n * factorial(n-1),  # n = 3
 return n * factorial(n-1),  # n = 2
 1]
```

Pythonはここでも先ほどの結果を知っています。そのため、その前の結果を以下のように計算し、内部スタックからその結果を取り除きます。

2 × 1 = 2

この時点でPythonの内部スタックは以下のようになります。

```
# 内部スタックの状態

[return n * factorial(n-1),  # n = 3
 2]
```

Pythonはここでも先ほどの結果を知っています。先ほどと同様に、その前の結果を計算し、内部スタックからその結果を取り除きます。最終的に、その結果を返します。

3 × 2 = 6

```
# 内部スタックの状態

[return 6]
```

ここで見てきたように、数の階乗計算は、細かく分解して、同様の問題を順番に解き続けていくと答えが出る、という再帰的アルゴリズムの好例です。これを理解して再帰的なアルゴリズムを書けば、洗練された階乗のコードを作り出せます。

再帰をいつ使うのか

再帰をどのくらいの頻度で使うかはあなた次第です。再帰的に書けるすべてのアルゴリズムは、反復的にも書けます。再帰の主な利点は、洗練されたコードにあります。この章で見てきたように、反復的な解法での階乗計算は、6行必要でした。ところが、再帰的な解法は、わずか4行でした。

再帰的アルゴリズムの欠点は、より多くのコンピューターメモリーを使ってしまうことです。上記で見たように、Pythonの内部スタックにデータを置く必要があるためです。また、再帰で書かれた関数は、反復的アルゴリズムで書いた関数よりもコードを読んだり不具合を特定するのが難しい場合があります。なぜなら、再帰的アルゴリズムでは、何が起こっているかを追うのが難しいからです。

問題を解くのに再帰を使うかどうかは、状況によります。たとえば、再帰的アルゴリズムによる洗練された実装にするか、反復的アルゴリズムによるコンピューターメモリーの使用量節約を優先するか、などです。この本では後ほど、二分木の探索などの具体例を通して、再帰的アルゴリズムが反復的アルゴリズムよりも洗練された解決方法である事例を紹介します。

用語集

反復的アルゴリズム　通常はループを用いて、処理を何回も何回も繰り返しながら、問題を解く手法

再帰的アルゴリズム　元々の問題を小さな同様の問題に分割し、そのすべてを解決することで、元々の問題を解決する手法

終了条件　再帰的アルゴリズムが永久に続かないようにするための条件

階乗　ある数以下の正の整数すべての積

チャレンジ

1. 再帰的に1から10までの数字を出力しよう。

第 3 章

探索アルゴリズム

アルゴリズムは、信じられるものとしてみなさなければならない[訳注1]。
——ドナルド・クヌース（Donald Knuth）数学者、計算機科学者

経験豊かなプログラマーは、データを使った作業に多くの時間を費やします。もしあなたがウェブアプリやスマホアプリの開発者になったら、ユーザーにウェブサイトやアプリでデータを見せるでしょうし、見せる前に加工するでしょう。もしデータサイエンティストになったら、データを扱う作業にさらに時間を使うでしょう。もしNetflixで働いていたら、データを使って映画の推薦アルゴリズムを改善するかもしれません。Instagramであれば、分析したデータを使ってユーザーにサービスを長く利用してもらおうとするでしょう。

データの探索方法は、データを扱うプログラマーが知っておくべきもっとも基礎的な知識の1つです。コンピューターサイエンティストは**探索アルゴリズム**を書いて、**データセット**（データの集合）から目的のデータを探します。探索アルゴリズムには、線形探索と二分探索という代表的なアルゴリズムがあります。探索アルゴリズムを普段のプログラミングで実装する必要はほとんどなく、経験豊かなプログラマーはプログラミング言語標準の探索アルゴリズムを使います。

しかしながら、探索アルゴリズムの書き方を学ぶことは、より良いプログラマーになるうえで大切です。それにより線形や対数のオーダーといったコンピューターサイエンスの基本的な概念を理解する助けになるからです。また、いくつか

[訳注1] 出典は次のとおり。The Art of Computer Programming Vol. I, Fundamental Algorithms, Section 1.1（1968）

あるPython標準の探索アルゴリズムの中から、データセットにとってどれが効率が良いか判断するためには、これらのアルゴリズムを理解することが重要です。

この章では、線形探索と二分探索という2つの異なるアルゴリズムを使って、数字のリストを探索する方法を学びます。そして、探索アルゴリズムを自分で実装した後、Pythonの機能を使って同じ探索を行う方法を紹介します。

線形探索

線形探索では、データセットの全要素について繰り返し、探索対象と比較します。比較して一致する要素が見つかれば、その数値はリストに入っていることになります。一致する要素が見つからずに終了した場合、その数値はリストにはないことになります。

Pythonで線形探索アルゴリズムを書くと、以下になります。

```
1  def linear_search(a_list, n):
2      for i in a_list:
3          if i == n:
4              return True
5      return False
6
7  a_list = [1, 8, 32, 91, 5, 15, 9, 100, 3]
8  print(linear_search(a_list, 91))
```

```
>> True
```

まず、`linear_search`関数にリストと検索する数`n`を引数として渡します。

```
7  a_list = [1, 8, 32, 91, 5, 15, 9, 100, 3]
8  print(linear_search(a_list, 91))
```

この場合、`n`は91で、アルゴリズムは`a_list`に91が存在するかを調べます。そして、`for`ループを使って、`a_list`の各要素を繰り返し処理しています。

```
2       for i in a_list:
```

次に、a_list の各要素と n を比較するために、if 文を使います。

```
3           if i == n:
```

一致するものがあれば、True を返します。リスト内の要素をすべて確認して、一致するものがなければ、False を返します。

```
2       for i in a_list:
3           if i == n:
4               return True
5       return False
```

プログラムを実行すると、数 n（この場合は 91）が a_list に含まれているので、True を返します。

```
8  print(linear_search(a_list, 91))
```

```
>> True
```

91の代わりに1003を検索するようにプログラムを再実行すると、この1003は a_list に含まれていないので、False を返します。

```
print(linear_search(a_list, 1003))
```

```
>> False
```

線形探索をいつ使うのか

線形探索のオーダーは $O(n)$ です。最悪の場合、10の要素があるリストでは、10

ステップかかります。最良の場合は、$O(1)$ になります。なぜなら探している要素がリストの最初の要素として見つかるかもしれないからです。その場合、アルゴリズムは一致する要素を見つけたらすぐに処理をやめるので、1ステップしかからないでしょう。平均すると線形探索は、n / 2 ステップかかります。

検索対象がソート済みデータではない場合、線形探索を利用をお勧めします。**ソート済みデータ**とは、ある意図で並べられたデータのことです。たとえば以下のように、数値のリストを順番（昇順）に並べ替えたものです。

```
# 未整列のリスト
the_list = [12, 19, 13, 15, 14, 10, 18]

# 昇順で並び替えたリスト
the_list = [10, 12, 13, 14, 15, 18, 19]
```

ソート済みデータの場合は、次節で紹介する二分探索を利用してより効率的に探索できます。

実際にプログラミングするときは、自分で線形探索を書く代わりに、Pythonの組み込みキーワードの in が利用できます。以下では、実際に in を利用した方法を説明します。

```
1  unsorted_list = [1, 45, 4, 32, 3]
2  print(45 in unsorted_list)
```

```
>> True
```

Python の in キーワードを利用すれば、たった1行で unsorted_list の線形探索ができます[訳注2]。

ここまでの例では数値だけを検索しましたが、文字列中の文字を探すのにも線形探索を使用できます。次のように線形探索を使って、文字を探索できます。

[訳注2] この場合のオーダーは、自分で for 文を書くときと同じです。処理時間はデータ量に比例することに注意が必要です。

```
1  print('a' in 'apple')
```

```
>> True
```

二分探索

二分探索は、リストから数値を探すための、もう1つのより高速なアルゴリズムです。ただし、あらゆるデータセットに使えるわけではありません。二分探索は、データセットがソート済みのときにだけ、利用できます。

二分探索は、リスト内の要素を半分に分割して探索します。たとえば、次のような数値のリストを昇順に並び替えて、19を探しているとします（**図3.1**）。

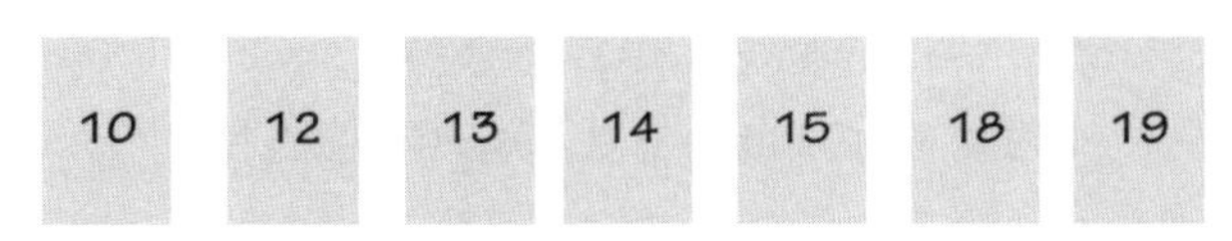

図3.1　二分探索のためにソートされたデータセット

二分探索の最初のステップは、中央値を見つけることです。このリストには7つの要素があり、中央値は14です（**図3.2**）。

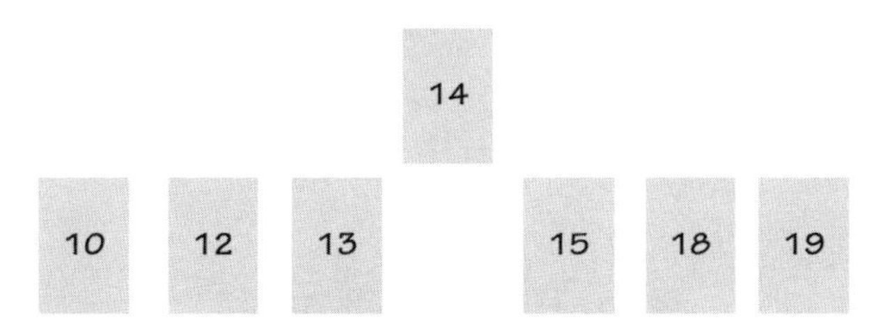

図3.2　二分探索は最初に中央値を見つける

14は探している数値ではないので、そのまま処理を続けます。

次のステップでは、探している数値の19が中央値より大きいか小さいかを判断します。19は14より大きいので、小さいほうのリストを探索する必要はありません。後は、残る大きいほうのリストの3つの数値を探索するだけです（**図3.3**）。

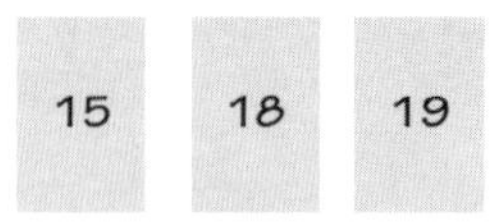

図3.3　次のステップで、その数値を含まないデータの半分を取り除く

次に、また中央値を探す処理を繰り返します。今度は18が中央値です（**図3.4**）。

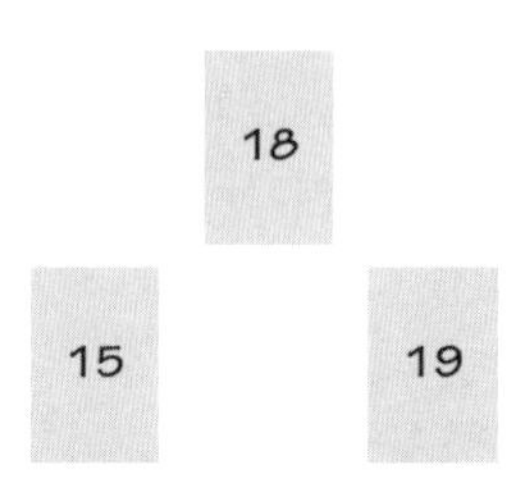

図3.4　次のステップで、再び中央値を探す

18は探している数値ではないので、再びリストの前半部分か後半部分のどちらを残すか判定します。19は18より大きいので、大きいほうを残し、小さいほうを取り除きます。

残った1つの数値が19なら、探している数値です（**図3.5**）。数値が19でない場合は、そのリストにはなかったことが分かります。

19

図3.5　目的の数値が見つかった

線形探索では、19を見つけるまでに7ステップかかりました。この二分探索では、半分以下の3ステップで済みました。

以下では、Pythonで二分探索を実装する方法を示します。

```
1  def binary_search(a_list, n):
2      first = 0
3      last = len(a_list) - 1
4      while last >= first:
5          mid = (first + last) // 2
6          if a_list[mid] == n:
7              return True
8          else:
9              if n < a_list[mid]:
10                 last = mid - 1
11             else:
12                 first = mid + 1
13     return False
```

binary_search 関数は、a_list と n（探索対象の数値）の2つの引数を受け取ります。

```
1  def binary_search(a_list, n):
```

変数の first と last を使い、探索するリストの先頭と末尾を記録します。まず、first の値を0に設定して開始します。次に、last に探索するリストの長さから 1 を引いた数を代入します。これらの変数の値は、a_list をより小さなかたまりに分割するときに変更します。

```
2      first = 0
3      last = len(a_list) - 1
```

このアルゴリズムのループは、リストに要素があるかぎり続きます。

```
4      while last >= first:
```

ループ内では、first と last を足して2で割った値を用いて、a_list の真ん中となる要素のインデックスを見つけます。

```
5          mid = (first + last) // 2
```

二重のスラッシュ // は、**切り捨て除算演算子**です。割り算したときの商の小数点以下の値を切り捨てた整数値を返します。たとえば、7を2で割ると3.5ですが、切り捨てをすると、3になります。切り捨てるので、リストの真ん中の要素のインデックスである mid は常に整数になります。

次に if 文を使ってリストの真ん中の要素が、探している数値かどうかをチェックします。真ん中の要素と等しければ、True を返します。

```
6          if a_list[mid] == n:
7              return True
```

リストの真ん中の要素が探している値でなければ、真ん中となる要素の値よりもその値が大きいか小さいかをチェックします。以下のように、探している値のほうが小さければ、last を真ん中となる要素のインデックスから 1 引いた値にします。こうすることで、以降のループでは、探索対象のリストを上半分のみにできます。

```
 9             if n < a_list[mid]:
10                 last = mid - 1
```

探している値のほうが大きければ、first を真ん中となる要素のインデックスに1足した値にします。こうすることで、以降のループでは、探索対象のリストを下半分のみにできます。

```
11             else:
12                 first = mid + 1
```

first と last を使って作成した対象のリストの小さなかたまりに対して、ループが繰り返されます。

```
5           mid = (first + last) // 2
```

ループが終了すると、関数はFalseを返します。なぜなら関数の最後まで到達したのであれば、その数値はイテラブル（繰り返し可能なオブジェクト）内にはないためです。

```
13       return False
```

二分探索をいつ使うのか

二分探索のオーダーは、$O(\log n)$ です。リスト内すべてを探索する代わりに、リストの一部を次々と取り除いていくので、線形探索よりも効率的です。この二分探索の効率の良さが、大量のデータを扱う際に大きな違いを生みます。たとえば、100万件の数値が入ったリストを線形探索する場合には、探索が完了するまでに100万ステップかかることもあります。一方、二分探索ではステップ数が対数的にしか増加しないため、20ステップで済みます。

アルゴリズムが対数的とはどういう意味なのかを理解するために、対数とべき乗の関係を見てみましょう。

べき乗とは、b^n（Pythonではb**n）と書く数値演算のことで、数bそれ自身をn回掛けることです。この式で、ある数bは**底**と呼ばれ、ある数nは**指数**と呼ばれます。つまり、べき乗の計算とは、bをn乗することを意味します。たとえば、2^2 は 2 × 2 を意味し、2^3 は 2 × 2 × 2 を意味します。

対数とは、ある数値を別の数値にするために何乗すれば良いか、の指数を表します。つまり、べき乗の反対です。たとえば、対数は2を何回掛ければ8が得られるか、を表します。数式でこの質問を表すと、$\log_2 8$ となります。8を得るために2を3回掛ける必要があるので、$\log_2 8$ の解答は3となり、この3を対数と呼びます（**図3.6**）。

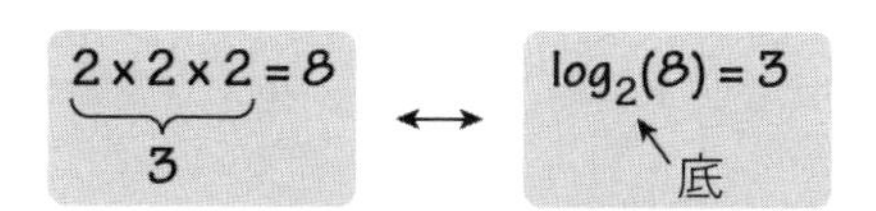

図3.6　指数表記と対数表記の比較

二分探索では、最初にリストを半分にすると、n / 2 個の要素が残ります。これを繰り返すと、2回目は、n / 2 / 2 の要素が残り、3回目は n / 2 / 2 / 2 の要素が残ります。言い換えれば、二分探索の最初の繰り返しでは $n / 2^1$ 個の要素が残り、3回目の繰り返し後には $n / 2^3$ 個の要素が残ります。もっと一般的にいうと、x 回繰り返した後には、リストには $n / 2^x$ 個の要素が残ります。

リストの中から目的の数字を見つけるのに、二分探索だと最悪何回繰り返す必要があるのかは、対数を使って表せます。たとえば、100個ある数値のリストで、ある数値がないことを確認するために、二分探索を何回繰り返せば良いかを知りたいとします。$2^n = 100$ の n が求める答えですが、これは $\log_2 100$ で計算できます。

この式の答えは簡単に推測できます。たとえば、n を5としたら、2^5 は32となり、小さすぎます。推測を続けて 2^6 を計算すると、64となり、まだ小さいです。 次の 2^7 は 128 となり、100よりも大きいので、これが答えです。つまり、100個の要素があるリストに目的の数字がないと判断するには、二分探索アルゴリズムで7ステップかかります。すなわち、$100 / 2 / 2 / 2 / 2 / 2 / 2 / 2 < 1$ となります。

二分探索を実行するとき、リストを二分割して繰り返すので、その実行時間を表す対数の底は2です。しかし、O記法において対数の底は重要ではありません。これは、対数に定数を掛ければ調整が可能だからです。

数学的な詳細に関しては本書の範囲外ですが、ポイントは「O記法では対数の底は重要ではない」ということです。重要なのは、アルゴリズムが対数的であるかどうかです。通常、繰り返し処理をするたびに計算量を半分、または大量に減らすようなアルゴリズムでは、ステップ数は対数になります。

二分探索はとても効率的なため、ソート済みデータの探索に最適です。ソートされていないデータだとしても、場合によっては二分探索を利用するためにソートするコストをかける価値があります。たとえば、大きなリストを何回も検索する予定がある場合、データを一度ソートしておけばそれ以降の検索が大幅に高速化される可能性があります。

Pythonには線形探索と同様に、二分探索を行うPython組み込みの `bisect` モジュールがあります。実際にアプリケーションを書くときには、これを利用しましょう。二分探索を書くには、`bisect` 内の `bisect_left` 関数を使います。この関数は、二分探索により、ソート済みリストに存在する要素のインデックスを見つけてくれます。

```
1  from bisect import bisect_left
2
3
4  sorted_fruits = ['apple', 'banana', 'orange', 'plum']
5  bisect_left(sorted_fruits, 'banana')
```

```
>> 1
```

この場合には、sorted_fruitsのインデックス1に'banana'があるので、bisect_leftは1を返します。探している要素がソート済みのイテラブルに含まれていないときには、bisect_leftは、その要素がリストに含まれていた場合にその要素があるべき場所のインデックスを返します。

```
1  from bisect import bisect_left
2
3
4  sorted_fruits = ['apple', 'banana', 'orange', 'plum']
5  bisect_left(sorted_fruits, 'kiwi')
```

```
>> 2
```

見てのとおり、'kiwi'はソート済みのイテラブルに含まれていませんが、もし含まれていたとしたらインデックスは2になるでしょう。

bisect_leftは要素がない場合に、その要素がリストのどこに収まるべきかを教えてくれるので、要素がイテラブルにあるか否かをチェックするには、インデックスがイテラブル内にあるかどうか（bisectがイテラブル外のインデックスを返すこともあります）とbisect_leftが返すインデックスが探している値であるかどうかを確認する必要があります。

次のコードは、bisect_leftを使って二分探索を行う方法です。

```
1  from bisect import bisect_left
2
3
4  def binary_search(an_iterable, target):
5      index = bisect_left(an_iterable, target)
6      if index <= len(an_iterable) and an_iterable[index] ==
   target:
7          return True
8      return False
```

bisect_leftがイテラブル内のインデックスを返し、そのインデックスがターゲットを含んでいる場合、要素はイテラブル内にあるので、Trueを返します。そうでない場合は、Falseを返します。

文字の探索

前節までに、Python標準の機能で線形探索と二分探索を行って、リスト内の文字を検索する方法が分かりました。しかし、改めて線形探索や二分探索をイチから書かなければならないとしたらどうでしょうか？ イチから書かずに文字列を探索する方法を理解するためには、コンピューターがどのように文字列を保存しているかをもっと知る必要があります。

文字コードは、文字と2進数の対応表です。さまざまな文字コードを実装するために、文字エンコーディング（後述）が使われています。

American Standard Code for Information Interchange（**ASCII**）[訳注3]では、コンピューターはアルファベットの各文字を7ビットの数値にマッピングしています。**図3.7**は、2進数と英語のさまざまな文字の関係を示しています。

たとえば、Aという文字のASCIIコードでの値は、2進数（2進数については第6章で学びます）では01000001、10進数（私たちが毎日使っている数値体系です）では65です。同様に、bという文字の2進数は01100010です。大文字、小文字、句読点、数字、そして改ページや改行などの動作を示す各種制御文字は、すべて

[訳注3] 米国規格協会（ANSI）によって規定された、コンピューターの情報交換用の標準コードです。

ASCIIコードを持っています。0から9までの文字にも10進数で48から57までの（0から9ではない）ASCIIコードが割り当てられています。これらの数字を表すコードは、住所の番地（26 Broadway Street, New Yorkなど）のように、非数学的な表現に使う文字です。

ASCIIコードでは各文字が7ビットの2進数に対応しているため、最大で128種類の文字しか表現できません（2^7 で128)。しかし、ほとんどのコンピューターはASCIIコードを8ビットに拡張することで、256文字を表現できるようにしています。

10進数	2進数	文字	10進数	2進数	文字	10進数	2進数	文字	10進数	2進数	文字
0	0000 0000	[NUL]	32	0010 0000	space	64	0100 0000	@	96	0110 0000	`
1	0000 0001	[SOH]	33	0010 0001	!	65	0100 0001	A	97	0110 0001	a
2	0000 0010	[STX]	34	0010 0010	"	66	0100 0010	B	98	0110 0010	b
3	0000 0011	[ETX]	35	0010 0011	#	67	0100 0011	C	99	0110 0011	c
4	0000 0100	[EOT]	36	0010 0100	$	68	0100 0100	D	100	0110 0100	d
5	0000 0101	[ENQ]	37	0010 0101	%	69	0100 0101	E	101	0110 0101	e
6	0000 0110	[ACK]	38	0010 0110	&	70	0100 0110	F	102	0110 0110	f
7	0000 0111	[BEL]	39	0010 0111	'	71	0100 0111	G	103	0110 0111	g
8	0000 1000	[BS]	40	0010 1000	(	72	0100 1000	H	104	0110 1000	h
9	0000 1001	[TAB]	41	0010 1001	)	73	0100 1001	I	105	0110 1001	i
10	0000 1010	[LF]	42	0010 1010	*	74	0100 1010	J	106	0110 1010	j
11	0000 1011	[VT]	43	0010 1011	+	75	0100 1011	K	107	0110 1011	k
12	0000 1100	[FF]	44	0010 1100	,	76	0100 1100	L	108	0110 1100	l
13	0000 1101	[CR]	45	0010 1101	-	77	0100 1101	M	109	0110 1101	m
14	0000 1110	[SO]	46	0010 1110	.	78	0100 1110	N	110	0110 1110	n
15	0000 1111	[SI]	47	0010 1111	/	79	0100 1111	O	111	0110 1111	o
16	0001 0000	[DLE]	48	0011 0000	0	80	0101 0000	P	112	0111 0000	p
17	0001 0001	[DC1]	49	0011 0001	1	81	0101 0001	Q	113	0111 0001	q
18	0001 0010	[DC2]	50	0011 0010	2	82	0101 0010	R	114	0111 0010	r
19	0001 0011	[DC3]	51	0011 0011	3	83	0101 0011	S	115	0111 0011	s
20	0001 0100	[DC4]	52	0011 0100	4	84	0101 0100	T	116	0111 0100	t
21	0001 0101	[NAK]	53	0011 0101	5	85	0101 0101	U	117	0111 0101	u
22	0001 0110	[SYN]	54	0011 0110	6	86	0101 0110	V	118	0111 0110	v
23	0001 0111	[ETB]	55	0011 0111	7	87	0101 0111	W	119	0111 0111	w
24	0001 1000	[CAN]	56	0011 1000	8	88	0101 1000	X	120	0111 1000	x
25	0001 1001	[EM]	57	0011 1001	9	89	0101 1001	Y	121	0111 1001	y
26	0001 1010	[SUB]	58	0011 1010	:	90	0101 1010	Z	122	0111 1010	z
27	0001 1011	[ESC]	59	0011 1011	;	91	0101 1011	[	123	0111 1011	{
28	0001 1100	[FS]	60	0011 1100	<	92	0101 1100	\	124	0111 1100	|
29	0001 1101	[GS]	61	0011 1101	=	93	0101 1101	]	125	0111 1101	}
30	0001 1110	[RS]	62	0011 1110	>	94	0101 1110	^	126	0111 1110	~
31	0001 1111	[US]	63	0011 1111	?	95	0101 1111	_	127	0111 1111	[DEL]

図3.7　ASCIIコード表

ASCIIコードの256文字あれば、十分にラテン文字のアルファベットを表せますが、日本語や中国語といった他の文字体系のテキストを表すには全く足りません。この問題に対処するために100万文字以上の文字を表現できる**Unicode**文字セットが開発されました。

Unicodeの各文字をコンピューター上で実装する方式の1つに、**UTF-8**文字エンコーディングがあります。**文字エンコーディング**は、文字を数値で表すデジタル表現です。

ASCIIコードは7ビットあるいは8ビットでしたが、UTF-8では1文字を最大32ビットでエンコード（符号化）します。UTF-8はASCIIコードと互換性があり、ラテン文字のアルファベットを同じビット列で表現しています。たとえば、大文字のAというラテン文字はASCIIコードとUTF-8のいずれにおいてもビット列01000001で表現します。

訳注コラム：日本語の文字コードとエンコード例

文字コードは世界中で100種類以上あり、日本でも主に3種類の文字コード（JIS、シフトJIS、EUC-JP）が使われていました。Unicode登場後は世界共通で使えるUTF-8が主流になり、日本でもUTF-8が広く使われています。

文字を数値に符号化するエンコード処理により、日本語の文字「あ」は文字コードごとに以下のような異なるデータ列に変換されます。

```
>>> 'あ'.encode('utf8') # UTF-8
b'\xe3\x81\x82'
>>> 'あ'.encode('sjis') # シフトJIS
b'\x82\xa0'
>>> 'あ'.encode('iso2022jp') # JIS
b'\x1b$B$"\x1b(B'
>>> 'あ'.encode('eucjp') # EUC-JP
b'\xa4\xa2'
```

Python組み込みの`ord`関数を使って、文字のASCIIコードの値を取得できます[訳注4]。

[訳注4] `ord`関数はUnicodeの各文字に割り当てられているUnicodeコードポイントを返します。Unicodeコードポイントも ASCIIコードと互換性があるため、`ord`を使って文字のASCIIコード値を取得できます。

```
1  print(ord('a'))
```

```
>> 97
```

見てのとおり、'a' のASCII値は10進数で 97です。

ord 関数は、さまざまな文字の基礎となるASCIIコードを直接扱う必要があるときに役立ちます。先ほど紹介した二分探索を文字の探索に変更するには、文字のASCIIコードの値を取得して比較する必要があります[訳注5]。

ループ内で毎回、各文字のASCIIコードが、探している文字のASCIIコードより大きいか小さいか、あるいは等しいかを確認します。その実装方法については、ここでは紹介しません。本章のチャレンジ課題としましたので、ご自身で実装してみてください。

ここまでで、線形探索と二分探索の仕組み、データを探索する際の使い分けが理解できたと思います。二分探索はとても効率的ですが、データを探索する最速の方法ではありません。第2部では、ハッシュテーブルを利用したデータの探索方法と、なぜそれがもっとも効率的な探索方法なのかを紹介します。

訳注コラム：探索効率と準備コスト

Pythonでは、list に対する in は線形探索、set に対する in はハッシュ探索となります。アルゴリズムとデータ構造の知識があれば、Pythonの list と set のどちらがデータ探索に適したデータ型なのかを判断できます。

ただし、効率の良いアルゴリズムを使うためだとしても、list 型を探索のためにソートしたり set に変換する準備をするのは非効率であり、1回の探索のためであれば、変換コストをかけるよりも線形探索を行うほうが効率の良い場合もあることに注意してください。次のコードで探索やソートがそれぞれどれくらい処理に時間がかかるかを見てみましょう。

[訳注5] Pythonのように最近のプログラミング言語を使うと、文字列同士を直接比較できます。しかしコンピューター内部では1文字ずつコード値で比較する処理が行われています。

```
>>> import random
>>> import timeit
>>> import bisect
>>> data = list(range(1_000))
>>> random.shuffle(data)
>>> # (1)線形探索
>>> timeit.timeit(lambda: 1 in data)
3.2760883000446483
>>> # ソートするコストは高い
>>> timeit.timeit(lambda: sorted(data))
55.04534249997232
>>> # 何度も探索する場合はソートしておく
>>> datasorted = sorted(data)
>>> # (2)二分探索は(1)線形探索より速い
>>> timeit.timeit(lambda: bisect.bisect(datasorted, 1))
0.15903109998907894
>>> # set へ変換するコストは高い
>>> timeit.timeit(lambda: set(data))
12.35056789999362
>>> # 何度も探索する場合はsetに変換しておく
>>> dataset = set(data)
>>> # (3)ハッシュ探索は(2)二分探索より速い
>>> timeit.timeit(lambda: 1 in dataset)
0.07589160004863515
```

用語集

探索アルゴリズム　データセットからデータを探すアルゴリズム

データセット　データの集合

線形探索　データセットの各要素を繰り返し、探索対象と比較する探索アルゴリズム

ソート済みデータ　ある意図で並べられたデータ

二分探索　リストから数値を探索するもう1つのアルゴリズムで、線形探索より高速

切り捨て除算演算子　割り算したときの商の、小数点以下の値を切り捨てた整数値を返す演算子

べき乗　b^n（Pythonでは`b**n`）と書く数値演算。ある数bにそれ自身をn回掛けること

底　べき乗の計算式（b^n）のbのことを指す

指数　べき乗の計算式（b^n）のnのことを指す

対数　ある数値を別の数値にするために、何乗したら良いかの指数

文字コード　文字と2進数とのマッピング

ASCII　「The American Standard Code for Information Interchange」の略

Unicode　ASCIIコードより多くの文字を格納できる文字コード

文字エンコーディング　文字を数値で表すデジタル表現

UTF-8　Unicodeの文字エンコーディング方式の1つ

チャレンジ

1. アルファベット順の単語のリストが与えられたとき、単語の二分探索を行い、単語がリストに含まれているかどうかを返す関数を書こう。

第 4 章

ソートアルゴリズム

バブルソートは間違ったやり方だろう[訳注1]。

——バラク・オバマ（Barack Obama）元米大統領

プログラミングをするとき、データの検索に加えて、頻繁にデータをソートしなければならない場合があるでしょう。**データをソートする**とは、データを意味のある順番に並べ替えることです。たとえば、数字のリストがあったとしたら、それらを小さいものから大きいものへと昇順で並べ替えます。また、各ユーザーが今まで読んだ本を記録しておくアプリを作っている場面を想像してみてください。そうしたアプリでは、ユーザーにいろんな順番で本を並べ替える機能を提供したいかもしれません。たとえば、本の並び順を、長さが短い本から長い本へと並べ替えたり、古い本から新しい本へ、または、新しい本から古い本へと並び替えたり、といった具合です。

並べ替えを実現するために、実にさまざまなソートアルゴリズムが存在し、それぞれに長所と短所があります。たとえば、ある種のソートアルゴリズムは、イテラブルが大体ソートされているといった特定の状況で、とても有効です。この章では、バブルソート、挿入ソート、マージソートなどを学びます。このほか、人気のあるソートには、クイックソート、シェルソート、ヒープソートなどがあります。特殊な状況でのみ使うソートアルゴリズムもたくさん存在します。そのため、この章でいくつかのソートを学んだ後は、現実のプログラミングで1番使う

[訳注1]　エリック・シュミット氏（Googleの元CEO）との対談での発言。以下から見られます（開始50秒ほどの発言）。
https://youtu.be/k4RRi_ntQc8

であろうPythonの組み込み関数を使って、どのようにデータをソートするか、に注目します。

実社会でプログラムを実装する際は、プログラミング言語に組み込まれたソート関数を使うべきです。よほど特殊な状況でないかぎり、ここで説明するような古典的なソートアルゴリズムを自分で実装するようなことはしないでください。なぜなら、Pythonのような比較的最近開発されたプログラミング言語が標準で提供するソート関数は、古典的なものに比べて高速だからです。しかし、いくつかの古典的なソートアルゴリズムを学んでおくことで、時間計算量についての理解が深まります。加えて、マージソートの仕組みなどのように、ソート以外の場面で使える概念の理解に役立ちます。

バブルソート

バブルソートは、任意の数字のリストに対して、隣接する2つの数字を比較し、順番になっていない場合はそれらの交換を繰り返し実行する、ソートアルゴリズムです。バブルソートと呼ぶのは、水の中にある空気の泡（バブル）がどんどん浮かび上がっていくようなイメージで、リスト内の最大値は徐々にリストの後方に移動していき、逆に最小値は徐々にリストの前方に移動していくからです。

次のリストがあるとしましょう。

```
[32, 1, 9, 6]
```

最初に、32と1を比較します。

```
[32, 1, 9, 6]
```

32のほうが大きいので、1と場所を交換して、右に移動します。

```
[1, 32, 9, 6]
```

次に、32と9を比較します。

```
[1, 32, 9, 6]
```

32のほうが大きいので、9と場所を交換して、さらに右に移動します。

```
[1, 9, 32, 6]
```

最後に、32と6を比較します。

```
[1, 9, 32, 6]
```

今回も32のほうが大きいので、6と場所を交換して、1番右端に移動します。

```
[1, 9, 6, 32]
```

この例のように32は、空気の泡が浮かび上がるように、リストの右端に移動していきました。しかしながら、リストの9と6がまだ順番に並んでいません。ですので、アルゴリズムは左端からまた1と9を比較します。

```
[1, 9, 6, 32]
```

この比較では、1と9は正しい順序で並んでいるので、何も起こりません。続いて9と6を比較します。

```
[1, 9, 6, 32]
```

9は6よりも大きいので、並び順を交換します。これで、このリストは以下のように左から小さい順に並びました。

```
[1, 6, 9, 32]
```

バブルソートでは、1番大きな数字は、アルゴリズムの最初の繰り返し実行中に、右端まで移動します。1番小さな数字が右端にある場合は、左端に移動するまでに、何回も繰り返し実行を行う必要があります。

以下のような例では、32は繰り返し実行の1回目で、右端に移動します。

```
[32, 6, 9, 1]
```

この例では、4回の繰り返し実行を行うことで、ようやく1を左端に移動できます。バブルソートの可視化ツールを使うと、ソートの過程が分かりやすくなります。インターネットで検索すると、理解を助けてくれるたくさんの可視化ツールが見つかります[訳注2]。この章で出てくるソートアルゴリズムについて、そうした可視化ツールを使って理解を深めると良いでしょう。

Pythonでは以下のようにバブルソートを実装します。

```
1  def bubble_sort(a_list):
2      loop_size = len(a_list) - 1
3      for i in range(loop_size):
4          for j in range(loop_size):
5              if a_list[j] > a_list[j+1]:
6                  a_list[j], a_list[j+1] = a_list[j+1],
   a_list[j]
7      return a_list
```

bubble_sort 関数は a_list という数字のリストを引数にとります。

```
1  def bubble_sort(a_list):
```

関数内部では、リストの長さを取得し、そこから1を引きます。その結果を loop_size という名前の変数に入れます。この loop_size が、アルゴリズムを何回繰り返す必要があるかを制御します。

[訳注2] たとえば、以下のサイトではバブルソートの可視化を行ってくれます。
https://www.hackerearth.com/practice/algorithms/sorting/bubble-sort/visualize/

また、『アルゴリズム図鑑』(翔泳社、2017年)では本書で紹介する多くのアルゴリズムを図解しています。同書の著者が公開している、アルゴリズムの動きを確認できるアプリ「アルゴリズム図鑑」も公開されています。ほかにも日本語のサイトや動画があるので、検索してみると良いでしょう。

```
2       loop_size = len(a_list) - 1
```

この関数は、以下のように、入れ子になっているループがあり、数字のリストに対して比較を繰り返し実行できるようになっています。

```
3       for i in range(loop_size):
4           for j in range(loop_size):
```

内側の for ループでは、if 文を使い、Pythonのリストオブジェクトに指定するインデックスに1を加えることで、繰り返し実行中の（対象となる）数字と、隣接している数字を、比較しています。

```
5               if a_list[j] > a_list[j+1]:
```

以下のコードが、繰り返し実行中の数字に該当します。

```
a_list[j]
```

以下のコードが、隣接する数字に該当します。

```
a_list[j+1]
```

繰り返し実行中の数字が隣接する数字よりも大きい場合は、並び順を変更します。次のPythonの構文では、仮の変数に要素を入れたりしないで、隣接する2つの数字の並び順を変更できます。

```
6               a_list[j], a_list[j+1] = a_list[j+1], a_list[j]
```

入れ子になっているループの内側で、数字の比較はすべて実行されます。外側のループは単純に数字リストを正しい並び順にするためだけに存在しています。たとえば、先に示した最初の例をもう一度見てみましょう。

```
[32, 1, 9, 6]
```

内側のループでの1回目の繰り返し実行を終えた時点で、このリストは以下のようになります。

```
[1, 9, 6, 32]
```

このリストの並び順はまだ不完全です。もし内側のループしかなかったら、このアルゴリズムは不完全なまま終わってしまいます。外側のループは、アルゴリズムが正しい並び順になるまで繰り返し実行を行うために、存在しているのです。

このコードは、以下のように、内部のforループに-iを書き足すことで効率が良くなります。最初の繰り返し実行時、リストの1番右側では次との比較を行わないからです。また、同じように、2回目の繰り返し実行時はリストの右端から2番目まで処理したら、そのさらに右はソート済みのため比較ステップから省きます。3回目の繰り返し実行時も右端から3番目までを処理し、残りはソート済みなので処理を省きます。

```
1  def bubble_sort(a_list):
2      loop_size = len(a_list) - 1
3      for i in range(loop_size):
4          for j in range(loop_size - i):  # - i を追加
5              if a_list[j] > a_list[j+1]:
6                  a_list[j], a_list[j+1] = a_list[j+1],
   a_list[j]
7      return a_list
```

ループの最終にあたる比較は、実行する必要がありません。なぜなら、各繰り返し実行中に1番大きな数字はリストの右端に移動するため、（比較しなくても）1番大きな数字であることが明白だからです。

最初の例（1回目の繰り返し実行）で確認してみましょう。32は、ソートの最初の繰り返し実行時に、右端に移動します。つまり、確実に1番大きな数字がリストの端にきているわけです。同じように、2番目に大きい数字（9）は、2回目の繰り返し実行時に、すでに右端から2番目に移動しています。これが、ソートアルゴリズムの続くかぎり繰り返されるのです。ですので、各繰り返し実行時に1番大きな数として扱われて右端に移された数字を他の数字と比べる必要はなく、ループを省略できるわけです。

もう一度、次の例に戻って見てみましょう。

```
[32, 1, 9, 6]
```

1回目の繰り返し実行後は、以下になります。

```
[1, 9, 6, 32]
```

1回目の繰り返し実行後、1番大きい数字（32）はリストの1番後ろ（右端）にいきます。そのため、32を何かと比較する必要がありません。すでに右端に移動していることは明白だからです。

同じように、2回目の繰り返し実行時は、2番目に大きい数字（9）はリストの右端から2番目に移動しています。3回目の実行時も同様です。

```
[1, 6, 9, 32]
```

そのため、内部のループ実行時には、そのループを少しだけ早いタイミングで止められます。

このバブルソートは、内部のループで並び順の変更が行われたか否かを追跡する変数を用意することで、さらに効率が高まります。内部ループで一度も並び順の変更が行われなかったときには、そのリストの並び順はすでに整っていて、もうそれ以上の処理は必要ありません。そのため、ループを止めて良い状態になっています。

```
1  def bubble_sort(a_list):
2      loop_size = len(a_list) - 1
3      for i in range(loop_size):
4          no_swaps = True
5          for j in range(loop_size-i):
6              if a_list[j] > a_list[j+1]:
7                  a_list[j], a_list[j+1] = a_list[j+1],
   a_list[j]
8                  no_swaps = False
9          if no_swaps:
10             return a_list
11     return a_list
```

このような場合、上記のコードのように、no_swapsという変数を追加し、変数の値をTrueにおきます。もしも並び順の変更が起きた場合は、値をFalseに変更します。

内部のループの処理を終えてno_swapsがTrueのままなら、その数字リストはすでに正しく並んでいるので、それ以上の処理を行わずにアルゴリズムを止めてしまって良いのです。

この小さな修正を行うだけで、数字リストがすでにほとんど正しく並んでいるような場合に、高速にソートできるようになります。

バブルソートをいつ使うのか

上記のバブルソートの実装は、数字の並び順を昇順に変えます。また、文字列の並びを変えるようなバブルソートを書くこともできます。たとえば、単語の最初のアルファベットを比較することで、単語をアルファベット順に並べ変えるようなバブルソートが書けます。

バブルソートの大きな長所は、非常にシンプルに実装できることです。そのため、ソートアルゴリズムを学ぶのに、ちょうど良い出発地点となります。

バブルソートは2つのforを使った入れ子のループに依存するので、時間計算量は$O(n^2)$です。これは、データ量が少ないときには十分に使えるアルゴリズムですが、膨大なデータ量を扱うときには効率的ではありません。

バブルソートはまた、**安定ソート**でもあります。安定ソートとは、ソートするためのルール以外では、最初の並びを保持するソートの種類をいいます。たとえば、以下のような、動物に関するデータベースがあったとしましょう。

Akita　（訳注：秋田犬のこと）
Bear
Tiger
Albatross

アルファベット文字の最初でソートした場合、以下のような結果が期待できます。

安定ソートの場合
Akita
Albatross
Bear
Tiger

今回のバブルソートでは単語の最初のアルファベットの並び順で順番を変えていますが、Akita と Albatross は並び替えが起こる前と同じ並び順のままです。このように元の並び順を保持するのが安定ソートです。

不安定ソートとは、並び替えが起こる前の並び順に保証がないソートです。この例では、以下のように、Albatross が Akita の前にくるかもしれません。

不安定ソートの場合
Albatross
Akita
Bear
Tiger

つまり、安定ソートでは、条件が同じ2つの要素がある場合は、それらの要素の並び順は並び替えが起こる前の順番と同じになります。安定はしてはいますが、バブルソートの時間計算量が $O(n^2)$ と非効率的で、より効率的なソートがほかに存在するので、ソートアルゴリズムを学ぶときのような特別な状況以外では、バブルソートを使うことはまずないでしょう。

挿入ソート

挿入ソートは、ソートアルゴリズムの1つで、手札に持つトランプのカードを並べ替えるようにデータを整列させるアルゴリズムです。

最初に、数字のリストを2つに分けます。1つはすでに整列された左側半分、そしてもう1つはまだ整列されていない右側半分という具合です。そして、整列させたトランプカードのように、整列されていない部分を並べ替えていきます。たとえば、5枚のカードを昇順に並べ替えたいとき、カードの1枚ずつを見て、数字の大きいカードを小さいカードよりも右側に挿入していくようなイメージです。

4つの数字からなるリストでの動作を見ていきましょう。このリストの2つ目の数字、つまり5からスタートします。

```
[6, 5, 8, 2]
```

次に、スタートした対象となる数字と、その前の数字を比較します。ここでは、5と6を比較します。6のほうが5よりも大きいので、この2つの並び順を入れ替えます。

```
[5, 6, 8, 2]
```

これで左側半分は整列しましたが、右側半分はまだです。

```
[5, 6, 8, 2]
```

次に、3番目の要素（8）を見ます。8は6よりも大きいので、並び順は変えません。

```
[5, 6, 8, 2]
```

すでに左側半分は整列できているので、8と5を比べる必要はありません。

```
[5, 6, 8, 2]
```

次に、2をその左隣の8と比較します。

```
[5, 6, 8, 2]
```

8は2よりも大きいので、2をすでに整列できている左側の数字それぞれと比べます。最終的に、2がこのリストで最初となり、リスト全体が整列するまで続けます。

```
[2, 5, 6, 8]
```

Pythonで挿入ソートを実装すると以下のようになります。

```
1  def insertion_sort(a_list):
2      for i in range(1, len(a_list)):
3          value = a_list[i]
4          while i > 0 and a_list[i-1] > value:
5              a_list[i] = a_list[i-1]
6              i = i - 1
7          a_list[i] = value
8      return a_list
```

まず、リストを入力にとる insertion_sort 関数を定義します。

```
1  def insertion_sort(a_list):
```

この関数は for ループを使って、リストに入っている各数字に繰り返し処理を行います。その中で、すでに整列が終わっている左側に新しい数字を入れるための比較を、while ループを使って行います。

```
2       for i in range(1, len(a_list)):
            ...
4           while i > 0 and a_list[i-1] > value:
                ...
```

この for ループは与えられたリストの2番目の要素からスタートします。

ループ内では、value という名の変数を使って、対象の数字を持っておきます。

```
2       for i in range(1, len(a_list)):
3           value = a_list[i]
```

while ループは、まだ整列の終わっていない右側から、整列の終わっている左側に、数字を挿入していきます。これは2つの条件が維持されているかぎり続きます。1つは、i が 0 よりも大きいこと。もう1つは、リストの左側に並んでいる数値が右側の数値よりも大きいこと、です。

変数 i が 0 よりも大きくなければならないのは、次の理由からです。while ループは2つの数字を比べます。しかし、i が 0 ということは、アルゴリズムはすでにリストの先頭まできており、比べる対象の数値がもうないことを意味します。

```
4           while i > 0 and a_list[i-1] > value:
```

value に入っている数字がその横の数字よりも小さい場合にのみ、この while ループは実行されます。while ループ内部では、リストにある大きい数字を右に移動します。そして、アルゴリズムは、より小さいと評価した数字をすでに整列された左側のどこに入れるか探索します。さらに、変数 i の値を1つ減らすことで、ループが次の比較をできるようにし、そこでより小さいと評価した数字をさらに左側に移動する必要があるか判断します。

```
4           while i > 0 and a_list[i-1] > value:
5               a_list[i] = a_list[i-1]
6               i = i - 1
```

while ループが処理を終えると、value に割り当てられている対象の数字を、すでに整列を終えている左側の中の正しい位置に、割り当てます。

```
7           a_list[i] = value
```

以下のリストを使って、挿入ソートがどのように数を並べるか、見ていきましょう。

```
[6, 5, 8, 2]
```

最初の for ループの中での i の値は 1、value の値は 5 です。

```
2       for i in range(1, len(a_list)):
3           value = a_list[i]
```

以下の太字で書かれたコード部分は、True となります。なぜなら、i > 0 で、6 > 5 だからです。そのため、while ループ内のコードが実行されます。

```
4           while i > 0 and a_list[i-1] > value:
5               a_list[i] = a_list[i-1]
6               i = i - 1
7           a_list[i] = value
```

以下の太字部分に注目してください。

```
4           while i > 0 and a_list[i-1] > value:
5               a_list[i] = a_list[i-1]
6               i = i - 1
7           a_list[i] = value
```

このコードが以下のリストから、

```
[6, 5, 8, 2]
```

次のリストへと変更されます。

```
[6, 6, 8, 2]
```

次は、以下のコードの太字部分についてです。

```
4        while i > 0 and a_list[i-1] > value:
5            a_list[i] = a_list[i-1]
6            i = i - 1
7        a_list[i] = value
```

このコードはiの数字を1つ減らします。iは0になり、whileループを実行する条件を満たさなくなります。そのため、whileループは実行されません。

```
4        while i > 0 and a_list[i-1] > value:
5            a_list[i] = a_list[i-1]
6            i = i - 1
7        a_list[i] = value
```

続いて、以下のコードの太字部分です。

```
4        while i > 0 and a_list[i-1] > value:
5            a_list[i] = a_list[i-1]
6            i = i - 1
7        a_list[i] = value
```

この時点のリストが以下です。

```
[6, 6, 8, 2]
```

これが、次のリストへと変更されます。

```
[5, 6, 8, 2]
```

これでリストの最初の2つの要素を並べ替えました。残りは、残りの8と2を含む右側半分にも、このアルゴリズムを適用するだけです。

挿入ソートをいつ使うのか

バブルソートと同じで、挿入ソートは安定ソートです。時間計算量もバブルソートと同じで $O(n^2)$ であるため、効率的ではありません。それでも、バブルソートと違って、挿入ソートは実務で使います。たとえば、挿入ソートは、ほとんど並べ替えの終わっているデータがある場合には、効率的な選択肢の1つとなります。リストがすでに整列されていたり、ほぼ整列されている場合には、時間計算量は $O(n)$ となり、とても効率的なアルゴリズムになるためです。

次のリストを例に見ていきましょう。

```
[1, 2, 3, 4, 5, 7, 6]
```

見て分かるように、最後の2つ以外はすでにソートが終わっているリストです。コードの while ループが実行されるのは、隣り合う数字同士が正しく並んでいない場合のみです。そのため、ほとんど整列が終わっているこのリストを整列させるには、while ループをただ1回だけ実行すればよく、たった8ステップで整列可能です。

マージソート

マージソートはソートアルゴリズムの1つで、要素がひとつだけ含まれるリストになるまで、リストを半分ずつに分け続け、その後、正しい並び順に整列しながら統合していく再帰的なアルゴリズムです。その仕組みを以下の図で見ていきましょう。

最初に、再帰アルゴリズムを使って、ソートするリスト[6, 3, 9, 2]を、要素数が1つになるまで、サブリストに分割していきます（**図4.1**）。

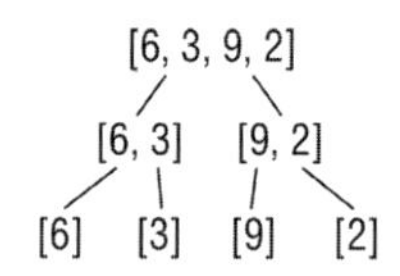

図4.1　マージソートの最初の部分

1つだけ要素の入っているサブリスト[6] [3] [9] [2]ができたら、ソートしていきます。まず、2つのサブリストごとに、最初の要素を比較し、（ソート順で）統合していきます。サブリストを統合していくことで、要素を整列できるのです。

訳注コラム：マージソートの後半部分

図4.1 の続きを図で表すと**図A** になります。

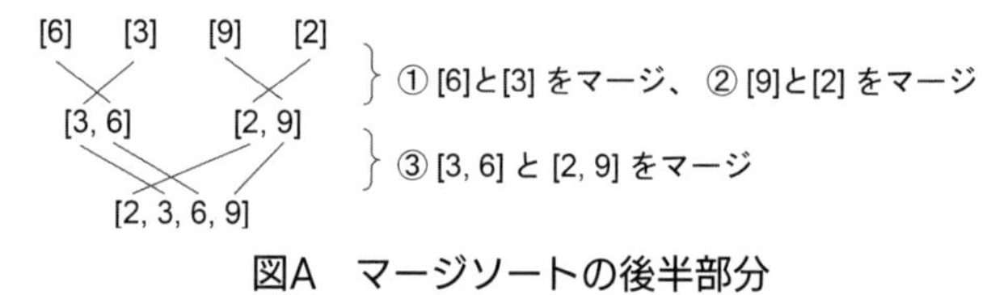

図A　マージソートの後半部分

具体的に見ていきましょう。最初に、[6]と[3]を統合し、次に [9]と[2]を統合します。この場合、各リストには1要素しか入っていないので、2つの数字を比較して、小さい数字を新たなマージ用のリストに追加し、大きい数字をその次に追加します。これで、以下のような2つの整列済みのリストができます。

```
[3, 6], [2, 9]
```

次に、この2つのリストを統合します。統合前の状態は以下です。

```
# unmerged (まだマージされていないリスト)
[3, 6], [2, 9]

# merged (マージしたリスト)
[]
```

最初に3と2を比較します。2のほうが小さいので、マージしたリストに入れます。

```
# unmerged (まだマージされていないリスト)
[3, 6], [9]

# merged (マージしたリスト)
[2]
```

次は3と9を比較します。3のほうが小さいので、マージしたリストに入れます。

```
# unmerged (まだマージされていないリスト)
[6], [9]

# merged (マージしたリスト)
[2, 3]
```

最後に6と9を比較します。6のほうが小さいのでマージしたリストに入れます。その後、9をマージしたリストに入れます。

```
# unmerged (まだマージされていないリスト)
[], []

# merged (マージしたリスト)
[2, 3, 6, 9]
```

すべてがマージされた、1つだけのソート済みのリストができました。

Pythonでマージソートを実装すると、以下になります。

```
1  def merge_sort(a_list):
2      if len(a_list) > 1:
3          mid = len(a_list) // 2
4          left = a_list[:mid]
5          right = a_list[mid:]
```

```
6          merge_sort(left)
7          merge_sort(right)
8
9          left_i = 0
10         right_i = 0
11         alist_i = 0
12         while (
13             left_i < len(left) and
14             right_i < len(right)
15         ):
16             if left[left_i] <= right[right_i]:
17                 a_list[alist_i] = left[left_i]
18                 left_i += 1
19             else:
20                 a_list[alist_i] = right[right_i]
21                 right_i += 1
22             alist_i += 1
23
24         while left_i < len(left):
25             a_list[alist_i] = left[left_i]
26             left_i += 1
27             alist_i += 1
28
29         while right_i < len(right):
30             a_list[alist_i] = right[right_i]
31             right_i += 1
32             alist_i += 1
33     return a_list
```

次の部分が、与えられたリストを再帰的にサブリストに分割します。

```
2      if len(a_list) > 1:
3          mid = len(a_list) // 2
```

```
 4          left = a_list[:mid]
 5          right = a_list[mid:]
 6          merge_sort(left)
 7          merge_sort(right)
```

以下の部分が、2つのリストをマージします。

```
 9          left_i = 0
10          right_i = 0
11          alist_i = 0
12          while (
13              left_i < len(left) and
14              right_i < len(right)
15          ):
16              if left[left_i] <= right[right_i]:
17                  a_list[alist_i] = left[left_i]
18                  left_i += 1
19              else:
20                  a_list[alist_i] = right[right_i]
21                  right_i += 1
22              alist_i += 1
23
24          while left_i < len(left):
25              a_list[alist_i] = left[left_i]
26              left_i += 1
27              alist_i += 1
28
29          while right_i < len(right):
30              a_list[alist_i] = right[right_i]
31              right_i += 1
32              alist_i += 1
33      return a_list
```

再帰がこのアルゴリズムのポイントです。後ほど、リストをマージするコードについて見ていきます。まずは再帰の部分を1行ずつ確認していきましょう。この節の最初で使ったリストを例に見ていきます。

```
[6, 3, 9, 2]
```

初めて merge_sort 関数を呼び出したとき、以下のように3つの変数が作られます。

```
# 関数呼び出し 1段目
a_list = [6, 3, 9, 2]
left = [6, 3]
right = [9, 2]
```

関数に渡された a_list を左半分と右半分に分けることで、さらに2つの変数が作られます[訳注3]。

```
3        mid = len(a_list) // 2
4        left = a_list[:mid]
5        right = a_list[mid:]
```

次に、関数が再帰的に関数自身を呼び出し、left を引数として渡します。

```
6        merge_sort(left)
```

これで、さらに3つの変数が作られます。

```
# 関数呼び出し 2段目 (a_listは1段目のleft)
a_list = [6, 3]
```

[訳注3] left と right は、a_list の部分コピーです。コピーなので、それらの変更は a_list に影響しません。そのため、left と right をソート後にそれら2つをマージした結果を a_list に書き込みます。

```
left = [6]
right = [3]
```

ここで理解しておくべきなのは、関数呼び出し1段目で作ったleftと、関数呼び出し2段目のa_listは、同じリストを指していることです。このため、関数呼び出し2段目の処理でa_listを変更すると、1段目で作られたleftを変更することになります。

さらに再帰的に関数自身を呼び出しますが、leftは[6]となり、終了条件に当てはまるので、ここで再帰が止まります。

```
2       if len(a_list) > 1:
```

そこで、次のコードに移ります。

```
7           merge_sort(right)
```

right変数は[3]で、こちらも終了条件に当てはまるので、これ以上は関数自身を呼び出しません。

```
2       if len(a_list) > 1:
```

ここで、マージする処理を呼び出します。マージ処理は、[6]が入ったleftと、[3]が入ったrightをマージし、その結果をa_listを変更することで保存します。ここでa_listは、整列された状態になります。

```
# 関数呼び出し 2段目（2段目のa_list整列後）
a_list = [3, 6]
left = [6]
right = [3]
```

先ほど説明したように、関数呼び出し2段目のa_listを変更することで、1段目で作ったleftも変更されています。

元々、関数呼び出し1段目でPythonが保持しているデータは、以下のような状態でした。

```
# 関数呼び出し 1段目 (2段目にleftを渡す前)
a_list = [6, 3, 9, 2]
left = [6, 3]
right = [9, 2]
```

しかし、関数呼び出し2段目での a_list への変更は関数呼び出し1段目で作った left を変更することになります。このため、関数呼び出し1段目のデータの状態は以下のようになります。

```
# 関数呼び出し 1段目 (2段目に渡したleftが整列されている)
a_list = [6, 3, 9, 2]
left = [3, 6]
right = [9, 2]
```

ここで、再帰呼び出し元の left が、整列した状態に変更されていることが重要です。

そして、right についても同じように再帰関数に渡されて、整列されます。その結果、関数呼び出し1段目のデータの状態は、以下のようになります。

```
# 関数呼び出し 1段目 (2段目に渡したrightが整列されている)
a_list = [6, 3, 9, 2]
left = [3, 6]
right = [2, 9]
```

見て分かるように、right は関数呼び出し1段目で整列された状態になりました。アルゴリズムが再帰処理を呼び出し終えた時点で、2つのリスト left と right それぞれのソートが完了します。後は、left と right を統合して、整列させた要素が入ったリストを最終結果として返すだけです。

それでは、2つのリストを統合するコードを見てみましょう。マージするためのコードは3つの変数の定義から入ります。これらの変数は 0 にセットされています。

```
left_i = 0
right_i = 0
alist_i = 0
```

これらの変数を使って、left、right、a_list の3つのリストのインデックスを追跡します。以下のコードは、left リストにある各要素と、right リストにある各要素を比較し、小さいほうの数字を a_list リストに上書きしていきます。

```
12          while (
13              left_i < len(left) and
14              right_i < len(right)
15          ):
16              if left[left_i] <= right[right_i]:
17                  a_list[alist_i] = left[left_i]
18                  left_i += 1
19              else:
20                  a_list[alist_i] = right[right_i]
21                  right_i += 1
22              alist_i += 1
```

以下のコードは、left と right にまだ残っている要素があれば a_list にマージします。

```
24          while left_i < len(left):
25              a_list[alist_i] = left[left_i]
26              left_i += 1
27              alist_i += 1
28
29          while right_i < len(right):
30              a_list[alist_i] = right[right_i]
31              right_i += 1
32              alist_i += 1
```

このコードによって、left または right にある最後の要素がマージされます[訳注4]。

ここからは、left = [6, 3] が left = [3, 6] にソートされる様子を見ていきましょう。アルゴリズムは以下の変数とともに、マージするコードを呼び出します。

```
left_i = 0
right_i = 0
alist_i = 0

a_list = [6, 3]
left = [6]
right = [3]
```

left_i < len(left) と right_i < len(right) の2つの式は両方とも True と評価されます。そのため、while ループに入ります。以下のコードが 6 <= 3 を評価します。

```
16            if left[left_i] <= right[right_i]:
```

その結果は False です。そのため、以下の太字部分のコードが実行されます。

```
16            if left[left_i] <= right[right_i]:
17                a_list[alist_i] = left[left_i]
18                left_i += 1
19            else:
20                a_list[alist_i] = right[right_i]
21                right_i += 1
22            alist_i += 1
```

[訳注4] マージする2つのリストの長さが釣り合わないときにも対応できます。たとえば left=[2], right=[6, 4] の場合などです。

これで変数は以下のようになります。

```
left_i = 0
right_i = 1
alist_i = 1

a_list = [3, 3]
left = [6]
right = [3]
```

right_i は right の長さよりも長いため、while ループを行う条件を満たしません。そのため、while ループ内のコードは実行されません。

```
12          while (
13              left_i < len(left) and
14              right_i < len(right)
15          ):
16              if left[left_i] <= right[right_i]:
17                  a_list[alist_i] = left[left_i]
18                  left_i += 1
19              else:
20                  a_list[alist_i] = right[right_i]
21                  right_i += 1
22              alist_i += 1
```

次に、left_i は left の長さよりも短いので、以下の最初の while ループ内のコードは実行されます。

```
24          while left_i < len(left):
25              a_list[alist_i] = left[left_i]
26              left_i += 1
27              alist_i += 1
28
29          while right_i < len(right):
30              a_list[alist_i] = right[right_i]
31              right_i += 1
32              alist_i += 1
```

この処理後、変数は以下になります。

```
left_i = 1
right_i = 1
alist_i = 2

a_list = [3, 6]
left = [6]
right = [3]
```

このリストは、これでソートが完了し、マージも終わりました[訳注5][訳注6]。

マージソートをいつ使うのか

マージソートは、分割統治法の例の1つです。**分割統治法**とは、問題を再帰的に2つ以上の関連した小さな問題に分割していき、各問題が簡単に解けるようなサイズにして、問題を解く手法です。マージソートでは、リストを要素数が1つになるまで、サブリストに分割していきます。要素が1つだけのサブリストはソート済み

[訳注5] a_list は left と right をマージソートした結果のリストになりました。この a_list は関数呼び出し元の left です。こうして、left 部分がソートされたリストになります。right も同様にソートされ、この工程を繰り返すことで図4.1にあるリスト全体がソートされます。

[訳注6] 以下のサイトではマージソートの可視化を行ってくれます。
https://www.hackerearth.com/practice/algorithms/sorting/merge-sort/visualize/

と見なせるので、マージしていくのは簡単です。

マージソートは、対数線形時間計算量 $O(n \log n)$ です。これは、与えられたリストをサブリストに分割するのは対数時間計算量（log n）なのですが、サブリストにある要素を1つのリストに統合するためには線形時間量（n）が必要なためです。対数線形時間計算量であるため、マージソートはもっとも効率的なソートアルゴリズムの1つであり、広く活用されています。たとえば、Pythonは、組み込みのソートアルゴリズムに、マージソートを使っています。Pythonの組み込みソートアルゴリズムについては後述します。また、マージソートは、バブルソートや挿入ソートと同様、安定ソートです。

マージソートで使われるマージの概念は、ソート以外にもさまざまな状況で適用できます。たとえば、教室に50人の学生がいて、全員がポケットに100円以下の小銭をいくらか持っているとします。学生が持っている小銭の総額を知る一番良い方法は何でしょう？

最初に思いつくのは、先生がクラス中を歩いて、いくら小銭を持ってるか1人ずつ聞いて回り、それを足していって総額を計算する方法です。この解法は、線形探索（リニアサーチ）で、時間計算量は $O(n)$ です。しかし、学生同士で統合させていくアルゴリズムは、もっと効率的です。

全学生それぞれが横の学生とペアになり、横の学生の小銭を集め、合算します。小銭のなくなった学生は部屋を退出します。教室に学生が1人になるまで、この作業を繰り返します。線形探索では50ステップかかりますが、この方法だと、6ステップで小銭の総額が分かります。

Pythonにおけるソートアルゴリズム

Pythonには、`list` の `sort` メソッドと、任意のイテラブルをソートできる `sorted` 組み込み関数があります。それらのソート関数は、Timsortという、マージソートと挿入ソートを足し合わせたソートアルゴリズム（ハイブリッドソートアルゴリズム）を使っています。

ハイブリッドソートアルゴリズムは、2つ以上の同じ問題を解けるアルゴリズムを組み合わせることで、扱うデータに応じて、どのアルゴリズムを使うかを適切に切り替えながら処理するアルゴリズムです。挿入ソートとマージソートのハイブリッドであるTimsortは、非常に効率的なアルゴリズムです。よほどのことがないかぎりは、自分でソートアルゴリズムを実装するのではなく、Pythonにあらかじめ組み込まれているものを使うほうが効率的です。

Pythonのsorted関数は、要素同士が比較できるのであれば、どのようなイテラブルも整列できます。たとえば、以下のように、整数のリストに対してsorted関数を呼び出すことで、昇順に並べ替えた整数のリストを返します。

```
1  a_list = [1, 8, 10, 33, 4, 103]
2  print(sorted(a_list))
```

```
>> [1, 4, 8, 10, 33, 103]
```

文字列のリストに対してsortedを呼び出すと、各文字列の最初のアルファベットをアルファベット順に並べ替えした文字列のリストを返します。

```
1  a_list = ["Guido van Rossum", "James Gosling",
   "Brendan Eich", "Yukihiro Matsumoto"]
2  print(sorted(a_list))
```

```
>> ['Brendan Eich', 'Guido van Rossum', 'James Gosling',
'Yukihiro Matsumoto']
```

sorted関数は、呼び出し時にreverseというオプションのパラメーターをつけられます。これは昇順の代わりに、降順で整列させたい場合に使います。以下のようにreverse=Trueと記述します。

```
1  a_list = [1, 8, 10, 33, 4, 103]
2  print(sorted(a_list, reverse=True))
```

```
>> [103, 33, 10, 8, 4, 1]
```

sortedはkeyというパラメーターも使えます。関数呼び出し時に、keyに入力された関数を使って、整列させます。たとえば、以下のように、lenという関数名を渡すことで、文字列を長さ順に整列させます。

```
1  a_list = ["onehundred", "five", "seventy", "two"]
2  print(sorted(a_list, key=len))
```

```
>> ['two', 'five', 'seventy', 'onehundred']
```

もう1つのソート方法である、sortメソッドは、sorted関数よりも多くのパラメーターをオプションで指定できます。しかし、イテラブルであれば使えるsortedと違い、sortはリストのみで使えます。

sorted関数は、元のイテラブルを書き換えずに、新しいイテラブルを返します。しかし、sortは元のリストを直接変更します。以下がリストにsortを実行した例です。

```
1  a_list = [1, 8, 10, 33, 4, 103]
2  a_list.sort()
3  print(a_list)
```

```
>> [1, 4, 8, 10, 33, 103]
```

このように、sort呼び出し後には、元々のリストは昇順に並んでいます。

用語集

データをソートする　データを意味のある順番に並べ替える

バブルソート　ソートアルゴリズムの1つ。任意の数字のリストに対して、隣接する2つの数字を比較し、順番になっていない場合はそれらの交換を繰り返し実行するアルゴリズム

安定ソート　最初の並びを保持するソートの種類

挿入ソート　ソートアルゴリズムの1つ。手札に持つトランプのカードを並べ替えるようにデータを整列させるアルゴリズム

マージソート　ソートアルゴリズムの1つ。要素が1つだけ含まれるサブリストになるまでリストを半分ずつに分け続け、その後、正しい並び順に整列しながら統合していく再帰的なアルゴリズム

分割統治法　再帰的に問題を2つ以上の関連した小さな問題に分割していき、各問

題が簡単に解けるようなサイズにして、問題を解く手法

ハイブリッドソートアルゴリズム　2つ以上の同じ問題を解けるアルゴリズムを組み合わせることで、扱うデータに応じて、どのアルゴリズムを使うかを適切に切り替えながら処理するアルゴリズム

チャレンジ

1. ソートアルゴリズムを調べて、この章で学んだバブルソート、挿入ソート、マージソート以外のソートアルゴリズムを書こう。

第 5 章

文字列のアルゴリズム

起業家の学ぶべきもっとも重要なスキルの1つが、コンピュータープログラミングだ。テックスタートアップを起業したいのなら不可欠なスキルになるし、伝統的な現場においても基本的なコードの知識は役に立つ。というのも、ソフトウェアが何もかもを、ことごとく変えているからだ。

——リード・ギャレット・ホフマン（Reid Hoffman）LinkedIn 共同創業者

本章では、技術面接で聞かれるもっとも一般的な文字列の基礎について学びます。ソフトウェアエンジニアの仕事において、後述するアナグラムを見つける仕事は普段はありません。しかし、アナグラムの見つけ方を学ぶことで、並べ替えのような概念を使って問題を解決する方法が身に付きます。さらに、剰余演算（モジュロ演算）やリスト内包表記のように、日々のプログラミングに役に立つことも本章で学びます。

アナグラムの検出

2つの文字列が、順番は異なるものの同じ文字で構成されているとき、それらは**アナグラム**です。大文字と小文字は区別しません。たとえば、Carとarcはアナグラムです。2つの文字列がアナグラムか否かを確認するには、文字列をソートして比較します。ソートされた2つの文字列が同じなら、それらはアナグラムです。

2つの文字列がアナグラムかどうかを確認するアルゴリズムの書き方を以下で紹介します。

```
 1  def is_anagram(s1, s2):
 2      s1 = s1.replace(' ', '').lower()
 3      s2 = s2.replace(' ', '').lower()
 4      if sorted(s1) == sorted(s2):
 5          return True
 6      else:
 7          return False
 8
 9  s1 = 'Emperor Octavian'
10  s2 = 'Captain over Rome'
11  print(is_anagram(s1, s2))
```

```
>> True
```

アナグラムは、複数の単語を含んだり大文字と小文字が混在したりします。そのため、まず文字列からスペースを取り除き、すべての文字を小文字に変換します。

```
2       s1 = s1.replace(' ', '').lower()
3       s2 = s2.replace(' ', '').lower()
```

それから、両方の文字列をアルファベット順にソートし、結果を比較します。もし、2つの文字列が同じならアナグラムなので True を返します。2つの文字列が異なる場合は False を返します[訳注1]。

```
4       if sorted(s1) == sorted(s2):
5           return True
6       else:
7           return False
```

アナグラムを確認するアルゴリズムはPythonの組み込み関数 sorted に依存し

[訳注1] このコードは以下のように短く書けます。

```
return sorted(s1) == sorted(s2)
```

ているので、実行時間は $O(n \log n)$ です。

回文の検出

回文は、前から読んでも後ろから読んでも同じ文字列です。Hannah、mom 、wow、racecarなどが回文の例です。文字列が回文か確認する手段はいくつかあります。その1つは文字列をコピーして、ひっくり返し、元の文字列と比較する方法です。2つの文字列が等しい場合、その文字列は回文です。

Pythonでは、以下のコードで文字列をひっくり返せます。

```
1  print("blackswan"[::-1])
```

```
>> nawskcalb
```

次のコードは、ある文字列が回文か否かを確認する例です。

```
1  def is_palindrome(s1):
2      s = s1.lower()
3      if s == s[::-1]:
4          return True
5      return False
```

まず、Pythonの組み込み関数 `lower` を使って、文字の大文字小文字が比較する際に影響を与えないようにします。それから、Pythonのスライス構文を使って文字列をひっくり返し、元の文字列と比較します[訳注2]。

```
2      s = s1.lower()
3      if s == s[::-1]:
```

もし2つの文字列が同じなら、文字列は回文なので `True` を返します。

[訳注2] このコードは以下のように短く書けます。
`return s == s[::-1]`

```
4            return True
```

一方、文字列が回文でない場合は False を返します。

```
5        return False
```

回文を確認するアルゴリズムでもっとも遅い部分は、小文字に変換する処理と、文字列をひっくり返す処理です。これらの処理はすべての要素にアクセスする必要があり、実行時間はどちらも $O(n)$ です。アルゴリズムの実行時間も $O(n)$ です。

最後の数字

技術面接でよくある質問は、文字列の一番右側にある数字を返す方法です。たとえば "Buy 1 get 2 free" という文字列が与えられたら、あなたの作る関数は、2 を返さなければなりません。

この問題を解決する洗練された方法の1つは、Pythonのリスト内包表記を使うことです。**リスト内包表記**とは、既存の文字列やリストなどのイテラブルから新しいリストを作るPythonの構文です。リスト内包表記は以下のように書きます。

```
new_list = [式(x) for x in iterable if 条件(x)]
```

iterable 変数は、リストや文字列などの既存のイテラブルです。x は iterable の各要素を保持する変数で、式(x)は新しい要素を表します。

たとえば、以下のリスト内包表記では変数のcは文字列 "selftaught" の各文字を一時的に保持します。

```
1  print([c for c in "selftaught"])
```

```
>> ['s', 'e', 'l', 'f', 't', 'a', 'u', 'g', 'h', 't']
```

見てのとおり、Pythonは元の文字列 "selftaught" のすべての文字を含むリストを返します。

条件(x)は、新しいイテラブルに要素を含める条件を表します。ここには、新しく作るリストに追加したい要素を選択するフィルター条件を書き出します。

```
1  print([c for c in "selftaught" if ord(c) > 102])
```

```
>> ['s', 'l', 't', 'u', 'g', 'h', 't']
```

Python組み込みの ord 関数は、文字列のコード値を返します。上記のコードでは、イテラブルの文字列のコード値が 102（文字 f）より大きい場合のみリストに加えるフィルターを追加しています。見てのとおり、新しいリストには文字 e 、f 、a が存在しません。

Pythonの isdigit メソッドを使えば、数字を除くすべての文字をフィルターできます。

```
1  s = "Buy 1 get 2 free"
2  nl = [c for c in s if c.isdigit()]
3  print(nl)
```

```
>> ['1', '2']
```

文字列の中から、数字だけを取り出すリスト内包表記の書き方は分かりました。その数字のうち、一番右側にある数字を取り出すステップはあと1つです。負のインデックスを使って新しいリスト末尾の数字を取り出せば良いのです。

```
1  s = "Buy 1 get 2 free"
2  nl = [c for c in s if c.isdigit()][-1]
3  print(nl)
```

```
>> 2
```

まず、文字列の中にあるすべての数字をリスト内包表記で、リストとして取り出します。それから、負のインデックスを使って、数字のリストの最後の数字を取り出します。これが、元の文字列の一番右側の数字のはずです。

見てのとおり、リスト内包表記を使うことによって、3行か4行のコードが、1行のすばらしいコードに変わりました。これは、仕事でプログラミングするとき、実装量が少なく、読みやすいコードを書くのに役立ちます。

このアルゴリズムは文字列に含まれるすべての文字が数字かどうか1つずつ確認しているので、実行時間は $O(n)$ です［訳注3］。

シーザー暗号

暗号(cipher)は、暗号化または復号のためのアルゴリズムです。ローマの将軍、政治家として有名なユリウス・カエサル（英語読みでシーザー）は、巧みな暗号を使って機密事項を守っていました。彼はまず数字を選び、すべての文字をその数字分アルファベット順にずらしました。たとえば、数字の3を選んだら、文字列 abc は、def になります。

アルファベットを後ろにずらしていき、z を通り過ぎたら、アルファベットの先頭に戻って、ずらしました。たとえば、z を2つずらすと b となります。

剰余演算（モジュロ演算）は、シーザー暗号を実装する鍵になります。**剰余演算**は、特定の値で折り返す形の算術です。実は、時計の読み方を理解していれば、すでに剰余演算に精通しているといえます（**図5.1**）。

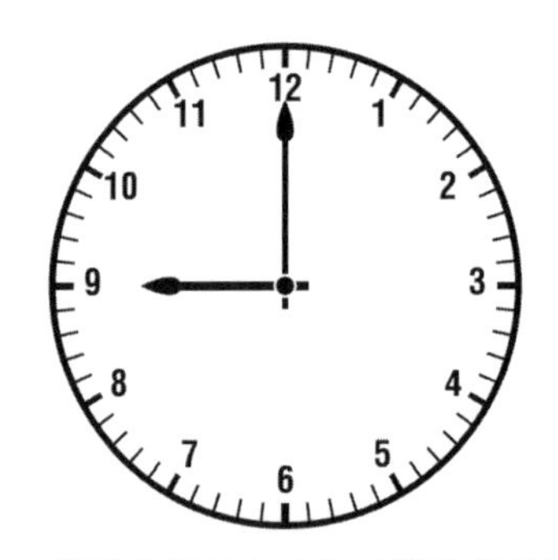

図5.1　時計を見るときには剰余演算を使う

たとえば、ニューヨークからペルーのリマまでの航空便があり、午後9時に出発

［訳注3］　末尾から数字を探し見つけたところで処理を止めることで、より早く実行できるコードを実装できますが、オーダーは変わらず $O(n)$ のままです。

するとします。2つの都市は同じタイムゾーンにあり、飛行に8時間かかるとすると、リマに何時に到着するでしょうか？ 9 + 8 = 17 となりますが、12時間表示の時計では17を表示できません。到着時間を求めるには、17を12で割って余りを求めます。

```
17 % 12
```

17を12で割ると、余りは 5 になります。こうして、到着時間が午前5時だと算出できます（**図5.2**）。

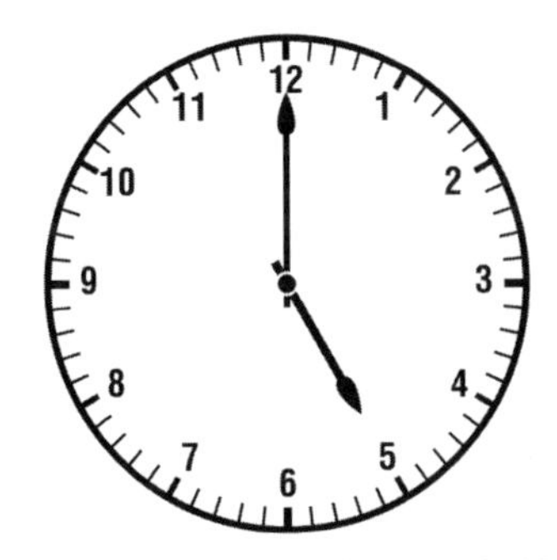

図5.2　午後9時の8時間後は午前5時

剰余演算は、時間に関連したプログラムを書くときに役に立ちます。たとえば、飛行時間を処理するウェブサイトを開発するとき、剰余演算を使って到着時刻を計算できます。

剰余演算の仕組みが分かったので、任意の文字列とその各文字を何個ずらすかを表す数値を受け取り、新しく暗号化された文字列を出力する関数を書くことで、シーザー暗号を実装できます。

```
1  import string
2
3
4  def cipher(a_string, key):
5      uppercase = string.ascii_uppercase
6      lowercase = string.ascii_lowercase
7      encrypt = ''
8      for c in a_string:
9          if c in uppercase:
10             new = (uppercase.index(c) + key) % 26
11             encrypt += uppercase[new]
12         elif c in lowercase:
13             new = (lowercase.index(c) + key) % 26
14             encrypt += lowercase[new]
15         else:
16             encrypt += c
17     return encrypt
```

cipher関数は、2つの引数を受け取ります。1つは、暗号化したい文字列のa_stringで、もう1つは、各文字を何個ずらすかを表すkeyです。

まず、Python組み込みのstringモジュールを使い、すべてのアルファベットを含む文字列を大文字用と小文字用に2種類作ります。

```
1  import string
2
3
4  def cipher(a_string, key):
5      uppercase = string.ascii_uppercase
6      lowercase = string.ascii_lowercase
```

変数のuppercaseとlowercaseを出力すると、それぞれ以下のようになります。

```
>> 'ABCDEFGHIJKLMNOPQRSTUVWXYZ'
>> 'abcdefghijklmnopqrstuvwxyz'
```

次に、暗号化された文字列を保存する空の変数、encrypt を作ります。

```
7        encrypt = ''
```

それから、文字を1文字ずつ取り出しながら c に代入していきます。

```
8        for c in a_string:
```

対象の文字が大文字なら、文字が uppercase のどの位置にあるかを見つけます。uppercase の中身は、ABCDEFGHIJKLMNOPQRSTUVWXYZ なのを思い出してください。位置はインデックスで表されます。そのインデックスに key の値を足します。これで新しい暗号化された文字のインデックスが生成されます。この新しく作られたインデックスを new に代入します。たとえば、文字が A で key の値が2の場合、文字が A の uppercase の中のインデックス値として0を得ます。それから、2を足します。uppercase のインデックス2の位置にある文字は、C です。

しかし、このままでは問題があります。文字 Z を1つ以上ずらすとどうなるでしょうか？ 文字 Z のインデックスは25です。もし、25に2を足すとインデックスは27になりますが、このインデックスは、文字 Z がアルファベットの最後の文字なので、存在しません。暗号化された新しい文字を得るためには、アルファベットの先頭に戻る必要があります。この場合、文字 B の位置を表すインデックス1が返ってこなければなりません。

この問題を解決するために、文字のインデックスに key の値を足した合計を26で割った余りを使います。まず、最初の文字の uppercase におけるインデックスを求め、それから key の値を足して26で割った余りを求めます。

```
 9            if c in uppercase:
10                new = (uppercase.index(c) + key) % 26
```

このコードがうまくいくのは、インデックスがある値に達すると、剰余演算によって「折り返す」からです。この例では、インデックスが25を超えると、0に折り返します。

暗号化された文字のための新しいインデックスが分かったら、uppercase の中から文字を見つけ、encrypt に追加します。

```
11                  encrypt += uppercase[new]
```

もし文字が小文字なら、代わりに lowercase を同じように使います。

```
12              elif c in lowercase:
13                  new = (lowercase.index(c) + key) % 26
14                  encrypt += lowercase[new]
```

文字が uppercase と lowercase に含まれない場合は、それは特別な文字なので変換せずに encrypt に追加します。

```
15              else:
16                  encrypt += c
```

ループが終わったら、新しい暗号化された文字列を返します。

```
17          return encrypt
```

実際にこのコードを動かすと以下になります。

```
s = 'abc'
print(cipher(s, 3))
```

```
>> def
```

このアルゴリズムは文字列のすべての文字を折り返して暗号化するので、実行時間は $O(n)$ です。

用語集

アナグラム　順番は異なるものの同じ文字で構成されている、2つの文字列

回文　前から読んでも後ろから読んでも同じ言葉

リスト内包表記　既存のイテラブルから新しいリストを作るPythonの構文

暗号　暗号化または復号のためのアルゴリズム

剰余演算　（モジュロ演算）特定の値で折り返すタイプの算術

チャレンジ

1. リスト内包表記を使って、以下のリスト内の単語のうち、4文字以上の単語をリストとして返そう。

```
["selftaught", "code", "sit", "eat", "programming", "dinner",
"one", "two", "coding", "a", "tech"]
```

第 6 章

数学

数学に難ありと悩んでいる君、心配は要らない。間違いなく私のほうがよっぽど悩んでいるはずだ。

——アルベルト・アインシュタイン（Albert Einstein）理論物理学者

この章では、技術面接をパスしたり、プログラマーとしての成長を助ける、基礎的な数学について学びます。ここで紹介する素数探索は、日々のプログラミングを助けたりはしないかもしれません。それでも、素数を探し出すために活用できるアルゴリズムを理解することは、プログラマーとしてのスキルを確実に高めるでしょう。

アルゴリズムで剰余演算（モジュロ演算）をどう使うかは、技術面接の引っかかりどころの1つですが、剰余演算は実社会におけるアプリケーションにおいても大変有用です。

最後に、この章では、境界条件について紹介します。境界条件を最初に検討せずにアプリやサイトを作ったら、想定外の不具合だらけのものになってしまいます。そのため、境界条件とは何か、どのように用意するか、についてきちんと理解しておきましょう。

2進法

コンピューターは2進法（バイナリー）で「考え」ます。**2進数**とは、基数を2とした記数法です。**記数法**とは、数を表す表記法のことで、n進法や位取り記数法ともいわれます。記数法の**基数**とは、その記数法が使う数字など文字の個数を表します。たとえば、基数が2の場合、0と1の2つのアラビア数字のみを使います。

2進数では、桁のことを**ビット**と呼びます。英語では、bitと書き、binary digit（2進数で表した数字）が語源です。普段の生活で使う数字の表記方法は10進数と呼び、0から9までの10個のアラビア数字を利用します。

2進数と10進数だけが唯一の記数法ではありません。16進数と呼ばれる16の基数を使う記数法もあります。これはプログラマーがよく使う表記法です。

以下は2進数の例です。

```
100
1000
101
1101
```

これらの数字を見た瞬間、基数が2なのか10なのかすぐには分かりません。たとえば、最初の数字 `100` は、基数が10の場合は100、基数が2の場合は10進数で4となります。

数字の基数が2かどうかを表すには、いくつかの記法があります。たとえば、2進数を表す英語のbinaryの頭文字である `b` を数字の後ろにつけたりします。以下は、上記の例を基数が2と分かるように書き直したものです。

```
100b
1000₂
%101
0b1101
```

位の値は、数字の位置によって変わってくる数量のことです[訳注1]。たとえば、10進数表記の4桁の数字の場合、千、百、十、一の数量を各桁が表します。1452は千が1つ、百が4つ、十が5つ、一が2つあることを表す数字です（**図6.1**）。

［訳注1］　これを「位取り記数法」と呼びます。

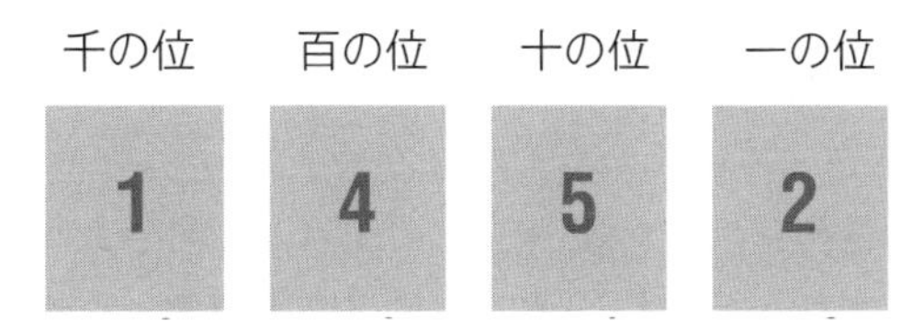

図6.1　基数が10における「1452」という数字と位の値の関係

10進数では、それぞれの位の値は10のべき乗です。1番右の位から左の位へと順番に見ていきます。1番右の位は10の0乗で、つまり1です。次の位は10の1乗で、10です。次の位は10の2乗（10 × 10）で、100です。次の位は10の3乗（10 × 10 × 10）で、これは1000です（**図6.2**）。

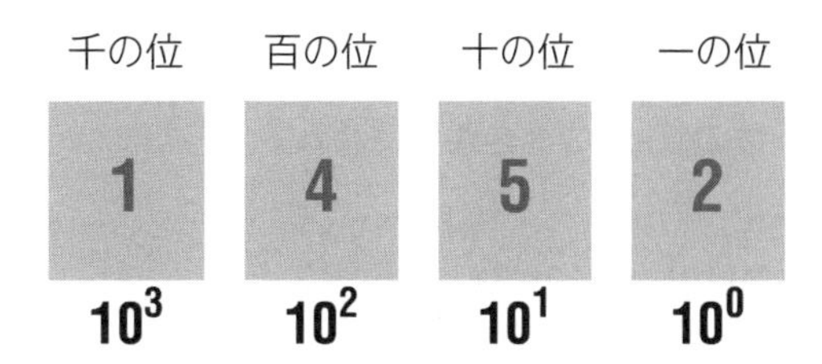

図6.2　基数が10の場合、10のべき乗が位の値として使われる

1452を位の値を使って方程式として書き出すと以下になります。

```
(1 * 10 ** 3) + (4 * 10 ** 2) + (5 * 10 ** 1) + (2 * 10 ** 0)
= 1452
```

これをもう少し分かりやすく書き出してみると以下のように表せます。

```
1 * 10 ** 3 = 1 * 1000 = 1000 +
4 * 10 ** 2 = 4 * 100 = 400 +
5 * 10 ** 1 = 5 * 10 = 50 +
2 * 10 ** 0 = 2 * 1 = 2
                                ___________
                                  1452
```

2進数は、10進数と同じように表していると考えれば良いでしょう。違いは、使っている数字の種類が0と1の2つだけで、位の値は10のべき乗ではなく、2のべき乗であることです。

2進数では、それぞれの位の値は2のべき乗です。先ほどと同じように、1番右の位から左の位へと順番に見ていきます。1番右の位は2の0乗で、これは1です。次の位は2の1乗で、2のことです。次の位は2の2乗で、これは 2 × 2 = 4です。次の位は2の3乗で、これは 2 × 2 × 2 = 8です（**図6.3**）。

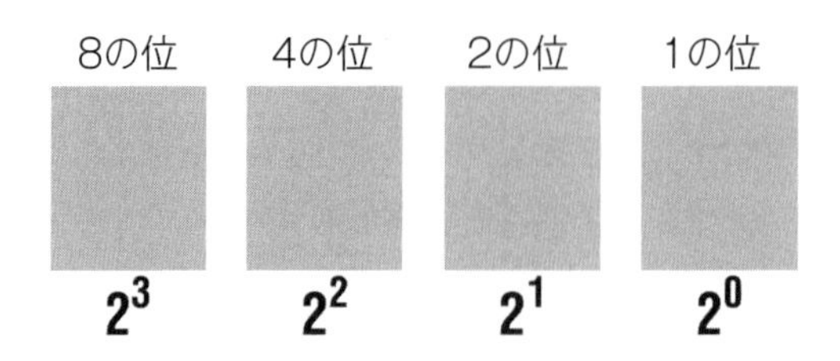

図6.3　基数が2の場合、位の値は2のべき乗が使われる（各箱には0か1が入る）

以下は、基数が2の場合の1101を、10進数に変換するために方程式として表したものです。

```
(1 * 2 ** 3) + (1 * 2 ** 2) + (0 * 2 ** 1) + (1 * 2 ** 0) =
8 + 4 + 0 + 1 = 13
```

もう少し分かりやすく書いてみましょう。

```
1 * 2 ** 3 = 1 * 8 = 8 +
1 * 2 ** 2 = 1 * 4 = 4 +
0 * 2 ** 1 = 0 * 2 = 0 +
1 * 2 ** 0 = 1 * 1 = 1

                    ———
                    13
```

見て分かるように、2進数の1101は、10進数では13のことです。10進数の場合は、0、1、2、3、4、5、6、7、8、9と、0から始まる10個の数字を使って数えます。

9まで数えると数字を使い果たします。次の数字を表すために、2つの数字を使って10という数を作っています。10は1の後ろに0が続く表記で9の後の数字を表します。

2進数でも、0から数えます。

```
0
```

次の数は、10進数と同じように、1です。

```
1
```

ただし、1まで数えるとそこで利用できる数字を使い切ってしまいます。そこで、10進数でいうところの数字の2を、2進数内で使える2つの数字で表さないといけません。ちょうど、10進数において、2つの数字を使って10という数を作ったのと同様です。

2進数では、以下のように10進数の2にあたる数字を0と1で用意する必要があります。

```
10
```

上記において、右側の0は、1が0個であることを表します。左側の1は、2が1個あることを表しています。

では次に、10進数における3は、2進数でどのように表すと思いますか？

```
11
```

右側の1は、1が1つあることを意味します。左側の1は、2が1つあることを表しています。2と1を足すと、3になります。

次は4です。2進数では、次のように表します。

```
100
```

右端の0は、1がないことを表します。真ん中の0は、2がないことを意味します。

左端の1は、4が1つあることを意味します。これらを全部足すと4になります。

ビット演算子

プログラミングで数値を扱う際には一般に、100や10.5といった整数や浮動小数点数を使います。それでも、2進数で処理したほうが良い場合があります。たとえば、ある数字が2のべき乗か否かを判断する問題では、2進数が役に立ちます。

Pythonでは、bin 関数を使うことで、数字を2進数に変換できます。

```
print(bin(16))
```

```
>> 0b10000
```

bin(16) を実行すると、2進数で表現した16である、0b10000 が結果として出力されます。この章で学んだように、0b を数字の前に書くことで2進数であることを表します。

ビット演算子は、2つの数値をビット単位で計算する算術演算子です。算術演算子を説明するために、まず論理演算子でその動作を説明します。

Pythonの論理演算子 and は、2つの値のブール演算を行います。比較している2つの値がどちらも True（真）のとき、Pythonは True を返します。そうでないときは、Pythonは False（偽）を返します。

以下の例を見てみましょう。もし and 演算子の両側が True であれば、Pythonは True を返します。

```
print(1==1 and 2==2)
```

```
>> True
```

もし式が2つとも False なら、False を返します。

```
print(1==2 and 2==3)
```

```
>> False
```

もし式の片方がTrueでもう片方がFalseなら、Falseを返します。

```
print(1==1 and 1==2)
```

```
>> False
```

and演算子の挙動は分かりましたね。ここでようやくビットごとのAND演算[訳注2]を見ていきましょう。まず、2つの整数、2と3があるとします。2進数で表すと、2は0b10で、3は0b11です。最初のビット（右端の数字）は、2の場合は0、3の場合は1です。

```
10 # 10進数の2のこと
11 # 10進数の3のこと
—
 0
```

この2つの数をAND演算すると、0が返ってきます。これは、1（つまり、True）と0（False）が1つずつあるので0、つまりFalse（偽）が返ってくるからです。

以下にあるように、次の桁に焦点を当てると、1と1なのでAND演算の結果として、1（True）が返ってきます。これは、True同士の場合はTrueを返す決まりだからです。

```
10 # 10進数の2のこと
11 # 10進数の3のこと
—
10
```

この場合のAND演算は、0b10を返します。これは2進数で表した2のことです。この結果が有用な理由は後述します。

Pythonでは、ビットごとのAND演算はアンド記号&[訳注3]を使います。算術演算

[訳注2] Pythonのand演算子と区別するため、ビット演算の名称を「AND演算」や「OR演算」と大文字で表記しています。

[訳注3] & をアンパサンドと呼ぶこともあります。

子&は論理演算子 and と同じロジックで動作しますが、2進数の桁（ビット）ごとにブール演算を行います。比較している2つの数の各桁（ビット）ごとに値を比較し、どちらも1（True）のとき、PythonはTrue を返します。そうでないとき、PythonはFalse を返します。

0b10 と 0b11 のビットごとのAND演算は、以下のように行います。

```
print(0b10 & 0b11)
```

```
>> 2
```

2進数に表さず10進数で表したままでも、ビット演算は行えます。

```
print(2 & 3)
```

```
>> 2
```

この例では、10進数のまま、ビットごとのAND演算を行っているように見えますが、内部では、Pythonは2と3を2進数に変換してAND演算を行っています。

ビット演算にはOR演算もあり、論理和とも呼ばれます。ビットごとに処理を行い、2つのビットにおいて1つ以上が True なら 1 を返します。2つとも False の場合にのみ、False を返します。Pythonで使える or キーワードと論理は同じです。

例として、OR演算を数字の2と3でやってみましょう。1桁目にOR演算を行うと、1つは True なので結果として True が返ってきます。

```
10 # 10進数の2のこと
11 # 10進数の3のこと
—
 1
```

ビットごとのOR演算を2桁目に適用すると、2つとも True なので、結果も 1 になります。

```
10 # 10進数の2のこと
11 # 10進数の3のこと
—
11
```

ここで見たように、2と3のビットごとのOR演算の結果は、`0b11` です。これは10進数では3になります。Pythonではビットごとの OR演算子はパイプ記号 `|` が使われます。

```
print(2 | 3)
```

```
>> 3
```

ここまで見てきた2進数演算子は、かなり一般的なものです。しかし、Pythonの公式ドキュメント[訳注4]を読むと、ほかにもさまざまな論理演算子が記載されています[訳注5]。

ビット演算が役に立つケースを見ていきましょう。ビットごとのAND演算子を使うと、整数が奇数か偶数かをテストできます。2などの偶数は、最下位の桁が `0` です。一方、1は利用価値が高い数字です。2進数で表しても `1` で、常に桁が1つです。以下の2つの2進数で見てみましょう。

```
10 # 10進数の2のこと
 1 # 10進数の1のこと
```

偶数と1とのAND演算では、Pythonは常に `False` を返します。これは、偶数は2進数では最下位の桁が `0` ですが、1は2進数でも `1` だけで、最下位の桁の値が異なるためです。

[訳注4] 以下のURLから閲覧できます。
https://docs.python.org/ja/3/reference/expressions.html#shifting-operations

[訳注5] 以下のサイトはビット演算の可視化を行ってくれます。サイトにアクセスして `6 & 3` や `6 | 3` と入力してみてください。
https://bitwisecmd.com/

```
10 # 10進数の2のこと
 1 # 10進数の1のこと
 —
 0
```

対照的に、奇数と1でAND演算を行うと、Pythonは常に`True`を返します。これは、奇数は2進数では最下位の桁が常に`1`になり、1は2進数でも常に`1`なので、最下位の桁の値が一致するためです。

```
11 # 10進数の3のこと
 1 # 10進数の1のこと
 —
 1
```

1は2進数でも常に1桁というのは、とても意義があります。奇数か偶数かを調べる数値が何桁であろうと、1は常に1桁しかありませんから、右端の1桁だけビット演算すれば済みます。

Pythonでは、以下のようにして、AND演算子を使って奇数か偶数かをテストします。

```
1  def is_odd(n):  # oddは奇数の意味
2      return n & 1
```

`is_odd`関数内では、`n & 1`の結果を返します。`n & 1`は、`n`と`1`でビットごとのAND演算を行います。前に見たように、奇数と1でAND演算を行うと、このコードは常に`True`を返し、奇数と判定します。

ビットごとのAND演算子を使って、整数が2のべき乗か否かの判定もできます。これは、2のべき乗であるすべての整数は、2進数で表現したとき、1つだけしか`1`を含まない特徴をうまく利用しています。

たとえば、8は2進数で表すと`0b1000`で、4桁のビット列に`1`が1つだけ入っています。ここに2のべき乗のもう1つの特徴を組み合わせます。2のべき乗の整数から1を引いた数は、2進数ではすべての桁が`1`になる、という特徴です。たとえば、

7は 0b111 となり、3桁のビット列すべてが 1 になります。

この2つの2進数にAND演算を行うと、結果の2進数は、すべての桁が 0 になります。

```
1000 # 10進数の8のこと
0111 # 10進数の7のこと
 ——
0000
```

テストしたい整数が2のべき乗でないときには、少なくとも1つの桁で 1 が現れます。

```
0111 # 10進数の7のこと
0110 # 10進数の6のこと
 ——
0001
```

それではPythonを使って、ビットごとのAND演算で任意の数が2のべき乗か否かを判断する方法を見てみましょう。

```
1  def is_power(n):
2      if n & (n-1) == 0:
3          return True
4      return False
```

この is_power 関数は、テストしたい数を引数にします。この関数内では、if 条件節を使って、n と n-1 にAND演算を行い、その結果が 0 と同じかをテストします。もし 0 であれば、n が2のべき乗ということになるので、True を返します。そうでなければ、False を返します[訳注6]。

[訳注6] このコードは以下のように短く書けます。
`return n & (n-1) == 0`

FizzBuzz問題

FizzBuzz（フィズバズ）問題は、技術面接ではとても有名な問題の1つです。あるエンジニアが、CTO（最高技術責任者）レベルの面接でこの問題を聞かれ、問題を解けずとても恥ずかしい思いをした、という話を聞いたことがあります。心配しないでください！ そのようなことがないように、今からその解き方をお教えします。まずは、FizzBuzz問題を説明します。

[FizzBuzz問題]

数字の1から100までを出力してください。

もし3の倍数なら、「Fizz」と出力してください。

もし5の倍数なら、「Buzz」と出力してください。

そして、もし3と5の公倍数なら、「FizzBuzz」と出力してください。

この問題を解く鍵は、剰余演算子（モジュロ演算子）をうまく活用することです。剰余演算子は、ある数を別の数で割り、その余りを返す演算子です。余りが0の場合は、割られる数（被除数）は割る数（除数）の倍数です。

たとえば、`6 % 3`では、`6`を`3`で割り、余りの`0`を結果として返します。

```
print(6 % 3)
```

```
>> 0
```

余りは`0`なので、`6`は`3`の倍数だと分かります。

対照的に、`7 % 3`を実行すると、余りがあります。`7`は`3`の倍数ではないことが分かります。

```
print(7 % 3)
```

```
>> 1
```

FizzBuzz問題を解くためには、1から100までの数に対して、剰余演算を繰り返し行い、それぞれの数が、3と5の公倍数か、3だけの倍数か、5だけの倍数かをテストしていく必要があります。

以下が実装例で、15まで出力しています。

```
1  def fizzbuzz(n):
2      for i in range(1, n+1):
3          if i % 3 == 0 and i % 5 == 0:
4              print('FizzBuzz')
5          elif i % 3 == 0:
6              print('Fizz')
7          elif i % 5 == 0:
8              print('Buzz')
9          else:
10             print(i)
11
12 fizzbuzz(15)
```

```
>> 1
>> 2
>> Fizz
>> 4
>> Buzz
>> Fizz
>> 7
>> 8
>> Fizz
>> Buzz
>> 11
>> Fizz
>> 13
>> 14
>> FizzBuzz
```

このコードを少しずつ見ていきましょう。

まず、以下の関数宣言の部分です。1から100までの数について解きたいので、100と書きたくなるかもしれませんが、関数にパラメータとして渡すのが1番良い書き方です。「1からnまで」とすることで、100以外の整数にも対応できる関数が作れます。

```
1  def fizzbuzz(n):
```

1からnまでをチェックしますから、forループを使って、1からn + 1の手前まで繰り返し実行します。

```
2      for i in range(1, n+1):
```

次に、剰余演算とif条件節を使って、ある数iが3と5の公倍数であるかをテストしています。もし3でも5でも割り切れたら、「FizzBuzz」を出力します。

```
3          if i % 3 == 0 and i % 5 == 0:
4              print('FizzBuzz')
```

次のelif条件節では、iが3倍数であるかをテストしています。もし3で割り切れた場合、「Fizz」を出力します。

```
5          elif i % 3 == 0:
6              print('Fizz')
```

次のelif条件節では、iが5の倍数であるかをテストしています。もし5で割り切れた場合、「Buzz」を出力します。

```
7          elif i % 5 == 0:
8              print('Buzz')
```

最後に、どのテストにも該当しなかった場合は、その数字を出力します。

```
 9             else:
10                 print(i)
```

プログラムを実行すると、たとえば、6や27のような3で割り切れる数のときには、「Fizz」が出力されるはずです。

10や85のような5で割り切れる数のときには、「Buzz」が出力されます。

15や30など、3と5の両方で割り切れる数の場合は、「FizzBuzz」と出力されます。

```
12  fizzbuzz(100)
```

```
>> 1
>> 2
>> Fizz
>> 4
>> Buzz
～中略～
>> 14
>> FizzBuzz
>> 16
～中略～
>> 98
>> Fizz
>> Buzz
```

このアルゴリズムは、n 回のステップがあります。つまり、線形の時間計算量です。n として100を渡すと、このアルゴリズムは100ステップかかります。1000を渡すと1000ステップかかります。

このように、剰余演算子がFizzBuzz問題を解く鍵でした。この剰余演算子は、現実にある問題を解決するときにも大活躍します。

たとえば5万行もある、Microsoft Wordの文書ファイルがあるとします。そして、1ページに49行しか収まらないとします。最後のページは何行になるでしょうか。`50000 % 49 = 20` というように剰余演算を行えば、最後のページは20行になることが分かります。

ほかにもたとえば、20,000レコードが入っているデータベースがあり、各レコードではなく、1レコードおきごとに何らかの処理をしたいとします。1つのやり方としては、全レコード分で繰り返しながら、偶数のときだけ処理を行うことです。ここでも剰余演算子が役立つのです。

最大公約数

最大公約数は、2つかそれ以上の整数を割り切れる正の整数のうちの、もっとも大きな数です。この節では、20と12など、与えられた2つの整数の最大公約数を見つける方法を学びます。

20と12の例では、1、2と4はそれぞれ余りなしで割り切れる公約数です。その中で、4が1番大きな数なので、最大公約数ということになります。

20の約数 -> 1, 2, **4**, 5, 10
12の約数 -> 1, 2, 3, **4**, 6

2つの数の最大公約数を見つけるやり方の1つとしては、可能性のある数すべてでテストをして、2つの数の両方が余りなしで割れる数を探索する方法です。

たとえば、20と12の最大公約数を見つけるには、その2つの数字を、最初は1で割り、次は2で割り、その次は3で割り、というように、次々と判定していきます。その際、2つの数のどちらかよりも大きな数で割ろうとすると、整数になりません[訳注7]。そのため、2つの数の小さいほうよりも大きな数でテストをする必要はありません。たとえば、12よりも大きな数で12を割ろうとすると、整数になりません。

以下が、このアルゴリズムを実装した例です。

```
1  def gcf(i1, i2):
2      gcf_value = None
3      if i1 > i2:
4          smaller = i2
5      else:
```

[訳注7]　つまり、2つの数の小さいほう以下の整数が最大公約数の候補となります。

```
6            smaller = i1
7        for divisor in range(1, smaller+1):
8            if (i1 % divisor == 0) and (i2 % divisor == 0):
9                gcf_value = divisor
10
11       return gcf_value
12
13   gcf(20, 12)
```

```
>> 4
```

細分化してみていきましょう。まず、gcf 関数[訳注8]は、最大公約数を見つけたい2つの整数を入力値として受け取ります。

```
1   def gcf(i1, i2):
```

最初に2つの整数のうち、どちらが小さいかを判断し、変数 smaller に割り当てます。こうすることで、割る数（除数）が割られる数（被除数）よりも大きくなる前にプログラムが終わるようにします。

```
3       if i1 > i2:
4           smaller = i2
5       else:
6           smaller = i1
```

次に、1から smaller 変数プラス1の値（ smaller + 1 ）まで、for ループを設定します。こうすることで、テスト対象の2つの数のうち、小さいほうの数までテストできます。

[訳注8]　gcfとは、最大公約数を表すGreatest Common factorの頭文字からなる略語です。最大公約数はほかにも、highest common factor、greatest common divisor、greatest common measureなどと呼ぶことがあります。Pythonでは math モジュールに gcd 関数があります。

```
7       for divisor in range(1, smaller+1):
```

if 条件節で、テストされる整数（被除数）のいずれについても、割る数（除数）で余りがないかをテストします。

もし割り切れる場合は、その除数を gcf_value に割り当てます。

```
8           if (i1 % divisor == 0) and (i2 % divisor == 0):
9               gcf_value = divisor
```

公約数を見つけたからといって、最大公約数を見つけたわけではありません。ループ内で gcf_value に公約数を割り当てておき、次のループでより大きな公約数が見つかったとき、その公約数を新たに gcf_value に割り当て直します。これを繰り返せば、ループが終わったときには、gcf_value には最大公約数が割り当てられているはずです。

ただし、このコードには1つ問題があります。もし、2つの整数のうちの1つが0だと、どうなると思いますか？

```
print(gcf(0, 22))
```

```
>> None
```

このプログラムは、入力する数字のどちらかが0だと、間違った答えを返します。そのため、この問題に対処する必要があります。

このように、0の場合にどのように処理すべきかを決めておくことを**境界条件**と呼びます。プログラミングにおける境界条件とは、プログラムが受け取る入力値において、その想定範囲を超えたときにプログラムがどのように振る舞うか、に関する条件や決めごとといえます。

最大公約数を計算する場合は、もしも片方の整数が0なら、もう1つの整数が最大公約数になります。たとえば、0と12の最大公約数は12、といった具合です。

アルゴリズムを書くときには、そのアルゴリズムが期待どおりに動作しない、想定外の入力値について考えておくべきです。繰り返しになりますが、0が入力のとき、このプログラムは期待どおりの結果を返しません。では、この境界条件を加味したプログラムに書き換えてみましょう。

```
def gcf(i1, i2):
    if i1 == 0:
        return i2
    if i2 == 0:
        return i1

    if i1 > i2:
        smaller = i2
    else:
        smaller = i1

    for divisor in range(1, smaller+1):
        if (i1 % divisor == 0) and (i2 % divisor == 0):
            gcf_value = divisor

    return gcf_value

print(gcf(0, 12))
```

```
>> 12
```

このプログラムはまだ、負の数を処理できません。そのため、追加の境界条件として、入力値の両方ともに、正の数かどうかをテストする条件も追加してみましょう。

```
def gcf(i1, i2):
    if i1 < 0 or i2 < 0:
        raise ValueError("テストできる数は正の整数だけ")
    if i1 == 0:
        return i2
    if i2 == 0:
        return i1

```

```
 9      if i1 > i2:
10          smaller = i2
11      else:
12          smaller = i1
13
14      for divisor in range(1, smaller+1):
15          if (i1 % divisor == 0) and (i2 % divisor == 0):
16              gcf_value = divisor
17
18      return gcf_value
19
20  print(gcf(-2, 22))
```

```
>> ValueError: テストできる数は正の整数だけ
```

最大公約数のプログラムのコードは、n ステップで問題を解くため、時間計算量は線形です。線形はそれほど悪くはありません、ただ、この問題を解くためには、より良い方法があります。次節でその方法を紹介します。

ユークリッドの互除法

最大公約数を探すためのより効率的な解法が、ユークリッドの互除法です。

最初に、2つの数の大きいほうの数 x を、もう1つの小さいほうの数 y で割り、その余りを求めます。次に、求めた余りを、今度は割る数（除数）として扱い、もう一度割ります。このとき、先ほどの y を割られる数（今回の割り算における x）として扱います。余りが0になるまで、この手順を繰り返します。余りが0になったときに使った、割った数（除数）が最大公約数です。

たとえば、20と12の最大公約数を見つけるとしましょう。

[20と12の最大公約数を見つける]

最初に20を12で割ります。余りは8になります。

次に、12を余りの8で割ります。このときの余りは4です。

次に、8を今算出された余りの4で割ります。このときの余りは0です。

余りがないので、最大公約数は4ということになります。

これを式で表すと次のようになります。

20 / 12 = 1 余り 8
12 / 8 = 1 余り 4
8 / 4 = 2 余り 0

では、Pythonでユークリッドの互除法を実装してましょう。

```
1  def gcf(x, y):
2      if y == 0:
3          (x, y) = (y, x)
4      while y != 0:
5          (x, y) = (y, x % y)
6      return x
7
8  print(gcf(20, 12))
```

```
>> 4
```

gcf 関数の定義は、これまでどおり、最大公約数を見つけたい2つの整数を入力値として受け取ります。

細分化して見ていきましょう。

コードの最初の行で境界条件における処理を書きます。y が 0 のとき、割り算では0で割れないので、Pythonが例外処理を行います。これを避けるために、y が 0 のときには x と y の中身を入れ替えます。

```
2      if y == 0:
3          (x, y) = (y, x)
```

次に、y が 0 になるまで while ループを繰り返します。

```
4       while y != 0:
```

次にxの値をyに置き換えて、yの値を、x % yの結果として返される余りに置き換えます。

```
5           (x, y) = (y, x % y)
```

whileループが終わるということは、x % yの結果として、余りが0になったことを意味します。余りが0になったときの割った数がxに入っているはずですので、xを返します。このxこそが最大公約数です。

```
6       return x
```

この「ユークリッドの互除法」のアルゴリズムでは、時間計算量が、前節で見た「最大公約数」のアルゴリズムのように線形ではなく、対数になります。このことは、数学により証明できます。大きな数の最大公約数を見つける際には、このアルゴリズムを使うことで、飛躍的に処理速度が向上します。

素数

素数は2以上の正の整数で、正の約数がそれ自身と1のみの数のことです。2、3、5、7や11などが素数の例です。この節では、数 n が素数か否かを判断する関数の書き方を学びます。

さっそく、見ていきましょう。

```
1  def is_prime(n):
2      for i in range(2, n):
3          if n % i == 0:
4              return False
5      return True
6
7  print(is_prime(11))
```

```
>> True
```

この is_prime 関数は、素数か否かを判断したい数 n を、入力値として受け取ります。

```
1  def is_prime(n):
```

for ループで、2 から n まで繰り返せるようにします。1 ではなく、2 から繰り返す理由は、2 以上が素数の条件だからです。

```
2      for i in range(2, n):
```

もし n が10なら、このコードは2から9まで繰り返します。n % n は必ず余り0となるため、10まで繰り返す必要がありません。

次に、剰余演算子（モジュロ演算子）を使って、n を i で割ったときに余りがあるかテストします。余りがあれば、1 とそれ自身以外で約数を見つけたことになります。 つまり、n は素数ではありません。その場合は False を返します。

```
3          if n % i == 0:
4              return False
```

ループを繰り返して、約数が見つからなければ、n は素数ということになります。その場合は、True を返します。

```
5      return True
```

このアルゴリズムは、終わるまで n-2 ステップ続くので、時間計算量は線形です。ループを、n-2 ステップの代わりに、n の平方根でやめることで、処理時間を改善できます。

```
1  import math
2
3
4  def is_prime(n):
5      for i in range(2, int(math.sqrt(n))+1):
6          if n % i == 0:
7              return False
8      return True
9
10 print(is_prime(11))
```

```
>> True
```

nの平方根でステップをやめて良い理由を説明します。

もしa * b == nなら、aかbはnの平方根と同じかそれ以下です。なぜ、そういえるのでしょうか？

aとbの両方ともnの平方根よりも大きい数だと、a * bはnよりも大きくなってしまい、nと同じにはなりません。つまり、掛け算をしたときにnとなる、nの平方根よりも両方とも大きいaとbという数字は存在しないのです。割る数の1つがnの平方根よりも小さくないといけないので、nまでテストする必要がないわけです。その代わりに、nの平方根よりも1つだけ大きい整数でステップをやめて良いことになります。

nを余りなしで割ることのできる、nの平方根と同じかそれ以下の数が見つからない場合は、それ以上の大きな数でもnを余りなしで割れる数は存在しません。

ここまでに作成した素数を判定する関数に簡単なコードを追加するだけで、指定する任意の数値の範囲内における、素数のリストを出力できます。

```
1  def is_prime(n):
2      for i in range(2, int(math.sqrt(n))+1):
3          if n % i == 0:
4              return False
5      return True
6
7
8  def find_primes(n):
9     return [i for i in range(2, n) if is_prime(i)]
10
11 print(find_primes(11))
```

```
>> [2, 3, 5, 7]
```

まず、新しい関数 find_primes を定義します。これは、n という数を入力値として受け取ります。n は、素数を探したい上限の数です。この n を含まない、n-1 まで素数かどうかを判断します。

find_primes 関数内では、Pythonのリスト内包表記を使って、2 から n まで繰り返し実行し、その中で is_prime が True を返す場合には、そのときの数 i を素数としてリストに追加していきます。ループが終わったら、最後にその素数のリストを出力します。

```
9     return [i for i in range(2, n) if is_prime(i)]
```

このアルゴリズムでは、素数を探したい任意の数までの範囲で、is_prime 関数を毎回呼び出して、すべての素数の探索を行っています。つまり、オーダーは $O(n^2)$ となり効率的ではありません。ここでは紹介しませんが、素数を探し出すアルゴリズムはほかにいくつもあり、もっと複雑になるものの短い時間計算量で済むものもあります。

用語集

記数法　数を表す表記法。2進数や10進数は記数法の例

基数　記数法が使うアラビア数字の数。たとえば基数が10の場合、0から9までの10個のアラビア数字を使う

2進数　基数を2とした記数法

ビット　2進数における桁のことで、binary digit（2進数で表された数字）が語源

位の値　数字の位置によって変わってくる数量のこと。10進数では、たとえば、1452は千が1つ、百が4つ、十が5つ、一が2つあることを表す数字

ビット演算子　2つの数値をビット単位で計算する演算子

最大公約数 2つかそれ以上の整数を割り切れる正の整数のうちの、もっとも大きな数

境界条件　プログラムが受け取る入力値の想定範囲を超えたときに、プログラムがどのように振る舞うか、に関する条件や決めごと

素数　2以上の正の整数で、正の約数がそれ自身と1のみの数

チャレンジ

1. 素数のアルゴリズムについて調べて、上記の例とは別のアルゴリズムで書こう。

第 7 章

独学伝：マーガレット・ハミルトン

大学や高校に行く弟や妹がいる友だちへ贈る、私からたった1つのアドバイス。学校にいるうちにプログラミングを学ぶんだ。

——マーク・ザッカーバーグ（Mark Zuckerberg）Facebook（現Meta）共同創業者

2022年現在では独学でプログラミングを学ぶための教材が溢れているため、昔はそうではなかったことを忘れがちです。マーガレット・ハミルトン（Margaret Hamilton）はアポロ計画（1960年代）におけるソフトウェア開発者であり、史上もっとも偉大な独学プログラマーの一人といえます。プログラミング講座が普及するよりもずっと前に、彼女はプログラミング分野で大きな貢献を果たしました[訳注1]。

ハミルトンはミシガン大学で数学の学士を取得していましたが、プログラミングは完全に独学でした。というのも、1950年から1960年代は今知られているようなコンピューターサイエンスがまだ生まれておらず、すべてのプログラマーが独学で学んでいくしかありませんでした。そんな時代にハミルトンは**ソフトウェア工学**という言葉を作り、この分野を成長させたのです。1960年に大学を卒業した後、彼女はMIT（マサチューセッツ工科大学）の気象予測プロジェクト「Whirlwind（ホワールウィンド）」（日本語でつむじ風の意味）に参加し、プログラミングのキャリアをスタートさせました。また、世界初のポータブルコンピューターのプログラミングにも関わりました。

［訳注1］ マーガレット・ハミルトンについては以下のTED-Ed、および、MAKERSの動画が分かりやすいです。
https://www.youtube.com/watch?v=kYCZPXSVvOQ
https://www.youtube.com/watch?v=kTn56jJW4zY

気象予測プロジェクトでの成功はSAGE（Semi-Automatic Ground Environment：半自動式防空管制組織）での仕事につながりました。SAGEは冷戦時代に導入された、ソビエト連邦の空爆を予測する組織です。スタートレックのファンであれば、コバヤシマル・シナリオを知っているでしょうか。宇宙艦隊士官候補生の訓練に出てくる、成功できないようにプログラムされたシミュレーションです。未来の士官候補生たちは任務を達成できませんが、任務中の選択によって各自の重要な性格特性を示しました。ハミルトンは、コバヤシマル・シナリオの任務を候補生の中で初めて達成したカーク船長のように、実際にコバヤシマルのような状況に遭遇し、それを突破しました。SAGEに参加する新人は、事実上解決不可能なプログラムを動かすように求められました。そのプログラムは、コメントが英語でなくギリシャ語やラテン語で書かれていたため、課題をさらに難しいものにしていました。彼女はその課題を組織の中で初めて達成して、SAGEでのポジションを確かなものにしたのです。

ハミルトンは難しい課題を解く能力が評価され、NASAのアポロ計画にも参加しました。アポロ計画は、1969年に人類史上初めて月面着陸を成功させた歴史的なミッションです。ニール・アームストロング、バズ・オルドリン、マイケル・コリンズといった宇宙飛行士が脚光を浴びがちですが、40万人以上がその任務に関わり、彼女もその成功に多大な貢献をしました。

ハミルトンのチームのもっとも大きな功績のひとつは、緊急事態をチームに知らせるシステムを開発したことです。ハミルトンがこのシステムの厳格なテストを主張し、それが月面着陸の成功に大きく寄与しました。ハミルトンをNASA Space Act Award（米国航空宇宙局宇宙研究賞）に推薦したポール・クルト博士は、彼女の業績を「非常に信頼性の高いソフトウェア設計の基礎」であると述べています。アポロ計画のソフトウェアは、今現在までバグを見つけられないほど、完璧にできていたのです。

2016年11月22日、ハミルトンはオバマ大統領により大統領自由勲章を授与されました[訳注2]。独学プログラマーがソフトウェア工学における功績を認められ、史上最高の偉大な地位を確立したのです。

[訳注2]　大統領自由勲章の授与に関する記事（英文）は以下から閲覧できます。
https://www.nasa.gov/feature/margaret-hamilton-apollo-software-engineer-awarded-presidential-medal-of-freedom/
https://www.theverge.com/2016/11/23/13734214/apollo-software-engineer-margaret-hamilton-presidential-medal-of-freedom

第 2 部

データ構造

第 8 章

データ構造とは何か?

アルゴリズム + データ構造 = プログラム

——ニクラウス・ヴィルト（Niklaus Wirth）計算機科学者、Pascal言語作者

データ構造は、プログラムでデータを効率的に扱うために、データ構成を整える方法の1つです。本書のこれまでの章で、すでにPython組み込みのリストや辞書などのデータ構造を利用してデータの検索やソートを行ってきました。

本書の第2部では、データ構造とその扱い方について、もう少し詳しく紹介します。配列、連結リスト、スタック、キュー、木、ヒープ、グラフ、ハッシュテーブルなど、ここで初めて目にするデータ構造もあると思います。これらのデータ構造には、利点もあれば、欠点もあります。どのデータ構造を使うと良いかは、プログラムでどのような問題を解決しようとしているのか、どこを最適化したいのか、によります。

第2部では、データ構造それぞれの利点と欠点を学びます。アプリケーションを作るときにどのデータ構造を選ぶかを決められるようになり、技術面接でよく聞かれるデータ構造についての質問にもスムーズに答えられるようになるでしょう。

データ構造を理解せずに、優れたプログラマーになることはできません。プログラミングというのは、アルゴリズムを書き、それに合う正しいデータ構造を選択することだからです。ニクラウス・ヴィルトの有名な著書のタイトル『アルゴリズム＋データ構造＝プログラム』（日本コンピュータ協会、1988年）は、まさにそのことを指しています。

アルゴリズムは、コンピューターに何をするかを指示します。そしてデータ構造は、そのアルゴリズムにおいてデータをどのように格納するかを指示します。

Linuxの生みの親であるリーナス・トーバルズは、データ構造の重要性を力説しています。彼の次の言葉はよく知られています。「実際のところ、良いプログラマーと悪いプログラマーの違いは、データ構造を重要であると考えるかどうかにあると言いたい。悪いプログラマーはコードそのものに気を遣ってしまうが、良いプログラマーはデータ構造とそれらの関係性について気を遣うものだ」。優れたプログラマーを目指すために、本書の後半ではデータ構造について紹介していきます。

抽象データ型[訳注1]は概念で、データ構造は実装です。たとえば、抽象データ型としてのリストは、複数要素の集まりで、各要素は他の要素との前後関係を保持します。リストはまた、追加や削除といった要素を操作する機能を備えます。

Python組み込みの `list` は抽象データ型ではなく、実際に実装されたデータ構造です。リストという抽象データ型に基づいた、全く異なる2つのデータ構造を実装することもできます。

データ構造はリスト以外にも多くの種類があり、それぞれの特徴に基づいて分類できます。その一例に、線形か非線形かがあります。**線形データ構造**は、要素を順番に配置します。一方、**非線形データ構造**は、配置が順不同の要素同士をリンクしていきます。Pythonの `list` は線形データ構造で、各要素は前後に1つの要素を持てます。これに対して、後ほど紹介するグラフは非線形構造で、各要素は他の要素と2つ以上のリンクを持てます。

走査は、データ構造を最初の要素から最後の要素までたどることです。線形データ構造では、最初の要素から最後まで簡単に走査でき、走査のために後戻りする必要はありません。一方、非線形データ構造では、頻繁に後戻りする必要が生じます。非線形データ構造は後戻りが必要になったり、1つのデータ要素に到達するために再帰が必要になったりすることもしばしば起こるため、線形データ構造に比べると特定の要素へのアクセス効率は良くありません。

データ構造のすべてのデータに変更を加える場合、走査が簡単な線形データ構造はシンプルな実装で済みます。

非線形データ構造は、走査のために後戻りが必要になり、設計や利用に多少手間がかかりますが、ソーシャルネットワークにおける人間関係を表すようなデー

[訳注1] 抽象データ型は、データ構造に対する操作（インターフェース）を定義したものです。データ型の実装では、可変長にするかといった詳細を決め、それに応じてメモリー効率や操作のオーダーも変わってきますが、抽象データ型では、そのような詳細は気にしません。抽象データ型は英語だとAbstract Data Typeで、略してADTと呼ばれます。詳しくは『入門 データ構造とアルゴリズム』（オライリー・ジャパン、2013年）などを参照してください。

タ構造を扱う場合には、線形データ構造よりも効率的にデータを格納し、利用できます。

データ構造は、静的か動的かでも、分類できます。**静的データ構造**のサイズは固定長ですが、**動的データ構造**はその要素によってサイズを拡大したり縮小したりもできます。

静的データ構造を使う場合には、プログラムを書くときにサイズを決めます。このサイズをプログラム実行中に変えることはできません。データ構造内の値は、変更できます。Pythonには静的データ構造がありませんが、C言語などのよりコンピューター寄りのプログラミング言語には静的データ構造があります[訳注2]。

静的データ構造には、一定量のメモリーをあらかじめ割り当てておく必要がある、という問題があります。

コンピューターメモリーは、コンピューターがデータを蓄えておく場所です。メモリーにも種類がありますが、本章ではコンピューターがデータを格納してアドレスを得たり、メモリーアドレスに基づいて格納されているデータを参照したりするものとします。

必要だと思って割り当てたメモリー領域よりも小さいサイズで処理が済んだ場合、使わなかったメモリー領域は無駄になります。逆に、想定よりも多くのメモリーが必要になった場合でも、固定長のメモリー領域は後から拡張できません。固定長の連続したメモリー領域のサイズを増やそうとすると、すでに使われているメモリーアドレスと衝突する可能性が高いため、サイズを変更できないのです。

固定長のデータ構造に想定よりも多くの要素を追加するには、想定していたサイズより大きなサイズの別のメモリー領域を割り当てて、そこに元のデータをすべてコピーしてから処理の続きを行うしかありません。つまり、事前に格納する要素数が分からない場合、固定長メモリーを必要とするデータ構造は最適な選択とはいえません。

一方で、格納する要素数が分かっていて、その数が変化しないと考えられる場合は、固定長のデータ構造は可変長のデータ構造よりも優れたパフォーマンスを出せるでしょう。たとえば、Undoのために操作履歴を最大10回分だけ記録しておく際には、固定長のデータ構造が適しているでしょう[訳注3]。

[訳注2] ここでは、静的データ構造がコンピューターのメモリー配置に直結しているという意味で「コンピューター寄り」と表現しています。このような「コンピューター寄り」の事象を「低水準」と呼びます。

[訳注3] リングバッファと呼ばれる固定長のデータ構造が使われます。

多くのデータ構造は、固定長と可変長のどちらでも表現できます。たとえば次章で紹介する配列は、従来のプログラミング言語の多くで固定長のデータ構造として実装されてきましたが、Pythonを含む近年のプログラミング言語では可変長のデータ構造として提供されています。

固定長のデータ構造とは対照的に、可変長のデータ構造のサイズは簡単に変えられます。可変長のデータ構造においては、コンピューターは要素数に応じてメモリーを追加で割り当てます。データが不要になればメモリーを解放し、コンピューターはそのメモリーをほかのことに使えるため、メモリーリソースを有効活用できます。

サイズを柔軟に変更できる可変長のデータ構造は、要素の追加や削除を効率的に行えるため、メモリーリソースを有効活用できます。しかし、先に説明したように、可変長のデータ構造は、要素へアクセスする処理速度が固定長のデータ構造に比べて遅くなりがちです。また、可変長のデータ構造はより多くのメモリーを消費することがあります[訳注4]。可変長のデータ構造は、扱うデータ量が分からない場合や、メモリーを効率良く使いたい場合に選択すると良いでしょう。

大抵の場合、静的データ構造と動的データ構造のどちらを選択するかを考えるのに時間を費やす必要はありません。OSなどの低水準のプログラムや、パフォーマンス最適化のためにあらゆる対策を行わなければならないようなプロジェクトの場合には重要になりますが、それ以外のプログラミングでは、線形データ構造か非線形データ構造かの選択に時間をかけ、またどの線形データ構造（またはどの非線形データ構造）を使うべきかに知恵を絞るべきです。

これまで紹介してきたように、データ構造それぞれに利点と欠点の両方があります。そうした利点と欠点は、データの挿入、削除、検索、ソートの効率、メモリー効率に大きく関係しています。たとえば、Pythonの辞書に10億の要素が格納されていても、ある要素が格納されているかどうかの判定は非常に効率的に処理されます。しかし、グラフ構造の中にあるデータを探すのはそれほど効率的ではありません。次の章からは、データ構造をいつ、どのように使用するかについて、より詳しく紹介していきます。

[訳注4] 可変長のデータ構造は、要素同士のリンク情報を持つ分だけ多くのメモリーを消費します。詳しくは第10章で紹介します。

用語集

データ構造　プログラムでデータを効率的に扱うためにデータ構成を整える方法の1つ

線形データ構造　要素を順番に配置したデータ構造

非線形データ構造　配置が順不同の要素同士をリンクしたデータ構造

走査　データ構造を最初の要素から最後の要素までたどること

静的データ構造　固定長で、プログラムを書くときにサイズを決めるデータ構造

動的データ構造　プログラムの実行中にサイズを決められ、サイズを拡大したり縮小したりもできるデータ構造

コンピューターメモリー　コンピューターがデータを蓄えておく場所

チャレンジ

1. Pythonで使ったことがあるデータ構造を書き出そう。

第 9 章

配列

懸命に働いているコーダー、プログラマー、デザイナーに敬意を表する。コンピューターサイエンスを履修するか迷っている学生は、ぜひ挑戦してほしい。

——マイケル・ブルームバーグ（Michael Bloomberg）前ニューヨーク市長

リストは抽象データ型で、格納される要素の並び順を保持するデータ構造です。リスト抽象データ型が提供するのは、新しい空のリストを作る、リストが空(から)かを確認する、要素を先頭に追加する、要素を末尾に追加する、インデックスを指定して要素にアクセスする、といった操作です。Python組み込みの `list` をすでに何回も使っていると思いますが、Pythonの `list` はリスト抽象データ型の実装の1つで、配列の一種です。本章では配列について詳しく紹介していきます。

配列は、連続したメモリー領域に要素を保持し、各要素にインデックスでアクセスできるデータ構造です。配列は大抵、均質で、静的です。**均質なデータ構造**には、1種類のデータ型だけ格納できます。たとえば、整数の配列なら整数だけ、文字列の配列なら文字列だけを格納できます。静的データ構造は、後からサイズを変更できないデータ構造です。

C言語のような低水準言語で配列を作る場合、配列に格納するデータ型と、格納する要素数をあらかじめ決めておかなければなりません。データ型から要素1つ分のサイズが決まり、要素数から配列全体で確保すべきメモリーサイズが決まります。プログラムは起動時にその配列用にメモリー領域を確保し、そこに要素が順番に格納されます。

Pythonの `list` は、**混合可変長配列**です。**可変長配列**のため、作成後にサイズを変更できます。**混合配列**には、1種類のデータ型だけでなく、複数の異なるデータ型を格納できます。

Pythonはグイド・ヴァンロッサムによりC言語で開発されていますが、Pythonの裏側にある配列の作成や操作の複雑さをプログラマーが意識しなくて済むように設計されています。それどころか、配列に割り当てるサイズや、どのデータ型を格納するかも考える必要がありません。

メモリーに配列を保持する様子を**図9.1**に示します。

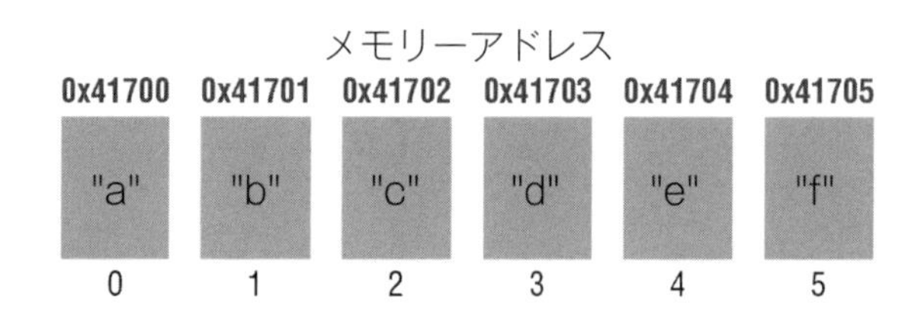

図9.1　配列内のデータの例（文字列 "abcdef" を配列に格納した様子）

配列の要素は、インデックスという一意（ユニーク）な整数によってアクセスできます。通常、インデックスの最初の値は0です。インデックスの値が0から始まるかどうかは、プログラミング言語によって決められています。PythonとC言語はどちらも0から始まるインデックスを採用していますが、MATLABやFortranは1から始まるインデックスを採用しています。いくつかのプログラミング言語では、最初の要素のインデックスを整数の範囲で自由に決められるものもあります。

配列の先頭のメモリーアドレスは **ベースアドレス**と呼ばれます。コンピューターが配列に新しい要素を格納するとき、次のような計算式でベースアドレスとインデックスを計算して格納先のアドレスを算出します。

ベースアドレス ＋ インデックス × 要素1つに必要なメモリーサイズ

ベースアドレスに、各要素のメモリーサイズとインデックスを掛け算した値を足しています。配列から要素を取得するときにも、この数式でメモリーアドレスを計算しています。

配列には一次元と多次元があります。**一次元配列**の場合、配列の要素に1つのインデックスでアクセスできます。

```
1  array = [1, 2, 3]
2  print(array[0])
```

```
>> 1
```

多次元配列の場合、2つのインデックス（各次元のインデックスを指定）を使って要素にアクセスします。

```
1  multi_array = [[1, 2, 3], [4, 5, 6], [7, 8, 9]]
2  print(multi_array[1][2])
```

```
>> 6
```

一次元と多次元のどちらの配列でも、連続するメモリー領域に要素を保持します。そして、インデックスに基づいてメモリーアドレスを計算して要素にアクセスします。

訳注コラム：Pythonの多次元配列

上記の多次元配列の説明は、低水準を扱えるプログラミング言語においては正しく、2次元配列では次のようなアドレス計算が行われます。

```
メモリーアドレス =
 ベースアドレス
  + 1次元目のインデックス × 2次元目の要素数 × 要素1つのサイズ
  + 2次元目のインデックス × 要素1つのサイズ
```

しかし、Pythonの `list` を使って多次元配列を表現した場合には、少し事情が異なります。

Pythonの `list` は混合可変長配列で、配列には実際の要素への参照を格納しています。このため、アドレス計算に使うメモリーサイズは要素への参照のサイズとなり、実際の要素の種類によらず一定です。また、`list`を使って多次元配列を表現した場合、あくまでリストを格納しているリスト（**図A**参照）となるため、上記のようなアドレス計算はできません。

リストのリストというデータ構造では、子要素のリストの長さはそれぞれ異なるサイズにできますし、インデックスによるアドレス計算は子要素のリストそれぞれで独立しています。

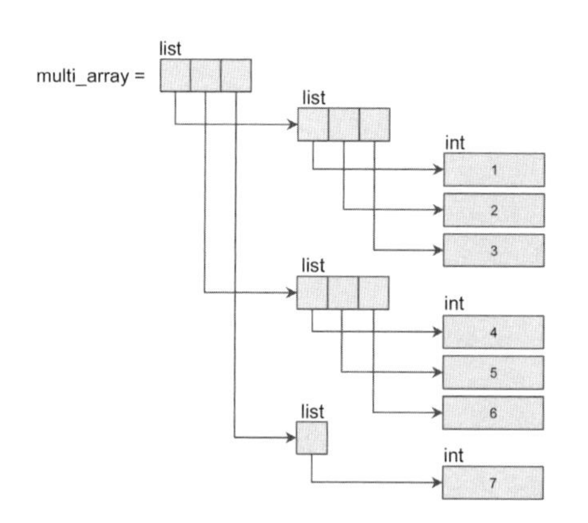

図A　リストのリストの例（ multi_array = [[1, 2, 3], [4, 5, 6], [7]] ）

配列のパフォーマンス

配列の要素にインデックスでアクセスする場合、前述のメモリーアドレス計算により、インデックスがいくつでも定数時間 $O(1)$ でアクセスできます。たとえば、その配列内の要素数がどれだけ膨大であっても、一定の時間でメモリーアドレスを計算できます。

ソートされていない配列の要素を検索する場合、オーダーは $O(n)$ です。配列のすべての要素を確認して探している値か否かをチェックするためです。ソート済みの配列から要素を検索する場合は $O(\log n)$ になります。検索の効率化のために、名前や住所を格納した配列をあらかじめソートしておく方法がよく使われます。

図9.2の表は、配列の操作にかかる時間を表しています。アクセスは、データ構造から任意の要素を取得する操作です。探索は、探索対象と一致する要素を探し出す操作です。挿入と削除はそれぞれ、要素を挿入、削除する操作です。

データ構造	時間計算量							
	平均				最悪			
	アクセス	探索	挿入	削除	アクセス	探索	挿入	削除
配列	$O(1)$	$O(n)$	$O(n)$	$O(n)$	$O(1)$	$O(n)$	$O(n)$	$O(n)$
スタック	$O(n)$	$O(n)$	$O(1)$	$O(1)$	$O(n)$	$O(n)$	$O(1)$	$O(1)$
キュー	$O(n)$	$O(n)$	$O(1)$	$O(1)$	$O(n)$	$O(n)$	$O(1)$	$O(1)$
連結リスト	$O(n)$	$O(n)$	$O(1)$	$O(1)$	$O(n)$	$O(n)$	$O(1)$	$O(1)$
ハッシュテーブル	N/A	$O(1)$	$O(1)$	$O(1)$	N/A	$O(n)$	$O(n)$	$O(n)$
二分探索木	$O(\log n)$	$O(\log n)$	$O(\log n)$	$O(\log n)$	$O(n)$	$O(n)$	$O(n)$	$O(n)$

図9.2　配列の操作の実行時間

もし配列の操作が一番効率的であれば、ほかのデータ構造を覚える必要はないでしょう。配列の要素へのアクセスや値の変更は $O(1)$ で非常に高速ですが、配列の形を変えるような変更（要素の追加や削除）は $O(n)$ です。

配列では連続したメモリー領域に要素を格納しているため、その途中に要素を追加するには元々そこにあった要素以降をすべて後ろにずらす必要があり、これは効率の悪い作業です。**図9.3**を例に見てみましょう。

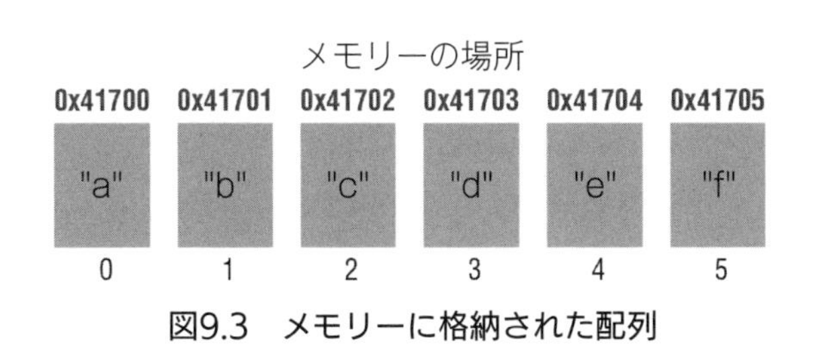

図9.3　メモリーに格納された配列

a と b の後に z を追加したら、何が起こるでしょうか。**図9.4**を見てみましょう。

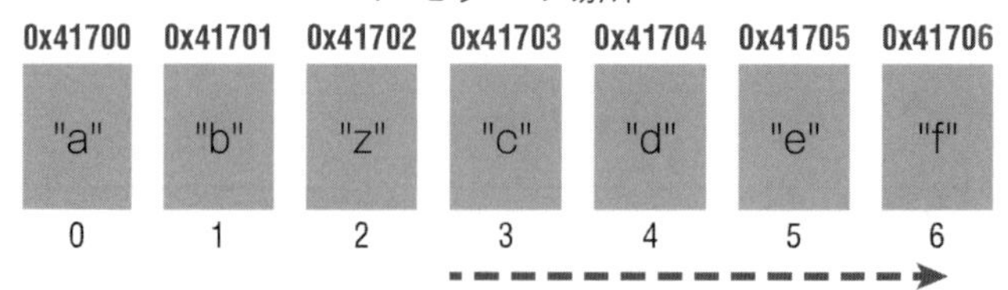

図9.4　配列に要素を挿入する操作は、多くのメモリーアドレスの変更を伴う

zをインデックス2の場所に挿入することで、後に続く4つの要素を別のメモリーアドレスに移動することになります。

小さい配列の場合、要素を移動させることはそれほど問題になりませんが、大きい配列の任意の位置に（特に先頭付近に）要素を追加する場合、メモリーのコピーに多大な時間を消費してしまうかもしれません。

要素の追加は、配列のサイズがあらかじめ決められている静的データ構造の配列にとっては、さらに深刻です。サイズを超えて要素を追加したい場合、連続する後続のメモリー領域が空いていれば追加分を確保する方法もありますが、そこが空いているかは保証できません。

C言語などで静的配列に想定以上の要素を追加するときには、新しく大きなメモリー領域を確保して、古いメモリー領域からすべての要素をコピーし、要素を追加してから、古いメモリー領域を開放します。これはC言語で実装されているPython内部でも同様に行われています。ただし、Pythonでは**オーバーアロケーション**という方法で効率的に処理しています。**オーバーアロケーション**によって配列にいま必要な要素数よりも多くのメモリーを確保しておくことで、要素追加時のメモリー再確保を避けています。要素の追加で空きスペースがなくなった場合には、大きなメモリー領域の確保と要素の移動が行われます。

プログラマーは、配列をよく使います。順番を持つデータを扱う場合、まずは配列を使うことを検討します。たとえば、「コール オブ デューティー」のようなゲームをプログラミングして、トップ10のプレイヤーのランクを表示するページを作りたいとします。

プレイヤーのスコア上位10名を知りたいときには、スコアの配列をソートしてインデックス0から9のプレイヤーを確認すれば、簡単に把握できます。

数学の計算を扱う際にも、配列はもっとも重要なデータ構造となります。数学の計算では膨大な数値データを扱うため、配列をよく使います。

また、ほかのデータ構造の実装にも配列が使われます。この後の章では、配列を使ってスタックとキューを実装する方法を紹介します。

Pythonプログラマーはリストをとてもよく使いますが、リストのような高水準のデータ構造の内部実装には配列が使われています。これは、ほかの多くのプログラミング言語でも同様です。

Pythonにおいて、低水準の配列を扱うにはNumPyのようなパッケージを利用します。NumPyは数学や科学、金融のアプリケーションや統計処理などに役立ちます。NumPyの配列は、数学的な行列乗算などの操作をサポートしています。たとえば、行列乗算は、3次元グラフィックスアプリケーションにおいて、物体の拡大や縮小、変換、回転を行う際に利用されます。OSにおいては、メモリー管理やバッファリングなどのデータ列の操作で配列を扱います。

配列は頻繁にデータを追加するような大きいデータセットを扱う際には、最適ではありません。配列に要素を追加する操作は$O(n)$です。要素の追加を効率良く行うには、次の章で紹介する連結リストを使うと良いでしょう。配列に要素を挿入すると、それ以降のインデックスが変わってしまいます。インデックスを変えたくない場合、Pythonでは辞書を使うのが良いでしょう。

配列を作成する

Pythonでプログラミングをしていれば、配列を必要とするほとんどのケースで`list`が使えます。よりパフォーマンスを高めるために均質な配列を使いたければ、Python組み込みの`array`モジュールが使えます[訳注1]。さっそく使ってみましょう。

```
1  import array
2
3  arr = array.array('f', (1.0, 1.5, 2.0, 2.5))
4  print(arr[1])
```

```
>> 1.5
```

[訳注1] `array`は均質な可変長配列で、最初に指定したデータ型だけを格納できます。要素のサイズが同じため、どんなデータでも格納できる`list`に比べてデータ構造がコンパクトです。

1行ずつ見て行きましょう。まず、array モジュールをインポートします。

```
1  import array
```

そして、array.array に2つの引数を渡します。1つ目は配列に保持するデータ型です。f はfloat型で、Pythonで浮動小数点数を扱う型です。もちろん、ほかのデータ型も指定できます。2つ目は配列に入れたいデータを渡します。

```
3  arr = array.array('f', (1.0, 1.5, 2.0, 2.5))
```

配列を作ったら、list のように使えます。

```
4  print(arr[1])
```

list とは違い、array に最初に指定したのと異なるデータ型の値を格納すると、エラーが発生します。

```
1  arr[1] = 'hello'
```

```
>> TypeError: must be real number, not str
```

速度が必要な場合、PythonのNumPyパッケージは、低水準を扱えるC言語に近い、高速な配列操作を提供します。NumPyの詳しい使い方については以下のドキュメントを参照してください。

https://numpy.org

ゼロを移動する

リストにあるすべてのゼロを末尾に移動し、残りの数字の並び順は変えない、という並び替えのアルゴリズムを考えてみましょう。技術面接での出題だと思ってやってみてください。

```
[8, 0, 3, 0, 12]
```

このリストが入力されたときに、次のようなリストを返す関数を考えます。

```
[8, 3, 12, 0, 0]
```

Pythonでこの問題を解くアルゴリズムは次のようになります。

```
1  def move_zeros(a_list):
2      zero_index = 0
3      for index, n in enumerate(a_list):
4          if n != 0:
5              a_list[zero_index] = n
6              if zero_index != index:
7                  a_list[index] = 0
8              zero_index += 1
9      return a_list
10
11 a_list = [8, 0, 3, 0, 12]
12 move_zeros(a_list)
13 print(a_list)
```

最初に、zero_index 変数に 0 を代入します。

```
2      zero_index = 0
```

次に、a_list をループで順番に処理していきます。ここで enumerate 関数を使って処理中の数値のインデックスを把握しておきます。

```
3      for index, n in enumerate(a_list):
```

次のブロックは、リストの要素 n が 0 ではない場合のみ実行します。

```
4           if n != 0:
5               a_list[zero_index] = n
6               if zero_index != index:
7                   a_list[index] = 0
8               zero_index += 1
```

n が 0 ではない場合、a_list のインデックス zero_index の位置の値を n で置き換えます。そして、zero_indexと index が異なる値の場合、リストの前の方に 0 が登場したといえるため、a_list の index 位置（ループでの現在の位置）の値を 0 で置き換えます。最後に zero_index を1つ増加させます。

もう一度、リストの値を見ながら動きを追ってみましょう。リストは最初、次のような値を持っています。前述のアルゴリズムで処理すると、最初の 0 に出会ったときの index は1のはずです。

```
[8, 0, 3, 0, 12]
```

今回のループでは、要素の値が 0 のため、ifの条件が偽となり、if ブロックの処理は実行されません。

```
4           if n != 0:
5               a_list[zero_index] = n
6               if zero_index != index:
7                   a_list[index] = 0
8               zero_index += 1
```

つまり、zero_index が変化しないということです。そして、for ループの先頭に戻り、index は2に、n は3になります。

```
[8, 0, 3, 0, 12]
```

今回の n は 0 ではないので、if 文のブロックが実行されます。

```
4           if n != 0:
5               a_list[zero_index] = n
6               if zero_index != index:
7                   a_list[index] = 0
8               zero_index += 1
```

コードの次の部分が実行されます。

```
5               a_list[zero_index] = n
```

このコードはリストを変更します。変更前は、以下の値でした。

```
[8, 0, 3, 0, 12]
```

これが、次の値に変更されました。

```
[8, 3, 3, 0, 12]
```

そして、次のコードが実行されます。

```
6               if zero_index != index:
7                   a_list[index] = 0
```

このコードもリストを変更します。変更前は、以下の値でした。

```
[8, 3, 3, 0, 12]
```

これが、次の値に変更されました。

```
[8, 3, 0, 0, 12]
```

アルゴリズムによって、リストにあった 0 の値が、その次のゼロではない値と交換されていることが分かります。

アルゴリズムを進めると、再び0を見つけたときに、同じように次のゼロではない値と入れ替えます。その動きを見ていきましょう。

現在のリストは以下の値になっています。

```
[8, 3, 0, 0, 12]
```

変数の zero_index と index はすでに同じ値ではありません。zero_index は2で、これはリストに最初に0が登場する位置です。次のループでは n が12で、if の条件が真となり、if ブロックの処理が実行されます。

```
4           if n != 0:
5               a_list[zero_index] = n
6               if zero_index != index:
7                   a_list[index] = 0
8               zero_index += 1
```

コードの次の部分が実行されます。

```
5               a_list[zero_index] = n
```

このコードは、リストを変更します。変更前は、以下の値でした。

```
[8, 3, 0, 0, 12]
```

これが、次の値に変更されました。

```
[8, 3, 12, 0, 12]
```

そして、次のコードが実行されます。

```
6               if zero_index != index:
7                   a_list[index] = 0
```

このコードもリストを変更します。変更前は、以下の値でした。

```
[8, 3, 12, 0, 12]
```

これが、次の値に変更されました。

```
[8, 3, 12, 0, 0]
```

見てのとおり、ゼロは末尾に移動され、残りの数字の並び順は変わらないリストが完成しました。

このアルゴリズムの時間計算量を見てみましょう。アルゴリズムには、リストa_listの要素を反復するループが1つだけあります。つまり、時間計算量は$O(n)$になります。

2つのリストを統合する

2つのリストを1つのリストに統合する処理は、日々のプログラミングでもたびたび登場します。このようなアルゴリズムを考えてみましょう。これも技術面接での出題だと思ってやってみてください。

以下のような映画タイトルのリストがあるとします。

```
movie_list = [
    "インターステラー", "インセプション", "プレステージ",
    "インソムニア", "バットマン ビギンズ"
]
```

以下はそれぞれの映画の評価です。

```
ratings_list = [1, 10, 10, 8, 6]
```

この2つのリストを1つのリストに統合して、それぞれの要素は以下のようにタイトルと評価のタプルで持たせることにします。

```
[('インターステラー', 1),
('インセプション', 10),
('プレステージ', 10),
('インソムニア', 8),
('バットマン ビギンズ', 6)]
```

Python組み込みの zip 関数を使って、次のようにリストを統合できます。

```
print(list(zip(movie_list, ratings_list)))
```

```
>> [('インターステラー', 1), ('インセプション', 10), ('プレステージ
', 10), ('インソムニア', 8), ('バットマン ビギンズ', 6)]
```

zip 関数は1つ以上のイテラブルを受け取り、zip オブジェクトを返します。zip オブジェクトは受け取ったそれぞれのイテラブルの先頭から1つずつ取り出した値をタプルにして返すイテラブルです。これによって、映画タイトルと評価がタプルにまとめられたリストが出力されます。

リスト内の重複を見つける

技術面接でよくある課題の1つに、リスト内で重複する要素を見つけるというものがあります。このアルゴリズムも実際のプログラミングでよく使います。解決方法として、リスト内の要素を1つずつ、ほかのすべての要素と比較するやり方がありますが、この処理には2重ループが必要なため、オーダーが$O(n^2)$になります。Pythonには、そのような比較のループを使うよりも効率良く重複を見つける方法があります。Python組み込みの set は重複する要素を持てないデータ型で、重複する要素の追加は単に無視されます。

set は、次のように使います。

```
1  a_set = set()
2  a_set.add('カニエ・ウェスト')
3  a_set.add('ケンダル・ジェンナー')
4  a_set.add('ジャスティン・ビーバー')
5  print(a_set)
```

```
>> {'ジャスティン・ビーバー', 'カニエ・ウェスト', 'ケンダル・ジェンナー'}
```

これで3つの要素を持つ set のデータを作成できました。次に、同じ文字列を2回追加するように実行してみましょう。

```
1  a_set = set()
2  a_set.add('カニエ・ウェスト')
3  a_set.add('カニエ・ウェスト')
4  a_set.add('ケンダル・ジェンナー')
5  a_set.add('ジャスティン・ビーバー')
6  print(a_set)
```

```
>> {'カニエ・ウェスト', 'ケンダル・ジェンナー', 'ジャスティン・ビーバー'}
```

実行してみると、4つの要素を追加しても a_set には3つの要素しか含まれていないことが分かります。同じ値を2回追加しても、重複データだと判断され、追加されませんでした。

この set の動作を使って、重複データを見つけることができます。対象のイテラブルの要素を1つずつ set に追加していき、set の要素数が変わらなかったらその要素は重複データだ、と判断できます。

次の関数は、リスト内の重複を見つけるアルゴリズムです。コード内の l1 や l2 は、小文字の l（エル）に数字の 1 あるいは 2 です。

```
1  def return_dups(an_iterable):
2      dups = []
3      a_set = set()
4      for item in an_iterable:
5          l1 = len(a_set)
6          a_set.add(item)
7          l2 = len(a_set)
8          if l1 == l2:
9              dups.append(item)
10     return dups
11
12 a_list = [
13     "Susan Adams",
14     "Kwame Goodall",
15     "Jill Hampton",
16     "Susan Adams",
17 ]
18
19 dups = return_dups(a_list)
20 print(dups)
```

この例では4つの要素のうち1つが重複しているリストを渡しています。関数 return_dups は、引数を an_iterable 変数に受け取ります。

```
1  def return_dups(an_iterable):
```

関数内では、最初に空のリスト dups が作られます。

```
2      dups = []
```

そして、空のsetである a_set が作られます。

```
3      a_set = set()
```

次の行からループが始まり、an_iterable の要素を1つずつ取り出していきます。

```
4       for item in an_iterable:
```

そして現在の a_set のサイズを取得してから、an_iterable の要素を a_set に追加し、もう一度 a_set のサイズを取得します。

```
5           l1 = len(a_set)
6           a_set.add(item)
7           l2 = len(a_set)
```

要素追加によってサイズが変わっていなければ、現在の要素 item は重複データだと判断できるので、リスト dups に追加します。

```
8           if l1 == l2:
9                dups.append(item)
```

改めて、コード全体を見てみましょう。
そして、実行します。

```
1  def return_dups(an_iterable):
2      dups = []
3      a_set = set()
4      for item in an_iterable:
5          l1 = len(a_set)
6          a_set.add(item)
7          l2 = len(a_set)
8          if l1 == l2:
9              dups.append(item)
10     return dups
11
12 a_list = [
```

```
13        "Susan Adams",
14        "Kwame Goodall",
15        "Jill Hampton",
16        "Susan Adams",
17    ]
18
19    dups = return_dups(a_list)
20    print(dups)
```

```
>> ['Susan Adams']
```

実行した結果、重複データがdupsに格納されて関数から返されているのが分かります。

2つのリストの交差を探す

もう1つ、技術面接や日々のプログラミングでよく使うアルゴリズムに、2つのリストの交差を見つけるアルゴリズムがあります。交差とは、共通する要素のことです。

1つ目のリストを宝くじの今週の当選番号、もう1つのリストはこれまでによく当たるといわれた宝くじの当選番号、という例で考えてみましょう。

```
this_weeks_winners = [2, 43, 48, 62, 64, 28, 3]
most_common_winners = [1, 28, 42, 70, 2, 10, 62, 31, 4, 14]
```

今回の目的は、今週の当選番号と過去のよく当たる当選番号の両方にある値を見つけることです。考えられるアルゴリズムの1つは、リスト内包表記を使って、リストの要素がもう1つのリストに含まれているかをチェックする方法です。

```
1 def return_inter(list1, list2):
2     list3 = [v for v in list1 if v in list2]
3     return list3
4
5 list1 = [2, 43, 48, 62, 64, 28, 3]
6 list2 = [1, 28, 42, 70, 2, 10, 62, 31, 4, 14]
7 print(return_inter(list1, list2))
```

```
>> [2, 62, 28]
```

実行してみると、2、62、28の3つが両方のリストに含まれていました。このコードの以下の行は、リスト内包表記を使って list1 の要素それぞれが list2 に含まれているかを確認しながら、含まれていれば結果のリストに持たせる処理をしています。

```
2     list3 = [v for v in list1 if v in list2]
```

Pythonの in キーワードは、リスト内の要素を順に検査できます。リスト内から値を探す処理では線形探索が行われます。そのため、リスト内包表記のループ内で in を使った検索を行うと、オーダーは$O(n^2)$ になります。

リストの交差を探す問題の別解として、set を使ったアルゴリズムを考えてみましょう。Pythonの set には intersection メソッドがあり、2つの set で共通する要素を返してくれます。

list を set に変換するのは以下のように簡単に行えます。

```
set1 = set(list1)
set2 = set(list2)
```

set に変換しさえすれば、先ほどの intersection メソッドを使って2つのデータから重複する要素を取り出せます。以下のように実行します。

```
set1.intersection(set2)
```

```
>> {2, 28, 62}
```

後は、結果を list 関数でリスト型に戻すだけです。

```
list(set1.intersection(set2))
```

コード全体は、次のようになります[訳注2]。

```
1  def return_inter(list1, list2):
2      set1 = set(list1)
3      set2 = set(list2)
4      return list(set1.intersection(set2))
5
6  list1 = [2, 43, 48, 62, 64, 28, 3]
7  list2 = [1, 28, 42, 70, 2, 10, 62, 31, 4, 14]
8  new_list = return_inter(list1, list2)
9  print(new_list)
```

```
>>  [2, 28, 62]
```

最初の行で return_inter 関数を定義して、2つの引数を受け取っています。

```
1  def return_inter(list1, list2):
```

そして、受け取った2つのリストを set に変換します。

[訳注2] set.intersection メソッドの引数にはイテラブルを渡せます。そのため、コードは短く set(list1).intersection(list2) と書けます。このときの実行コストは修正前のコードとほとんど同じため、読みやすい方で書くと良いでしょう。

```
2       set1 = set(list1)
3       set2 = set(list2)
```

次に、intersection メソッドを呼んで共通する要素を取り出します。

```
list(set1.intersection(set2))
```

最後に、取り出した要素をリストに変換して関数の実行結果として返します。

```
4       return list(set1.intersection(set2))
```

intersection メソッドは2つの set に対してだけではなく、3つ以上の set に対しても使えます。次の例では4つの set の共通要素を取り出しています。

```
s1.intersection(s2, s3, s4)
```

用語集

リスト　抽象データ型で、格納される要素の並び順を保持するデータ構造
配列　連続したメモリー領域に要素を保持し、各要素にインデックスでアクセスできるデータ構造
均質なデータ構造　整数や文字列などのうち、1種類のデータ型だけ格納できるデータ構造
混合可変長配列　実行中にサイズを変更でき、複数の異なるデータ型を格納できる配列
可変長配列　実行中にサイズを変更できる配列
混合配列　複数の異なるデータ型を格納できる配列
ベースアドレス　配列先頭のメモリーアドレス
一次元配列　要素に1つのインデックスでアクセスできる配列
多次元配列　要素に複数のインデックスでアクセスできる配列
オーバーアロケーション　配列にいま必要な要素数よりも多くのメモリーを確保しておき、要素の追加時に空きスペースを利用する方法

set　重複しない要素を格納するPythonの組み込みのデータ型

チャレンジ

1. 非負の整数を格納した配列 `an_array` を受け取り、`an_array` に含まれるすべての偶数値で作った配列と、奇数値で作った配列を返すアルゴリズムを書こう。

第10章

連結リスト

プログラムを学ぶと思考が柔軟になり、物事をより良く考えられるようになる。そして、あらゆる領域で役立つ考え方ができるようになる。

——ビル・ゲイツ（Bill Gates）Microsoft 共同創設者

連結リストはリスト抽象データ型の実装の1つです。配列と同じように、連結リストは要素を末尾に追加したり、先頭に追加したり、要素の検索や削除もできます。配列と異なる点は、連結リストの要素は連結した**ノード**で構成されていることです。ノードのメモリーアドレスは連続しておらず、それぞれのノードが値と次のノード位置を持ちます。このため、連結リストの要素にはインデックスがありません。

連結リストの最初のノードを**ヘッド**と呼びます。各ノードが持つ次のノード位置のことを**ポインター**と呼びます。そして、連結リストの最後のノードのポインターは、多くの場合、Noneを指します。これによってリストの最後の要素だと分かります（**図10.1**）。

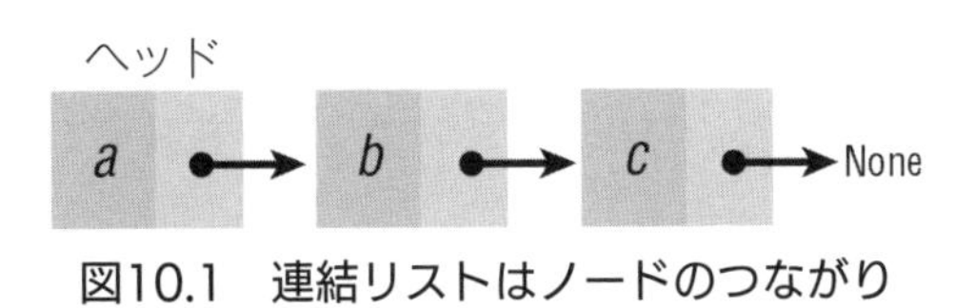

図10.1　連結リストはノードのつながり

配列とは異なり、連結リストのノードは連続しないメモリーアドレスに格納できます（**図10.2**）。

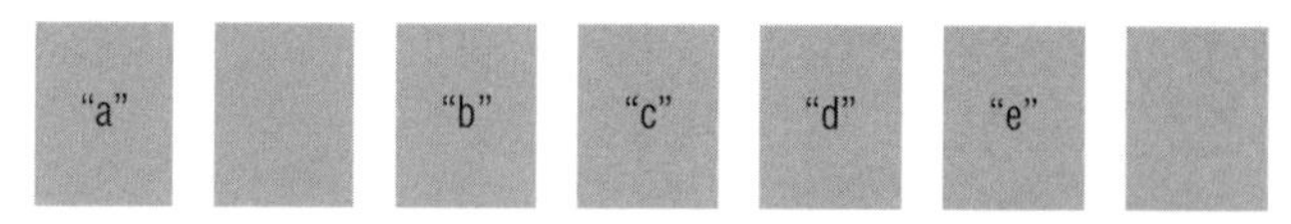

図10.2　連結リストは連続したメモリーアドレスにノードを格納する必要がない

たとえば、図10.2のように、aという文字をコンピューターのメモリーアドレス0x41860に格納しているとします。このとき、リストの次の要素bを、aと連続したメモリーアドレス0x41861に格納する必要はありません。要素bは、メモリー上のどこにでも格納できます。この例では、bはメモリーアドレス0x41862に格納されました。

それぞれのノードは、リスト内の次のノードのアドレスへのポインターを持っていて、リストのすべての要素がつながっています（**図10.3**）。連結リストの最初の要素であるaは、メモリー上の0x41862へのポインターを持ちます。このアドレスはリストの2番目の要素であるbの位置です。要素bは、次のノード（要素c）のメモリーアドレスへのポインターを持ちます。このように、ポインターをたどると、リストを構成するすべてのノードの順番が分かるようになっています。

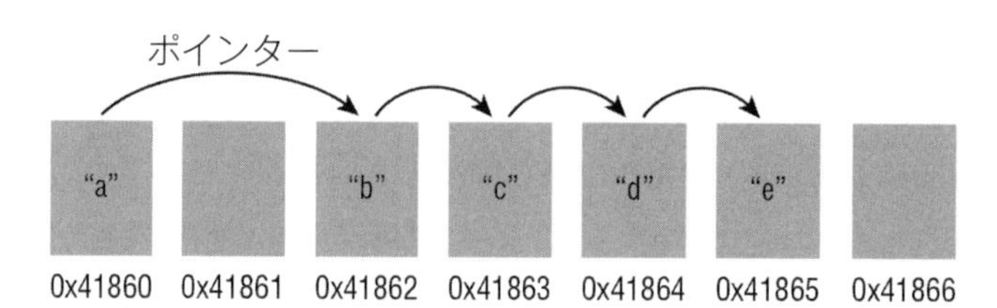

図10.3　ポインターは連結リストのノードをつないでいる

次に、連結リストに要素を挿入してみましょう。このとき、2つのノードのポインターだけを調整すればよく、ほかのデータの位置を移動する必要はありません。たとえば、**図10.4**のようにaのあとにfという要素を追加してみましょう。

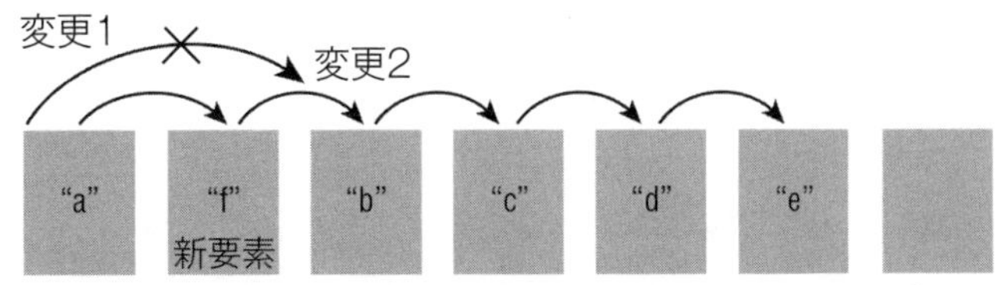

図10.4 連結リストに要素を挿入するには2つのポインターを調整する

リストに要素fを追加するには、まずaのポインターをfのメモリーアドレスに変えます。そして、fには次の要素になるbへのポインターを追加します（図10.4の変更1と変更2)。これで終わりです。他の要素を変える必要はありません。

訳注コラム：連結リストの要素挿入

以下に示す**図A**は、図10.4をもう少し具体的なデータ構造で表したものです。新要素のメモリーは連結リストの順番とは関係なく確保されます。

新要素のメモリーアドレスは、コンピューターのどこか空いている場所になります。他のデータに使われていたメモリーアドレス0x41861が解放され、新要素のために偶然そのアドレスが利用される可能性はありますが、通常は「連結リストの要素のアドレスは連続しない」と考えた方が良いでしょう。

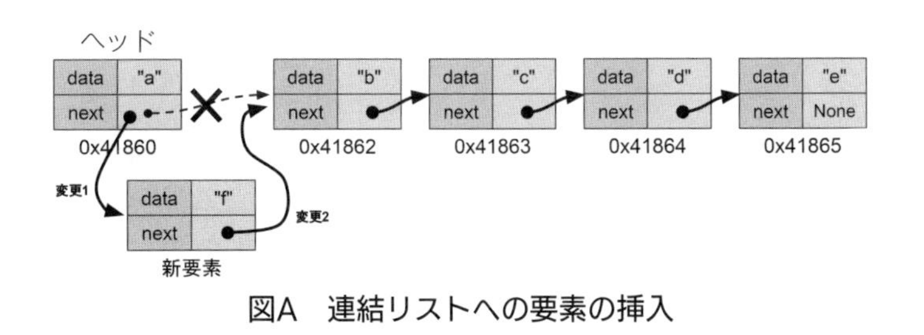

図A 連結リストへの要素の挿入

連結リストにはさまざまな種類があります。図10.4の連結リストは片方向リストです。**片方向リスト**は、次の要素だけを指すポインターを持つ連結リストです。対して、**双方向リスト**の各ノードは2つのポインターを持ち、それぞれ次のノードと前のノードを指します。これにより双方向リストは、ノードをどちらの方向にもたどって移動できます（**図10.5**）。

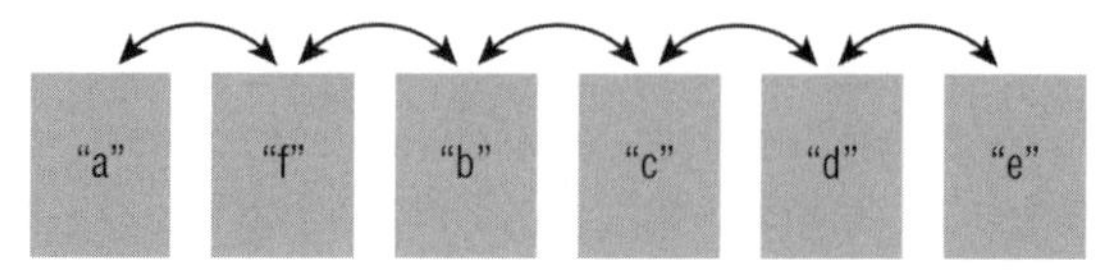

図10.5　双方向リストは2つの方向のポインターを持つ

片方向リストをたどる場合、ノードを先頭から後ろの方へ移動するしかありません。一方、双方向リストはノードを先頭から後方へ移動できますし、逆に後ろから前にたどることもできます。

さらに、**循環リスト**は 最後のノードが最初のノードのポインターを持っているので、リストの最後の要素から最初の要素に移動できます（**図10.6**）。明確な始点と終点を持たないデータを繰り返し循環するようなアプリケーションで、循環リストが役に立ちます。たとえば、総当たり方式のオンラインゲームのプレイヤーの追跡や、CPUの割り当て時間をユーザーが交代で使うリソースの管理に循環リストを使えます。

なお、連結リストのいずれかのノードが前のノードを指している場合、そのデータ構造は**循環を**含むといえます[訳注1]。

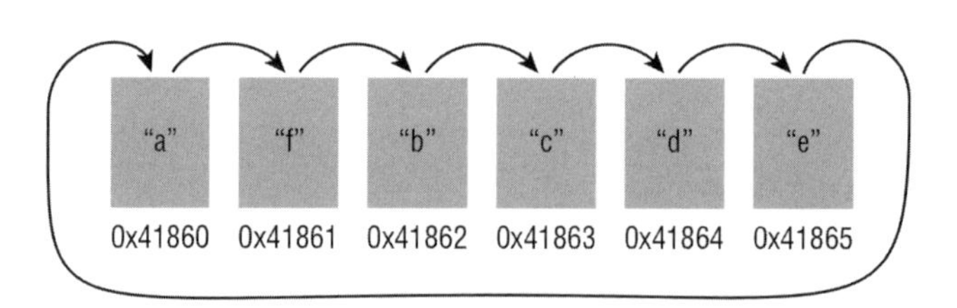

図10.6　循環リストは最後が先頭を指す

連結リストのパフォーマンス

配列の場合、アクセスしたい要素のインデックスが分かっていれば、定数時間

[訳注1]　循環リストは、循環を持つデータ構造の1つです。

でアクセスできます。しかし、連結リストの要素にアクセスするには、先頭からその要素まで線形にたどる方法しかなく、それは $O(n)$ の計算量になります（**図10.7**）。

一方で、連結リストへのノードの追加と削除は定数時間 $O(1)$ で済みますが、配列への要素の追加と削除は $O(n)$ です。この違いが、配列ではなく連結リストを使う大きな利点です。

なお、連結リストの探索は、配列と同じ計算量 $O(n)$ となります。

データ構造	時間計算量							
	平均				最悪			
	アクセス	探索	挿入	削除	アクセス	探索	挿入	削除
配列	$O(1)$	$O(n)$	$O(n)$	$O(n)$	$O(1)$	$O(n)$	$O(n)$	$O(n)$
スタック	$O(n)$	$O(n)$	$O(1)$	$O(1)$	$O(n)$	$O(n)$	$O(1)$	$O(1)$
キュー	$O(n)$	$O(n)$	$O(1)$	$O(1)$	$O(n)$	$O(n)$	$O(1)$	$O(1)$
連結リスト	$O(n)$	$O(n)$	$O(1)$	$O(1)$	$O(n)$	$O(n)$	$O(1)$	$O(1)$
ハッシュテーブル	N/A	$O(1)$	$O(1)$	$O(1)$	N/A	$O(n)$	$O(n)$	$O(n)$
二分探索木	$O(\log n)$	$O(\log n)$	$O(\log n)$	$O(\log n)$	$O(n)$	$O(n)$	$O(n)$	$O(n)$

図10.7　連結リストの操作の実行時間

連結リストとPython組み込みの `list` や `array` はどれもリスト抽象データ型の実装です。そのため、リスト抽象データ型を使えるあらゆる状況で連結リストを使えます。前述のとおり、データの追加や削除は配列の場合に $O(n)$ で、連結リストの場合には $O(1)$ です。頻繁にデータを追加、削除するアルゴリズムでは連結リストの利用を検討しましょう。OSのメモリー管理、データベース、会計・財務・販売取引などのシステムなどでは、連結リストが多く利用されています。

また、連結リストを使って、ほかのデータ構造を作れます。たとえば、連結リストを使ってスタックとキューが作れます（後の章で学びます）。暗号資産（仮想通貨）などを支えるWeb3（Web3.0）を代表するブロックチェーンの技術にも連結リストは必要不可欠です。ブロックチェーン自体が連結リストに似ているうえ、いくつかのブロックチェーンでは連結リストを技術的に採用しています。

いくつかの場面で便利な連結リストですが、不便な場合もあります。連結リストの第1の欠点は、各ノードが次のノードへのポインターを持たなければならないところです。連結リストはポインターを格納する分、配列よりも多くのメモリーを必要とします。1つのノードに格納するデータの容量が整数のように小さい場合、連結リストの容量は同じデータを持つ配列の2倍になることがあります。

連結リストの第2の欠点は、ランダムアクセスができないことです。**ランダムアクセス**とは、*O*(1) でランダムにデータにアクセスできることを指します。たとえば、連結リストの先頭から3番目の要素にアクセスするには、到達するまで各ポインターを追いかけなければならず、配列のように3番目の要素に直接アクセスする方法はありません。これは確かに欠点ですが、この問題を克服したより高度な連結リストもあります。

連結リストを作成する

Pythonで連結リストを実装する方法はたくさんあります。その1つは、連結リストとそのノードを表すクラスを定義することです。以下はノードを表すクラス定義です[訳注2]。

```
1  class Node:
2      def __init__(self, data, next=None):
3          self.data = data
4          self.next = next
5
```

最初の data 変数は1つのデータを持ち、2番目の next 変数はリストの次のノードを持ちます。Pythonは自動でメモリーを管理してくれるため、C言語のようにメモリーアドレスを直接扱う必要はありません。

Node というクラスのインスタンスを作成すると、Pythonはそのオブジェクトへ

[訳注2] このコードではPython組み込みの next 関数と同じ名前を引数名に使っているため、そのスコープ内では組み込みの next が上書きされて使えなくなっています。上書き問題を回避するために、next_ のようにアンダースコアを付ける手法がよく使われます。上書き問題が起きやすい名前に id、min、max などがあるのでご注意ください。

のポインター（または参照[訳注3]）を返します。このポインターは、実際のデータが存在するコンピューターのメモリー上のアドレスです。

Pythonでオブジェクトを変数に代入すると、ポインターを扱います。そのため、Pythonが基礎的な作業をやってくれるので、オブジェクトを簡単に連結できます。

次に、連結リストを表すクラスを定義し、リストの先頭を指す`head`という変数を定義します。

```
6  class LinkedList:
7      def __init__(self):
8          self.head = None
```

`LinkedList`クラス内部では、リストに新しいノードを追加するメソッドを作成します。

```
 6  class LinkedList:
 7      def __init__(self):
 8          self.head = None
 9
10      def append(self, data):
11          if not self.head:
12              self.head = Node(data)
13              return
14          current = self.head
15          while current.next:
16              current = current.next
17          current.next = Node(data)
18
```

`append`メソッドは引数としてデータを受け取り、そのデータで新しいノードを作成し連結リストに追加します。

[訳注3]　Pythonでは「参照を返す」と表現します。「参照」について興味があればPythonの公式ドキュメントにあるFAQを参照してみてください。
https://docs.python.org/ja/3/faq/programming.html

リストにまだヘッドがない場合、新しいノードを作成し、それが連結リストのヘッドになります。

```
11          if not self.head:
12              self.head = Node(data)
13              return
```

リストにすでにヘッドがある場合、連結リストの最後のノードを見つけ、新しいノードを作成し、最後のノードの next 変数に新しく作ったノードを設定します。これを実現するために、current 変数を用意して、リストのヘッドを代入します。

```
14          current = self.head
```

そして while を使って、current.next が真のあいだ、ループを継続します。

```
15          while current.next:
```

while 文は current に current.next を代入し、current.next が None になるまで（リストの最後に到達するまで）ループを継続します。

```
15          while current.next:
16              current = current.next
```

current 変数はリストの最後のノードを持っているので、新しいノードを作成して current.next に代入します。

```
17          current.next = Node(data)
```

以下は、新しいノードを追加するために append メソッドを使う例です。

```
a_list = LinkedList()
a_list.append("Tuesday")
a_list.append("Wednesday")
```

また、__str__ メソッドを LinkedList クラスに追加して、リスト内のすべてのノードを簡単に表示できます。

```
 6  class LinkedList:
        # __init__、append メソッドのコードは省略

19      def __str__ (self):
20          data_list = []
21          node = self.head
22          while node is not None:
23              data_list.append(node.data)
24              node = node.next
25          return "\n".join(data_list)
26
27
28  a_list = LinkedList()
29  a_list.append("Tuesday")
30  a_list.append("Wednesday")
31  print(a_list)
```

```
>> Tuesday
>> Wednesday
```

__str__ はPythonの「特殊メソッド」[訳注4]です。クラスに __str__ メソッドを定義すると、Pythonはオブジェクトを表示する際にそのメソッドを呼び出します。

ここまで連結リストをPythonで実装してきました。実はPythonにも組み込みの deque というデータ構造があり、内部で連結リストを使っています。組み込みの deque データ構造を利用すると、自分でコーディングしなくても連結リストのパフォーマンスの良さを実感できると思います。

[訳注4] 特殊メソッドについて、詳しくは『独学プログラマー』（日経BP、2018年）を参照してください。

```
1  from collections import deque
2
3
4  d = deque()
5  d.append('Harry')
6  d.append('Potter')
7
8  for item in d:
9      print(item)
```

```
>> Harry
>> Potter
```

連結リストを探索する

前の節で紹介したLinkedListクラスのappendメソッドを少し修正すると、連結リスト内の要素を検索できます。

```
27      def search(self, target):
28          current = self.head
29          while current:
30              if current.data == target:
31                  return True
32              else:
33                  current = current.next
34          return False
35
```

このsearchメソッドは、検索対象をtarget引数で受け取ります。連結リストの要素を繰り返し処理し、現在のノードのデータが検索対象と一致したら、Trueを返します。

```
30                if current.data == target:
31                    return True
```

現在のノードがデータと一致しない場合は、連結リストの次のノードにcurrentを設定し、繰り返し処理を続けます。

```
32                else:
33                    current = current.next
```

もし、一致せずに連結リストの末尾に到達した場合は、そのリストに目的の値は存在しないと判断し、Falseを返します。

```
34            return False
35
```

次のコードは、20個の要素が入った連結リストを作成し、その中から10という数字を探索します。要素の値は1から30までの乱数です。

```
36  import random
37
38  a_list = LinkedList()
39
40  for i in range(0, 20):
41      j = random.randint(1, 30)
42      a_list.append(j)
43      print(j, end=" ")
44
45  print(a_list.search(10))
```

```
>> 3 21 5 17 18 18 25 1 17 5 16 20 24 3 6 27 29 2 8 24 False
```

訳注コラム：in 演算子による、より自然な使い方

a_list.search(10) は10を検索したい意図が明確で、良いメソッド名です。しかし、search に期待する戻り値は True/False でしょうか、あるいは Node でしょうか。

Pythonではコレクションに値が含まれるかを in 演算子で確認しますが、LinkedList のような自作クラスでも特殊メソッドを用意することで、次のコードのようにPython標準の構文で扱えるようになります。

```
45      print(10 in a_list)
```

in で扱えるようにするには、def search(self, target): の部分を def __contains__(self, target): に置き換えてください。__contains__ メソッドは検索したい値を引数に受け取り、コレクションにその値が含まれているかどうかをboolで返します。このような特殊メソッドのルールに従うことで、引数や戻り値の仕様で迷わずに済みますし、Python標準の構文で扱えるようになるためプログラムが使いやすくなります。

連結リストからノードを削除する

連結リストからノードを削除する方法も、技術面接でよく質問されます。線形探索を使って連携リスト内のノードを見つけ、削除します。ノードを削除するためには、前のノードのポインターを変更して、削除したいノードを指さないようにします（**図10.8**）。

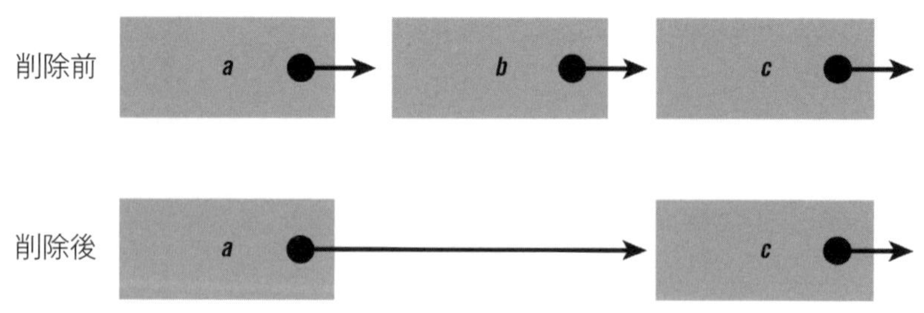

図10.8　ノードを削除するために、前のノードのポインターを変更する

ここでは、連結リストのノードを削除する方法を説明します。

```
36      def remove(self, target):
37          if self.head.data == target:
38              self.head = self.head.next
39              return
40          current = self.head
41          previous = None
42          while current:
43              if current.data == target:
44                  previous.next = current.next
45              previous = current
46              current = current.next
```

remove メソッドは、削除対象を target 引数で受け取ります。

メソッドの中では、まず削除したいノードがリストの先頭だった場合の処理をします。

```
37          if self.head.data == target:
38              self.head = self.head.next
39              return
```

もし先頭だったら、self.head に次のノードを設定して処理を終了します。先頭でない場合、連結リストの要素を繰り返し処理し、現在のノードと直前のノードを current と previous に格納します。

```
40          current = self.head
41          previous = None
```

次に while を使って、連結リストの要素を繰り返し処理します。探しているデータが見つかったら previous.next に current.next を代入し、連結リストからそのノードを削除します。

```
42          while current:
43              if current.data == target:
44                  previous.next = current.next
45              previous = current
46              current = current.next
```

連結リストを逆順にする

連結リストを逆順にする方法も知っておきましょう。連結リストを逆順にするには、現在のノードと前のノードの両方を追跡しながら繰り返し処理します。そして、現在のノードが前のノードを指すようにします。連結リストのすべてのポインターを変更したら、逆順になります（**図10.9**）。

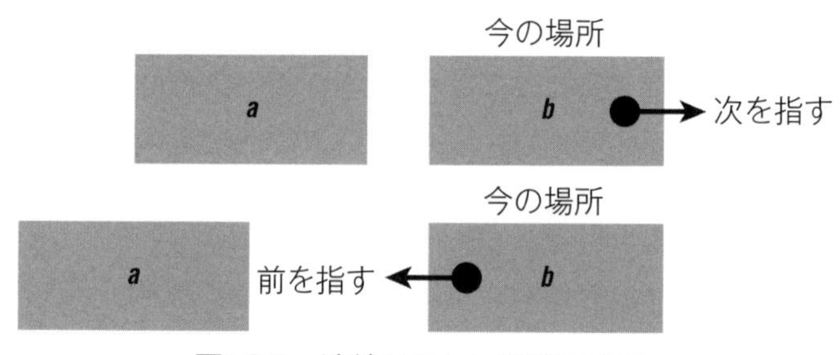

図10.9　連結リストを逆順にする

連結リストを逆順にするコードを見てみましょう。

```
48      def reverse_list(self):
49          current = self.head
50          previous = None
51          while current:
52              next = current.next
53              current.next = previous
54              previous = current
55              current = next
56          self.head = previous
```

まず、whileを使って連結リストの要素を繰り返し処理します。このときcurrentとpreviousに現在のノードと前のノードを格納します。

whileの中ではcurrent.nextをnext変数に代入してから、次の行においてcurrent.nextにpreviousを代入します。current.nextをpreviousに設定すれば、そのノードのポインターを逆転させたことなります。

```
52              next = current.next
53              current.next = previous
```

そして、previousにcurrentを設定し、currentにnextを設定して、連結リストの要素を繰り返し処理すれば、残りのポインターを変更できます。

```
54              previous = current
55              current = next
```

すべてのポインターを変更したら、self.headにpreviousを設定します。連結リストの先頭にcurrentではなくpreviousを設定するのは、連結リストの最後まで到達すると、currentはNoneになり、previousには連結リストの最後のノードが格納されているので、これをリストの先頭に設定すれば最初のノードになるからです。

連結リストの循環を見つける

本章の冒頭で、循環リストでは最後の要素がリストの先頭を指すと説明しました（図10.6を参照）。技術面接でもう1つよく問われるのは、連結リストが循環を含んでいるか否かを検出する方法についてです。つまり、リストの最後の要素が、next 変数の値として None を持つ代わりに、リスト内の任意の要素を指しているかどうかをチェックします[訳注5]。

連結リストの循環を検出するアルゴリズムの1つは、ウサギとカメのアルゴリズムと呼ばれています。このアルゴリズムでは、連結リストを2つの異なる速度で繰り返し、ノードを slow と fast という変数に格納します。連結リストが循環していれば、最終的には fast 変数が slow に追いつき、両方の変数が同じになります。もしそうなれば、連結リストが循環していることが分かります。何も起こらずに連結リストの末尾に到達した場合、そのリストには循環が含まれていないことが分かります。

以下は、ウサギとカメのアルゴリズムの実装例です。

```
58      def detect_cycle(self):
59          slow = self.head
60          fast = self.head
61          while True:
62              try:
63                  slow = slow.next
64                  fast = fast.next.next
65                  if slow is fast:
66                      return True
67              except:
68                 return False
```

まずは fast と slow の2つの変数から始めます。

[訳注5] 「循環リスト」と「循環」の違いに注意してください。循環リストは完全な円ですが、循環はリストの一部が環になっている状態です。

```
59            slow = self.head
60            fast = self.head
```

そして無限ループを作ります。

```
61            while True:
```

無限ループの中では、連結リストの次のノードをslowに、その次のノードをfastに割り当てます。このコードをtryブロック内に記述したのは、連結リストに循環が含まれない場合、最終的にfastはNoneとなってNoneに対してfast.next.nextを呼び出すことになり、これがエラーを起こすからです。

また、tryブロックは、入力が空のリストや、1つだけの要素の非循環のリストである場合に、プログラムの失敗を回避します。

```
62                try:
63                     slow = slow.next
64                     fast = fast.next.next
```

次にslowとfastが同じobjectであるかどうかをチェックします。同じ値が複数のノードに現れる可能性があるため、2つの連結リストのノードの値が同じかどうかはチェックしません。その代わりにisキーワードを使って、2つのノードが同じオブジェクトであるかどうかをチェックします。もしそれらが同じオブジェクトであれば連結リストは循環しているので、Trueを返します。

```
65                     if slow is fast:
66                          return True
```

エラーが発生した場合、.next.nextをNoneに対して呼び出したことになります。つまり、連結リストは循環していないのでFalseを返します。

訳注コラム：例外処理をうまく扱う

try節に書くコードはできるだけ少なくし、except句には捕捉したい例外を明示するのが良いでしょう。「アルゴリズムとデータ構造」というテーマから少し離れますが、例外処理をうまく実装することは優れたプログラマーを目指すうえでとても大切です。

LinkedList.detect_cycle メソッドのコードを改めて確認してみましょう。次のように実装されています。

```
58      def detect_cycle(self):
59          slow = self.head
60          fast = self.head
61          while True:
62              try:  # 例外捕捉対象ではないコードが含まれる
63                  slow = slow.next
64                  fast = fast.next.next
65                  if slow is fast:
66                      return True
67              except:  # 例外指定がなく想定外の例外まで捕捉する
68                  return False
```

例外の処理を書き慣れていないと、try 節にとても長い処理を書いてしまい、どの行で例外が発生する想定なのか分からなくなってしまいます。ウサギとカメのコードでは try 節にはたった4行のしかありませんが、slow.next で例外が発生することが想定されているのか、それとも勢いでwhileブロック全部をtry 節で囲ってしまったのか、コードを読んでもすぐには分かりません（前述したように、リストが空の場合には slow.next で例外が発生します）。

また、except 節ですべての例外を捕捉してしまうと、想定外の例外も捉まえてしまい、別のエラーの原因となってしまいます。そのような except 節は「bare except」（裸のexcept）と呼ばれ、Pythonのコーディング規約 PEP 8でも避けるべきコードとして紹介されています。

たとえば次のようにコードを書き換えると安全です。

```
58        def detect_cycle(self):
59            slow = self.head
60            fast = self.head
61            while True:
62                try:  # try節には例外捕捉対象の処理だけ書く
63                    slow = slow.next
64                    fast = fast.next.next
65                except AttributeError:  # 例外の種類を指定する
66                    return False
67                if slow is fast:  # 例外捕捉の対象としない
68                    return True
```

書き換えたコードは元のコードに比べて多少読みづらくなったようにも感じますが、想定している例外の種類と発生行が明確になりました。

例外処理をうまく扱うことで、安全で、読み手に意図を伝えやすいコードを書けるようになります。例外処理やエラー設計について、詳しくは『自走プログラマー』（技術評論社、2020年）を参照してください。次のURLで抜粋版を参照できます。

https://jisou-programmer.beproud.jp/chap3.html

用語集

連結リスト　リストの抽象データ型の実装の1つ

ノード　データ構造の構成要素で、値と次のノード位置を持つ

ポインター　連結リストの次のノード位置を持つ、各ノードの一部

ヘッド　連結リストの最初のノード

片方向リスト　連結リストの一種で、次の要素だけを指すポインターを持つリスト

双方向リスト　連結リストの一種で、各ノードが次のノードを指すポインターと前のノードを指すポインターの2つを持ち、どちらの方向にも移動できるリスト

循環リスト　連結リストの一種で、最後のノードが最初のノードを指しているので、リストの最後の要素からリストの先頭に戻れるリスト

循環　連結リストのいずれかのノードが、前のノードを指していること

ランダムアクセス　定数時間内にランダムにデータにアクセスすること

チャレンジ

1. 1から100までの数値を持つ連結リストを作成しよう。そしてリスト内のすべてのノードを表示しよう。
2. 循環を含むリストと含まないリストの2つの連結リストを作成しよう。それぞれに循環を持つかどうかを確認できる detect_cycle メソッドを用意して、それぞれのリストで detect_cycle を呼び出そう。

第11章

スタック

創造し、未来を見通す力を得たいなら、何らかの形でテクノロジーと関わるだろう。

——ステフィン・カリー（Stephen Curry）プロバスケットボール選手

スタックは、抽象データ型であり、最後に追加した要素だけを削除できる線形データ構造です。積み上がった本やお皿の山を想像しましょう。本が積み上がっている場合、積んだり、取ったりできる本は、一番上の本だけです。上から3番目の本を取るには、先にその本より上にある本を取り除かないといけません。

スタックは、ラストイン・ファーストアウト（LIFO）のデータ構造の一例です。**ラストイン・ファーストアウト**は、最後に入れた要素だけを取り出せるデータ構造です。スタックはその要素を1つずつしか操作できないため、特定の順番でしか情報にアクセスできないデータ構造である、**アクセスが制限されたデータ構造**の一例ともいえます。

スタックに定義されている主な操作は、プッシュとポップの2つです（**図11.1**）。**プッシュ**は、スタックに新しい要素を追加します。**ポップ**は、スタックから要素を削除します。このほか、スタックの要素を削除せずに1番上の要素を確認する**ピーク**という操作もあります。

スタックには、有限（bounded）なものと無限（unbounded）なものがあります。**有限スタック**は、追加できる要素数に上限があるスタックです。**無限スタック**は、追加できる要素数に上限がないスタックです[訳注1]。もし、抽象データ型とデータ構造の違いについてまだ理解できていないと感じるなら、スタックはこれら2つの概念を理解する好例なので、今一度注意しながら読んでみてください。

スタックを抽象データ型として論じる際は、実装など考えずに「最後に追加した要素にだけアクセスを許すものだ」と考えてください。このようなデータ構造の実装方法はいろいろあります。たとえば、連結リストあるいは配列のどちらかを使って、スタックの状態を表現するクラスを実装できます。連結リストあるいは配列という特定のデータ構造を用いて、スタック抽象データ型を具体的なデータ構造として実装するのです。つまり、データ構造は、抽象データ型の現実の実装ということです。

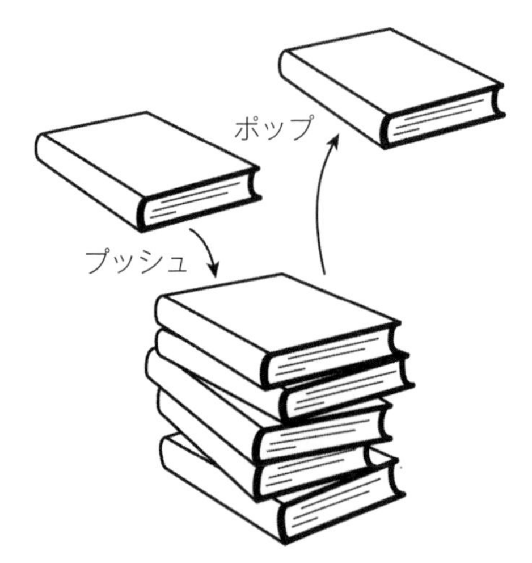

図11.1　データはスタックに追加することも削除することもできる

スタックをいつ使うのか

スタックに対する要素のプッシュ、ポップの計算量は $O(1)$ です。スタックはデータの追加と削除に対しては効率的ですが、スタック全体にアクセスするような操作では効率的ではありません（**図11.2**）。たとえば、スタックの要素を表示したいときの解決策の1つは、スタックから要素を削除しながら表示するやり方です[訳注2]。

［訳注1］bounded stack とunbounded stack には一般的に定着している訳語が見当りませんでした。数学の「有界」「非有界」という訳語が1番近いのですが、直感的に分かりやすい有限、無限としました。無限（unbounded）は要素数に上限がなく、空きメモリーを使い切るまで拡張します。有限（bounded）は最初に決めた上限数より多くの要素を追加できません。

［訳注2］スタックは要素へのアクセスが制限されているため、2番目以降の要素を表示するには1番上の要素を削除する必要があります。

この処理の計算量は$O(n)$です。ただしこの方法だと、リストが逆順に表示されます。また、スタックからすべての要素を削除するので、スタックが空になってしまいます。

別の解決策は、元のスタックの要素をポップしながら、一時的なスタックに追加していくやり方です。その後、一時的なスタックから要素をポップで削除しながら表示し、元のスタックに追加していきます。この方法は、一時的なスタックに全データを保持するので、より多くのリソースが必要になります。また、配列の要素を表示する場合の計算量 $O(n)$ と比べて2倍の時間がかかります。

データ構造	時間計算量							
	平均				最悪			
	アクセス	探索	挿入	削除	アクセス	探索	挿入	削除
配列	$O(1)$	$O(n)$	$O(n)$	$O(n)$	$O(1)$	$O(n)$	$O(n)$	$O(n)$
スタック	$O(n)$	$O(n)$	$O(1)$	$O(1)$	$O(n)$	$O(n)$	$O(1)$	$O(1)$
キュー	$O(n)$	$O(n)$	$O(1)$	$O(1)$	$O(n)$	$O(n)$	$O(1)$	$O(1)$
連結リスト	$O(n)$	$O(n)$	$O(1)$	$O(1)$	$O(n)$	$O(n)$	$O(1)$	$O(1)$
ハッシュテーブル	N/A	$O(1)$	$O(1)$	$O(1)$	N/A	$O(n)$	$O(n)$	$O(n)$
二分探索木	$O(\log n)$	$O(\log n)$	$O(\log n)$	$O(\log n)$	$O(n)$	$O(n)$	$O(n)$	$O(n)$

図11.2　スタックの操作の実行時間

スタックは、計算においてもっともよく使われるデータ構造の1つです。スタックを使うと、後の章で学習する木やグラフのデータを検索する幅優先アルゴリズムを実現できます。また、PythonやJavaのようなプログラミング言語のランタイムシステムは、内部で関数呼び出しを処理するのにスタックを使います。コンパイラもスタックを使います。たとえば、一般的な数学の式のように、入れ子になった丸括弧のペアを持つ式や、角括弧と波括弧のペアが入れ子になっている式などを解析するために、スタックを活用しています。

スタックはほかにも、機械学習や他の人工知能分野で使われているバックトラックアルゴリズムでも使います。これは、スタックの要素の追加と削除の計算量が、

ともに $O(1)$ だからです。データの追加と削除が多い場合、データ構造にスタックを選択するのが適しています。たとえば、「undo（元に戻す）」の機能が必要なプログラムは、この「undo（元に戻す）」と「redo（再実行）」の両方を操作するために、1つあるいは2つのスタックを使います。たとえば、ウェブブラウザーなどは、閲覧履歴を戻ったり進んだりするために2つのスタックを使います。ただし、スタックのすべての要素にアクセスするための計算量は $O(n)$ なので、収集しているデータに継続的にアクセスする必要があるアルゴリズムの場合、スタックは良い選択ではありません。

スタックを作成する

ここまでで書いたように、Pythonでスタックを実装するには、いくつかの方法があります。1つは、Stack クラスを作り、内部的には配列を使ってそのデータを管理する方法です[訳注3]。

```
 1  class Stack:
 2      def __init__(self):
 3          self.items = []
 4
 5      def push(self, data):
 6          self.items.append(data)
 7
 8      def pop(self):
 9          return self.items.pop()
10
11      def size(self):
12          return len(self.items)
13
14      def is_empty(self):
15          return len(self.items) == 0
```

[訳注3] このコードの is_empty メソッドでは「サイズが 0 か」を確認していますが、return not self.items と書いて「items が偽（空）か」を確認する方が、よりPythonらしい実装です。本章にある同様のコードも、0 との比較ではなく not の利用をお勧めします。

```
16
17      def peek(self):
18          return self.items[-1]
```

Stack クラスの __init__ メソッドに、items と呼ばれるインスタンス変数を定義し、空のリストを代入します。このリストは、スタック内で要素を見失わないように記録しておくための場所です。

```
1  class Stack:
2      def __init__(self):
3          self.items = []
```

続いて、push メソッドを定義します。items リストの終端に新しいデータを追加するために、Python組み込みの list.append メソッドを使います。

```
5      def push(self, data):
6          self.items.append(data)
```

次に定義しているメソッドは pop です。pop では、スタックに最後に追加された要素を返してその要素を削除するために、Python組み込みの list.pop メソッドを使います。

```
8      def pop(self):
9          return self.items.pop()
```

次の Stack クラスのメソッドは、size です。スタックの長さを返すために内部で len 関数を使います。

```
11      def size(self):
12          return len(self.items)
```

is_empty メソッドは、スタックが空か否かを確認します。

```
14      def is_empty(self):
15          return len(self.items) == 0
```

最後の peek メソッドは、スタックの最後の要素を返します。

```
17      def peek(self):
18          return self.items[-1]
```

ここまで、list を使ってスタックを実装してきました。代わりに連結リストを使っても Stack クラスを実装できます。次のコードは、連結リストを使った push と pop の機能を持つシンプルなスタックの作り方です。

```
 1  class Node:
 2      def __init__(self, data):
 3          self.data = data
 4          self.next = None
 5
 6
 7  class Stack:
 8      def __init__(self):
 9          self.head = None
10
11      def push(self, data):
12          node = Node(data)
13          if self.head is None:
14              self.head = node
15          else:
16              node.next = self.head
17              self.head = node
18
19      def pop(self):
20          if self.head is None:
21              raise IndexError('pop from empty stack')
```

```
22            poppednode = self.head
23            self.head = self.head.next
24            return poppednode.data
```

まず、スタック内の連結リストの役割をする Node クラスを定義します。

```
1  class Node:
2      def __init__(self, data):
3          self.data = data
4          self.next = None
```

Stack クラスの内部に、連結リストの先頭の要素を保持するための head インスタンス変数を定義します。

```
7  class Stack:
8      def __init__(self):
9          self.head = None
```

次に、push メソッドを定義します。push メソッドの中で新しいノードを作り、head が None の場合は head に代入します。そうでなければ、元の head を新しいノードの next に代入し、head に新しいノードを代入します。

```
11      def push(self, data):
12          node = Node(data)
13          if self.head is None:
14              self.head = node
15          else:
16              node.next = self.head
17              self.head = node
```

それから、pop メソッドを定義します。

```
19      def pop(self):
```

```
20          if self.head is None:
21              raise IndexError('pop from empty stack')
22          poppednode = self.head
23          self.head = self.head.next
24          return poppednode.data
```

pop メソッドを少しずつ解説します。まず、以下のように、スタックが空の状態で pop しようとしたら例外を発生させます。

```
20          if self.head is None:
21              raise IndexError('pop from empty stack')
```

スタックが空でなければ、連結リストから最初の要素を削除してその要素を返します。すると、2番目の要素が連結リストの最初の要素になります。

```
22          poppednode = self.head
23          self.head = self.head.next
24          return poppednode.data
```

次のコードは、要素を push し、pop している例です。

```
27  stack = Stack()
28  stack.push(1)
29  stack.push(2)
30  stack.push(3)
31
32  for i in range(3):
33      print(stack.pop())
```

```
>> 3
>> 2
>> 1
```

最後に、Pythonの list をそのままスタックとして使う方法も紹介します。

```
1  stack = []
2  print(stack)
3  stack.append('カニエ・ウェスト')
4  print(stack)
5  stack.append('ジェイ・Z')
6  print(stack)
7  stack.append('チャンス・ザ・ラッパー')
8  print(stack)
9  stack.pop()
10 print(stack)
```

```
>> []
>> ['カニエ・ウェスト']
>> ['カニエ・ウェスト', 'ジェイ・Z']
>> ['カニエ・ウェスト', 'ジェイ・Z', 'チャンス・ザ・ラッパー']
>> ['カニエ・ウェスト', 'ジェイ・Z']
```

Pythonのリストは、append と pop の2つのメソッドを持っています。append メソッドは、スタックに要素を追加するのと同じようにリストの最後に要素を追加します。pop メソッドはリストの最後の要素を削除します。削除する要素を指定しなければ、リストの最後の要素が削除されます。

少しずつ見ていきましょう。最初にスタックを表示すると、まだ何もリストに追加されていないので空のリストが表示されます。

```
>> []
```

次に、スタックに要素'カニエ・ウェスト'、'ジェイ・Z'、'チャンス・ザ・ラッパー'を push しているのがコードの以下の部分です。

```
3  stack.append('カニエ・ウェスト')
5  stack.append('ジェイ・Z')
```

```
7  stack.append('チャンス・ザ・ラッパー')
```

それから、最後の要素の 'チャンス・ザ・ラッパー' をスタックから pop しました。最初の2つの要素は残っています。

```
9  stack.pop()
```

そのため、最後にスタックを表示すると 'チャンス・ザ・ラッパー' がなくなっています。

```
>> ['カニエ・ウェスト', 'ジェイ・Z']
```

Python組み込みの list をスタックとして利用する場合、要素を入れた順番と逆の順番でのみ取り出せる、というスタックの制限がありません。実装したい場合は Stack クラスを作成する必要があります。

スタックを使って文字を反転させる

Pythonプログラマーの技術面接では「文字列を反転させる」という問題がよく出されますが、スタックを使う方法を含めて3種類の回答が考えられます。Pythonに慣れている人なら、次のようなシンプルな方法を知っていると思います。

```
'super'[::-1]
```

もしくは、次のように書きます。

```
''.join(reversed('super'))
```

しかし、文字を反転させる3つ目の方法を考えようとすると、行き詰まるかもしれません[訳注4]。この章でこれまで学んだことが鍵となります。スタックから文字

[訳注4] 「行き詰まるかも」の原文は "you may be stuck" でした。スタックでスタックする……。この言葉遊びのニュアンスは翻訳できませんでした。

を pop すると逆順に文字を取り出せるので、文字列を反転できます（**図11.3**）。

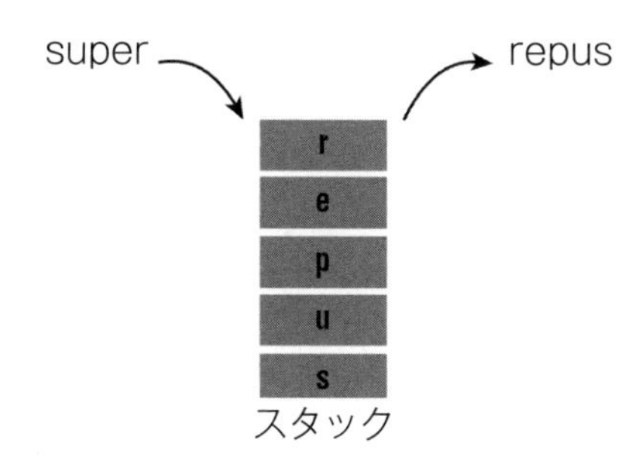

図11.3　文字列 `super` を `pop` で取り出したら、文字列 `repus` になる

次のコードは、スタックを使って文字列を反転させる例です。

```
1  def reverse_string(a_string):
2      stack = []
3      string = ""
4      for c in a_string:
5          stack.append(c)
6      for _ in a_string:
7          string += stack.pop()
8      return string
9
10 print(reverse_string("ビーバー"))
```

>> ーバービ

reverse_string 関数は、引数に文字列を渡すように定義します。

```
1  def reverse_string(a_string):
```

関数の内部で、for ループを使ってスタックに各文字を追加します。

```
4       for c in a_string:
5           stack.append(c)
```

それから、別の for ループを使ってスタックから文字を pop しながら変数の string に追加していきます。

```
6       for _ in a_string:
7           string += stack.pop()
```

最後に、反転した文字列を返します。

```
8       return string
```

最小値を保持するスタック

それでは、一般的な技術面接で出される別の課題を紹介します。スタックの追加と削除の操作に加えて、最小値の取得もできるデータ構造の設計です。追加、削除、最小値の取得の3つの操作は $O(1)$ で実行できるように設計してください。この課題を解く鍵は、内部で main と min の2つのスタックを使うことです。

main のスタックは、すべての追加と削除の結果を保持します。min スタックは、スタックの最小値を保持します。この課題の解決法を学ぶことは、技術面接をただ通過するのに役に立つだけではなく、日々のプログラミングで直面するさまざまな状況に役立ちます。

次のコードは、Pythonで最小値を記録するスタックを実装する方法です。

```
1  class MinStack():
2      def __init__(self):
3          self.main = []
4          self.min = []
5
6      def push(self, n):
7          if len(self.main) == 0:
8              self.min.append(n)
```

```
 9          elif n <= self.min[-1]:
10              self.min.append(n)
11          else:
12              self.min.append(self.min[-1])
13          self.main.append(n)
14
15      def pop(self):
16          self.min.pop()
17          return self.main.pop()
18
19      def get_min(self):
20          return self.min[-1]
```

まず、MinStackを定義します。__init__で、mainとminのインスタンス変数を定義します。両方の変数に空のリストを代入します。mainはメインのスタックとして使い、minは最小値を保持するのに使います。

```
1  class MinStack():
2      def __init__(self):
3          self.main = []
4          self.min = []
```

次に、pushメソッドを定義します。まず、self.mainが空か否かを確認します。self.mainが空なら、nが何であれスタックの最小値になるので、minにnを追加します。

```
6      def push(self, n):
7          if len(self.main) == 0:
8              self.min.append(n)
```

self.mainが空でなければ、nがself.minの最後の値以下かを確認します。self.minの最後の値はいつもスタックの最小値である必要があります。もし、nがself.minの最後の値以下なら、self.minにnを追加します。

```
 9          elif n <= self.min[-1]:
10              self.min.append(n)
```

もし、nがself.minの最後の値以下でなければ、self.minにself.minの最後の値を追加します。

```
11          else:
12              self.min.append(self.min[-1])
```

self.minの最後の要素をself.min自身に追加し、self.mainの要素数とself.minの要素数を同じに保つことで、スタック内の最小値を保持するようにしています。

それでは実際に動かしてみましょう。最初の値をスタックに追加したとき、2つの内部のスタックは次のようになります。

```
min_stack = MinStack()
min_stack.push(10)
print(min_stack.main)
print(min_stack.min)
```

```
>> [10]
>> [10]
```

スタックに入っている最小値より大きい別の値を追加したときは次のようになります。

```
min_stack.push(15)
print(min_stack.main)
print(min_stack.min)
```

```
>> [10, 15]
>> [10, 10]
```

min_stack.main は、値を受け入れた順に保持している通常のスタックということに注目してください。

```
>> [10, 15]
```

しかし、min_stack.min は、スタックに追加した値を保持していません。代わりに、最小値を保持しています。この場合、10を2つ保持しています。

```
>> [10, 10]
```

15はスタック内の最小値になることはないので、15は min_stack.min に存在しません。get_min を呼んだとき、self.min の最後の値を返します。この値はスタックの最小値です。

```
print(min_stack.get_min())
```

```
>> 10
```

この場合、10を返します。

値を pop した後、2つのスタックは次のようになります。

```
min_stack.pop()
print(min_stack.main)
print(min_stack.min)
```

```
>> [10]
>> [10]
```

2回目の get_min を呼び出すと、もう一度10を返します。

```
print(min_stack.get_min())
```

```
>> 10
```

最後にもう一度popを呼ぶと、両方のスタックは空になります。

```
min_stack.pop()
print(min_stack.main)
print(min_stack.min)
```

```
>> []
>> []
```

ここまで見てきたように、このアルゴリズムでは、スタックにすでにある最小値よりも大きい15はself.minに追加せず、代わりにスタックの最小値を保持しました。

括弧用のスタック

私がスタートアップの技術面接を受けた際、次のような課題を与えられました。「与えられた文字列の中の括弧が適切か否かを、スタックを使って確認せよ」。つまり、「括弧開き (があったら、対応する括弧閉じ) があるか否かを確認せよ」という課題でした。

```
(str(1))       # 括弧のバランスが取れている
print(Hi!)) # 括弧のバランスが取れていない
```

残念ながら、私はめちゃくちゃな解答をしました。この問題を、括弧開き用のカウンターと括弧閉じ用のカウンターを使って文字列を解析してすばやく解こうとしたのです。文字列の最後まで解析して、両方のカウンターが等しければ括弧は適切だと考えました。しかし、次のような文字列だとどうでしょう？

```
a_string = ")( )("
```

この場合、両方のカウンターは等しくなりますが、括弧の組み合わせは適切でないため、課題はクリアできていません。

この課題の良い解決法は、スタックを使うことです。まず、文字列の各文字を繰り返し確認します。括弧開きがあったら、スタックに追加します。括弧閉じの場合は、すでにスタックに括弧開きが存在するか否かを確認します。もし存在しなかったら、文字列の括弧は適切ではありません。括弧開きが存在したら、スタックから括弧開きを削除します。もし、文字列の括弧開きと括弧閉じの数が同じなら、ループの最後では、スタックは空になっています。スタックが空でなければ、括弧開きと括弧閉じの数が等しくないということです。

次のコードを確認してみましょう。

```
1  def check_parentheses(a_string):
2      stack = []
3      for c in a_string:
4          if c == "(":
5              stack.append(c)
6          if c == ")":
7              if len(stack) == 0:
8                  return False
9              else:
10                 stack.pop()
11     return len(stack) == 0
```

では、詳しく見ていきましょう。check_parentheses関数の引数に括弧が適切か否かを確認する文字列を渡します。

```
1  def check_parentheses(a_string):
```

関数の中にリストを使ってスタックを作ります。

```
2      stack = []
```

forループを使って、引数a_stringの文字を繰り返します。

```
3      for c in a_string:
```

もし文字が括弧開きだったら、スタックに追加します。

```
4          if c == "(":
5              stack.append(c)
```

文字が括弧閉じで、スタックが空なら、False を返します。これは、スタックに括弧開きが存在しておらず、括弧の対応が適切ではないということになります。もし括弧開きがスタックにあったら、括弧閉じと対になる括弧開きを pop で削除します。

```
6          if c == ")":
7              if len(stack) == 0:
8                  return False
9              else:
10                 stack.pop()
```

for ループが終了したらスタックのサイズが0か否かを返します。

```
11     return len(stack) == 0
```

関数が True を返せば、文字列の括弧は適切ですし、そうでなければ適切ではありません。

```
13  print(check_parentheses('(str(1))'))
14  print(check_parentheses('print(Hi!))'))
15  print(check_parentheses('")( )('))
```

```
>> True
>> False
>> False
```

この課題の解決法の理解は、技術面接に役に立つだけではありません。PythonやJavaのようなプログラミング言語のコンパイラには、式を解析したり評価したりするためのこのようなコードがあります。独自のプログラミング言語を実装するときや、データに含まれる記号の開始と終了を解析するためのコードを書くなら、その評価のためにこのようなコードを書けます。

用語集

スタック　抽象データ型であり、最後に追加した要素だけを削除できる線形データ構造

ラストイン・ファーストアウト　最後に追加した要素を最初に削除するデータ構造

アクセスが制限されたデータ構造　特定の順で情報にアクセスするよう強制されているデータ構造

プッシュ　スタックに新しい要素を追加する

ポップ　最後に追加した要素をスタックから削除する

ピーク　スタックの要素を削除せずに1番上の要素を確認する

有限スタック　(bounded stack) 追加できる要素数に上限があるスタック

無限スタック　(unbounded stack) 追加できる要素数に上限がないスタック

チャレンジ

1.「括弧用のスタック」節で実装したプログラムを修正して、文字列の ( ) と { } の2つの括弧が適切かを確認する実装にしよう。
2. $O(1)$ で push と pop ができ、スタックの最大値を保持するスタックを設計しよう。

第12章

キュー

すべての学生がプログラミングを学ぶ機会を持つべきです。コンピューターサイエンスは、現代の創造性や表現の基礎です。未来のコンピュータープログラマーは、医療に革命を起こすでしょう。

——アン・ウォジスキ（Anne Wojcicki）23アンドミー共同創業者兼CEO

キューは抽象データ型であり、後ろから要素を追加し、前から削除できる線形データ構造です（**図12.1**）。キューはお店のレジのように、列の先頭の人が支払いをし、新しく来た人がその列の後ろに並ぶという仕組みのデータ構造を表現しています。

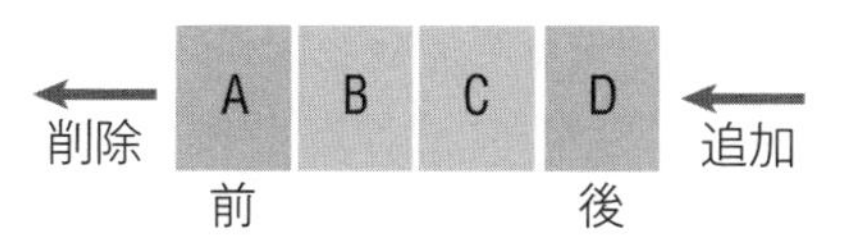

図12.1　キューは、後ろから要素を追加し、前から要素を削除する

キューは、ファーストイン・ファーストアウト（FIFO）のデータ構造の一例です。**ファーストイン・ファーストアウト**は、その名のとおり、最初に入った要素が最初に出てくるデータ構造です。また、キューはスタックと同様にアクセスが制限されたデータ構造です。

キューにはエンキューとデキューという2つの主な操作があります（**図12.2**）。**エンキュー**はキューに要素を追加する操作、**デキュー**は要素を削除する操作です。要素をキューの後ろからエンキューして、前からデキューします。

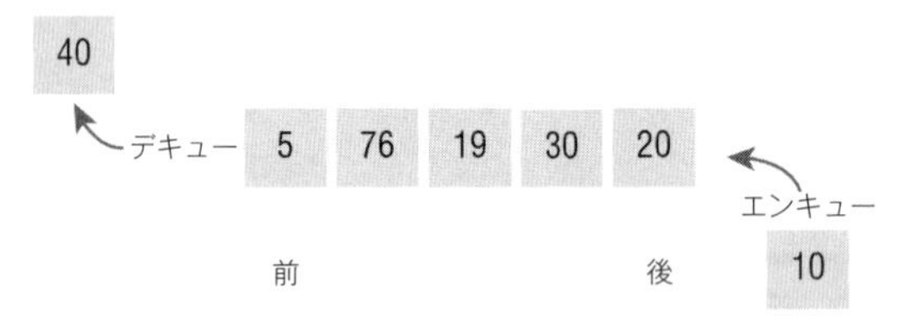

図12.2　エンキューとデキューがキューの主な操作

キューの具体的な実装は、いくつかの方法が考えられます。たとえばスタックと同じように、キューのデータ構造を配列や連結リストを使って実装できます。

また、スタックのようにキューにも有限（bounded）と無限（unbounded）があります[訳注1]。**有限キュー**は追加できる要素数に上限があり、**無限キュー**は追加できる要素数に上限がないものです。配列を使って有限キューを作ることも、連結リストを使って無限キューを作ることもできます。キューに保存した要素の数を記録しておけば、連結リストを使った有限キューも実装できます。

キューをいつ使うのか

スタックと同様に、キューはデータの追加や削除を効率的に行えます（**図12.3**）。キューのサイズに関係なく、エンキューとデキューの計算量はともに$O(1)$です。

また、スタックと同じように、キューは個々のデータへの参照については効率的ではありません。なぜなら、ある要素を見つけるためにキューの要素をたどらなければならないからです。つまり、キューの要素への参照と検索は、ともに$O(n)$の計算量になります。

[訳注1]　bounded queue と unbounded queue にも一般的に定着している訳語が見当りませんでした。Python公式ドキュメントの日本語訳でも `SimpleQueue` クラスの説明で unbounded FIFO queue という説明が登場します。
https://docs.python.org/ja/3/library/queue.html#queue.SimpleQueue

データ構造	時間計算量							
	平均				最悪			
	アクセス	探索	挿入	削除	アクセス	探索	挿入	削除
配列	$O(1)$	$O(n)$	$O(n)$	$O(n)$	$O(1)$	$O(n)$	$O(n)$	$O(n)$
スタック	$O(n)$	$O(n)$	$O(1)$	$O(1)$	$O(n)$	$O(n)$	$O(1)$	$O(1)$
キュー	$O(n)$	$O(n)$	$O(1)$	$O(1)$	$O(n)$	$O(n)$	$O(1)$	$O(1)$
連結リスト	$O(n)$	$O(n)$	$O(1)$	$O(1)$	$O(n)$	$O(n)$	$O(1)$	$O(1)$
ハッシュテーブル	N/A	$O(1)$	$O(1)$	$O(1)$	N/A	$O(n)$	$O(n)$	$O(n)$
二分探索木	$O(\log n)$	$O(\log n)$	$O(\log n)$	$O(\log n)$	$O(n)$	$O(n)$	$O(n)$	$O(n)$

図12.3　キューの操作の実行時間

プログラマーは、キューを頻繁に使います。キューは、ファーストイン・ファーストアウトには理想的なデータ構造だからです。たとえばキューは、コールセンターのような自動電話対応のシステムで役立ちます。すべての担当者が対応中のとき、電話してきた人をいったん列に並べて、先にかけてきた人から空いた担当者につなぐようなシステムのプログラミングに役立ちます。

OSにおいては、ハードディスクへのデータの書き込み、音声やビデオのストリーミング、ネットワークパケットの送受信、といったリクエストを処理するのにキューを使います。ウェブサーバーも受信したリクエストを処理するのにキューを使います。

ソフトウェアを使っていて「バッファリング中」というメッセージが表示されたら、それはデータを処理するためにキューに受信データが溜まるのを待っている状態です。たとえば、音声やビデオのストリーミングシステムでは、スムーズな再生を保証するために、受信データ用のキューを用意することがあります。Netflixで映画を見るとしましょう。映画開始前にNetflixが送信するビデオデータをキューに溜めるため、再生アプリが少しデータ受信を待つことがあります。ストリーミング再生を始めると、アプリはさらにデータを受信し、キューに追加していきます。キューを使うことで、アプリは一定のペースでキューからデータを取り出すことができ、データの受信速度が一定でないときでもスムーズに視聴できるようになります。もし、あまりにも多くのデータを受信しすぎた場合は、アプリは準備が整うまでデータをキューに溜めておけます。もしデータの受信が遅ければ、アプリはキューにあるデータを使い果たすまでは再生し続けることができます。

「バッファリング中」のメッセージは表示されない方が良いのですが、そのメッセージが出たときは、キューにデータがなくなり、再びキューにデータが溜まるまで再生を続けられなくなったということです。

この再生アプリのプログラムがどのような感じなのか想像してみましょう。おそらく動画を見終わるまでプログラムはループしているでしょう。ループの中ではアルゴリムが動いていて、そのアルゴリズムはキューにデータを追加したり削除したりしながら、ユーザーに動画を表示する役割を担っています。

このアルゴリズムと適切なデータ構造（キュー）を組み合わせれば、テレビやノートパソコンに映画をストリーミング配信できます。つまり、プログラムは「アルゴリズム+データ構造」なのです。

キューを作成する

Pythonでキューを実装するには、いくつかの方法があります。その1つは、連結リストを使って内部でデータをたどる Queue クラスを定義することです。次のコードはその実装例です。

```
1  class Node:
2      def __init__(self, data, next=None):
3          self.data = data
4          self.next = next
5
6
7  class Queue:
8      def __init__(self):
9          self.front = None
10         self.rear = None
11         self._size = 0
12
```

```
13      def enqueue(self, item):
14          self._size += 1
15          node = Node(item)
16          if self.rear is None:
17              self.front = node
18              self.rear = node
19          else:
20              self.rear.next = node
21              self.rear = node
22
23      def dequeue(self):
24          if self.front is None:
25              raise IndexError('pop from empty queue')
26          self._size -= 1
27          temp = self.front
28          self.front = self.front.next
29          if self.front is None:
30              self.rear = None
31          return temp.data
32
33      def size(self):
34          return self._size
```

最初に、キューの内部の連結リストのノードを表現するためにNodeクラスを定義します。

```
1  class Node:
2      def __init__(self, data, next=None):
3          self.data = data
4          self.next = next
```

キューの内部では、self.frontとself.rearという変数それぞれに、キューの先頭と末尾の要素を保存しています。これでキューの先頭と末尾にすぐアクセスできるので、エンキューとデキューを定数時間で行えます。
　また、キューのサイズはself._size変数で管理します。

```
 8      def __init__(self):
 9          self.front = None
10          self.rear = None
11          self._size = 0
```

　次に、キューの末尾に要素を追加するenqueueメソッドを定義します。

```
13      def enqueue(self, item):
14          self._size += 1
15          node = Node(item)
16          if self.rear is None:
17              self.front = node
18              self.rear = node
19          else:
20              self.rear.next = node
21              self.rear = node
```

　このメソッドは、キューに保存したいデータを引数として受け取ります。

```
13      def enqueue(self, item):
```

　enqueueの中では最初、キューに新しい要素を追加しているのでself._sizeを1つ増やします。そして、キューの内部の連結リストに要素を保存するために、新しいノードを作ります。

```
14          self._size += 1
15          node = Node(item)
```

　もしself.rearがNoneであればキューは空を意味します。そしてself.frontとself.rearに先ほど作ったノードを設定します（キューにはこの要素

1つしかないため、この要素を先頭と末尾の両方に指定します)。

そうでない場合は、新しいノードをself.rear.nextに代入して、キューの内部の連結リストに追加します。それから、新しいノードをself.rearに代入して、キューの末尾に設定します。

```
16          if self.rear is None:
17              self.front = node
18              self.rear = node
19          else:
20              self.rear.next = node
21              self.rear = node
```

次に、キューの先頭から要素を削除するために、dequeueメソッドを定義します。

```
23      def dequeue(self):
24          if self.front is None:
25              raise IndexError('pop from empty queue')
26          self._size -= 1
27          temp = self.front
28          self.front = self.front.next
29          if self.front is None:
30              self.rear = None
31          return temp.data
```

このメソッドの最初の行は、キューが空のときに要素をデキューすると例外を発生させます。

```
24          if self.front is None:
25              raise IndexError('pop from empty queue')
```

dequeueを呼び出すと、キューの先頭にある要素を削除して返します。そのために、キューの先頭にあるノードself.frontをtempに保存し、内部の連結リストから削除した後に参照できるようにします。

```
27            temp = self.front
```

次に self.front を self.front.next に代入することで、キュー内部の連結リストからキューの先頭にある要素を削除します。

```
28            self.front = self.front.next
```

キューの先頭にある要素を削除した後、要素がなくなった場合、キューの末尾にある要素がなくなったことになるので self.rear を None に設定します。

```
29            if self.front is None:
30                self.rear = None
```

最後にキュー内の要素数を返す size メソッドを定義します。

```
33        def size(self):
34            return self._size
```

これら3つのメソッドで、データの追加や削除、要素数の確認ができる連結リストを使った簡単なキューを作りました。

これで、キューを次のように使えます。

```
queue = Queue()
queue.enqueue(1)
queue.enqueue(2)
queue.enqueue(3)
print(queue.size())
for i in range(3):
    print(queue.dequeue())
```

```
>> 3
```

```
>> 1
>> 2
>> 3
```

このコードではキューを作成し、それに数字1、2、3を追加し、キューの要素数を表示し、キューの中のすべての要素を表示しました。

このプログラムを実行すると、Queueクラスの中でどのようなことが起こるか見てみましょう。

enqueueを呼ぶとキューに要素が存在しないので、キュー内部の連結リストにノードを追加し、それがキューの先頭と末尾の要素になります（**図12.4**）。

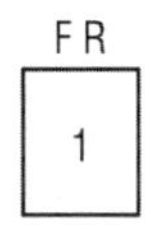

図12.4　キューに1つの要素がある場合、その要素は先頭(F)かつ末尾(R)となる

次に、キューに2を追加します。これでキュー内部の連結リストには2つのノードが存在することになり、1のノードは末尾ではなくなり、2のノードが末尾になります（**図12.5**）。

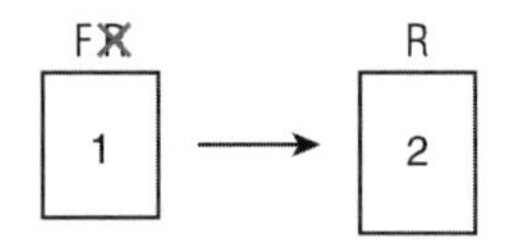

図12.5　1のノードが先頭(F)、2のノードが末尾(R)

最後に、キューに3を追加します。これでキュー内部の連結リストには3つのノードが存在し、2のノードは末尾ではなくなり、3のノードが末尾になります（**図12.6**）。

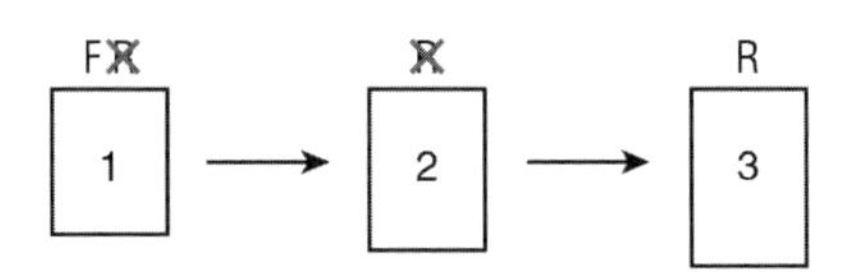

図12.6　1のノードが先頭(F)、3のノードが末尾(R)

この状態で dequeue を実行すると、1のノードを削除します。これで2のノードがキューの先頭になります（**図12.7**）。

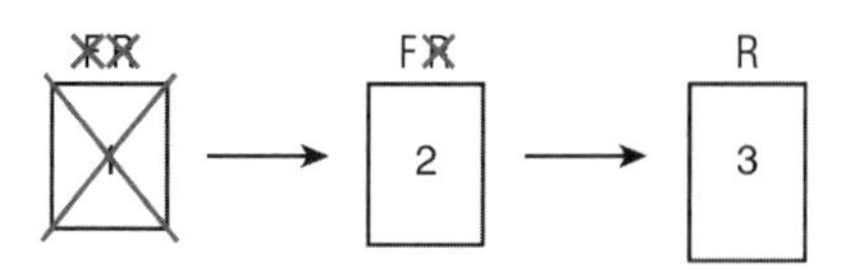

図12.7　1をデキューすると、2のノードが先頭(F)に変わる

2回目に dequeue を実行すると、2のノードを削除します。このとき、3のノードがキューの先頭と末尾になりました（**図12.8**）。

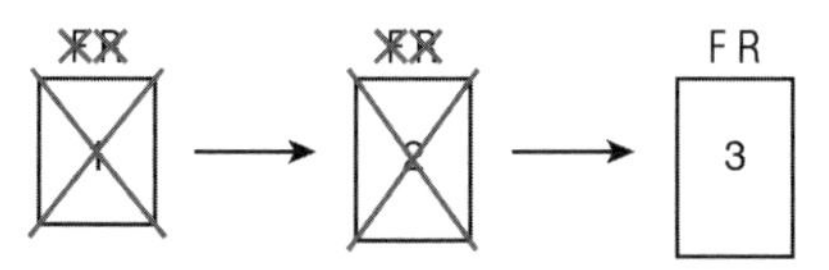

図12.8　再度デキューすると、1つしか要素がないので、3のノードが先頭(F)かつ末尾(R)になる

ここで、3回目の dequeue を実行すると、3のノードを削除してキューは空になり、self.front と self.rear は両方とも None になります（**図12.9**）。

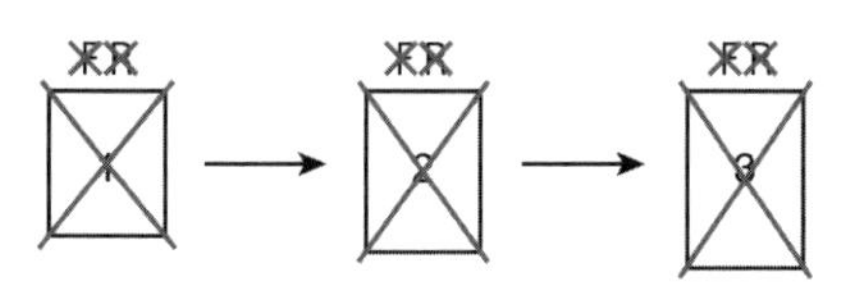

図12.9　キューが空になる

Python組み込みのQueueクラス

Pythonには、キューを作れる組み込みのクラスがあります。その使い方を以下に示します。

```
1  from queue import Queue
2
3  q = Queue()
4  q.put('a')
```

```
5  q.put('b')
6  q.put('c')
7  print(q.qsize())
8  for i in range(3):
9      print(q.get())
```

```
>> 3
>> a
>> b
>> c
```

最初にQueueクラスをqueueモジュールからインポートします。

```
1  from queue import Queue
```

次に、Queueをインスタンス化してキューを作ります。

```
3  q = Queue()
```

putメソッドを使って、キューに3つの文字列を追加します。

```
4  q.put('a')
5  q.put('b')
6  q.put('c')
```

そしてqsizeメソッドを使って、キューの要素数を確認できます。

```
7  print(q.qsize())
```

最後に、forを使い、キューからすべての要素を取り出し、表示します。

```
8  for i in range(3):
9      print(q.get())
```

2つのスタックを使ったキューを作成する

技術面接の質問で2つのスタックを使ってキューを作るというものがあります。その方法を紹介します。

```
1  class Queue:
2      def __init__(self):
3          self.s1 = []
4          self.s2 = []
5
6      def enqueue(self, item):
7          while len(self.s1) != 0:
8              self.s2.append(self.s1.pop())
9          self.s1.append(item)
10         while len(self.s2) != 0:
11             self.s1.append(self.s2.pop())
12
13     def dequeue(self):
14         if len(self.s1) == 0:
15             raise Exception("Can't pop from empty queue")
16         return self.s1.pop()
```

まず、self.s1とself.s2という2つのスタックを持つQueueクラスを定義します。

```
1  class Queue:
2      def __init__(self):
3          self.s1 = []
4          self.s2 = []
```

次に、キューに新しい要素を追加するためのenqueueメソッドを定義します。

```
6     def enqueue(self, item):
7         while len(self.s1) != 0:
8             self.s2.append(self.s1.pop())
9         self.s1.append(item)
10        while len(self.s2) != 0:
11            self.s1.append(self.s2.pop())
```

キューに新しい要素を追加するときは、self.s1 のスタックの1番下に差し込む必要があります。スタックはアクセスが制限されているため、1番上にしか要素を追加できません。そこで、スタックの1番下に要素を差し込むために、一度すべての要素をスタックから取り出し、新しい要素を追加してから、取り出した要素すべてをスタックに戻します。

この場合、self.s1 からすべてを取り出し、それを self.s2 に置き、空になった self.s1 に新しい要素を追加し、self.s2 から self.s1 にすべてを戻します。最終的には、self.s1 には元の要素すべてと、新しい要素が1番下にある状態になります。

```
7         while len(self.s1) != 0:
8             self.s2.append(self.s1.pop())
9         self.s1.append(item)
10        while len(self.s2) != 0:
11            self.s1.append(self.s2.pop())
```

これで enqueue が定義できたので、キューから要素を取り除くための dequeue メソッドを作りましょう。

```
13    def dequeue(self):
14        if len(self.s1) == 0:
15            raise Exception("Can't pop from empty queue")
16        return self.s1.pop()
```

最初に self.s1 が空かどうかチェックします。もし空なら、それはユーザーが空のキューから dequeue をしようとしているので、例外を発生させます。

```
14          if len(self.s1) == 0:
15              raise Exception("Can't pop from empty queue")
```

空でない場合は、self.s1 の1番上にある要素を取り出して返します。

```
16          return self.s1.pop()
```

このキューの実装では、スタック内のすべての要素をたどる必要があるため、エンキューは $O(n)$ となります。一方、デキューは self.s1 の1番上の要素だけを削除すれば良いので $O(1)$ となります。

用語集

キュー 抽象データ型であり、最初に入った要素が最初に出てくる線形データ構造

ファーストイン・ファーストアウト 最初に入った要素が最初に出てくるデータ構造

エンキュー キューに要素を追加する

デキュー キューから要素を削除する

有限キュー 追加できる要素数に上限があるキュー

無限キュー 追加できる要素数に上限がないキュー

チャレンジ

1. 2つのスタックを使ってキューを実装し、エンキューを $O(1)$ の計算量にしよう。

第13章

ハッシュテーブル

チャールズ・ダーウィン、シュリニヴァーサ・ラマヌジャン、レオナルド・ダ・ヴィンチ、マイケル・ファラデー、私自身など、独学で学んだ科学者や思想家にとって、学びとは果てしなく続く発見の航海である。私たちにとって、学びこそが知識と英知を得るためのいつまでも続く冒険なのだ。

——アビジット・ナスカー（Abhijit Naskar）神経科学者、作家

連想配列は、抽象データ型の1つで、一意（ユニーク）なキーを持ち、キーバリューペアを格納する配列です[訳注1]。**キーバリューペア**は、キーとバリュー（値）の2つのデータが対応づけられているペア（一対の組み合わせ）です。**キー**は、バリューを取り出すために使うデータです。対する**バリュー（値）**は、キーを使って取り出すデータです。Pythonプログラマーであれば、Pythonの辞書ですでにキーバリューペアの概念を使っていると思います。

連想配列にはいくつか実装方法があり、本章ではその1つであるハッシュテーブルを学びます。**ハッシュテーブル**は、キーバリューペアが格納されている線形のデータ構造で、キーは一意です。キーが一意なので、重複したキーは存在できません。連想配列とハッシュテーブルの違いは、連想配列は抽象データ型ですが、ハッシュテーブルはデータ構造であり、連想配列の実装の1つであることです。Pythonは辞書をハッシュテーブルで実装しています。

[訳注1] 連想配列は配列の1つですが、配列と連想配列の主な違いは、キーです。配列のキーは0から始まる整数です。連想配列のキーは、任意の文字列を自由に使えます。たとえば、配列のキーは、0、1、2、3のような連続した整数ですが、連想配列のキーは、「東京」、「愛知」、「北海道」といった文字列も使えます。

プログラミングにおいては、配列のデータ構造上にハッシュテーブルを作り、そこにデータを保存します。データを追加すると、配列のどこにそのデータを保存するかを決めるためにハッシュ関数が使われます。**ハッシュ関数**は、キーを入力として受け取り、配列のインデックスに対応する一意の整数を返す関数です。そのインデックスは値を格納するために使われます。ハッシュ関数が生成する一意のインデックスのことを、**ハッシュ値**と呼びます。ハッシュテーブルにはどんな種類のデータも、値として保存できます。しかし、キーは整数や文字列など、ハッシュ関数がインデックスに変換できるようなものにしておかないといけません。ハッシュ関数を使えば、ハッシュテーブルから値を取り出すのはとても効率的です。後ほど見ていきましょう。

まずはPythonの辞書について復習しましょう。Pythonの辞書では、キーとバリューのペアを保存します。キーは重複できません。しかし、バリューは重複できます。辞書がどのようにキーバリューペアを保存しているかを以下に示します。

```
1  a_dict = {}
2  a_dict[1776] = 'Independence Year'
```

この定義の後では、1776をキーとして使うことで、`Independence Year`というバリューを呼び出せます。

```
3  print(a_dict[1776])
```

```
>> Independence Year
```

ここからは、キーの位置を決めたときに、ハッシュ関数がどのように働くかを見ていきましょう。なお、この例のキーは整数です。これから見ていく動作は、たとえば、Pythonの辞書を使うときにプログラムが内部で全部やってくれるので、普段見ることはありません。

それでは、7つの要素が入る箱（スロット）を持つハッシュテーブルがあって、いくつかの整数をその中に保存したいとしましょう（**図13.1**）。

今回は説明のためにキーのみが登場し、バリューは省略しています。本来はキーとバリューはペアで保存と取り出しが行われることに注意してください。

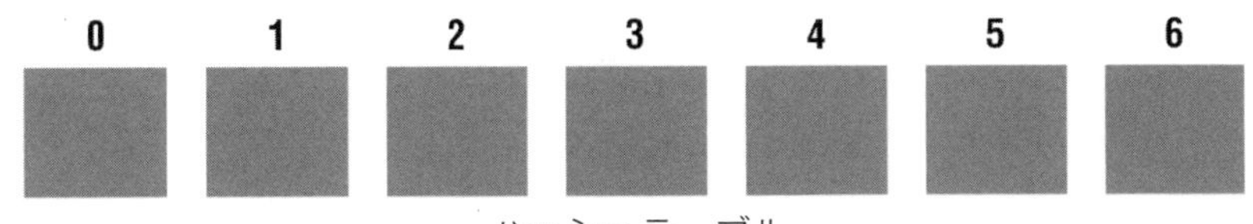

図13.1　ハッシュテーブルは配列の中にキーバリューペアを保存する

最初に保存したいキーは86です。ハッシュテーブルに86を保存するには、ハッシュ関数が必要です。簡単なハッシュ関数として、剰余演算子（モジュロ演算子）を使ってみましょう。与えられた数字を空いている箱のインデックスと対応させるために、剰余演算を行います（**図13.2**）。たとえば、86のハッシュ値を求めるために、`86 % 7`と、7で割ったときの余りを出力する演算を行います。結果は`2`です。

これで、ハッシュテーブルの配列のインデックスが2の位置に、86をキーとして保存することになります。

86 % 7 = 2

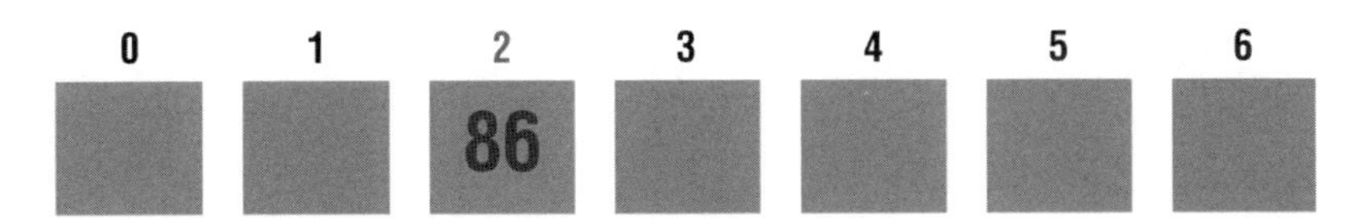

図13.2　86をハッシュテーブルに保存するために、剰余演算を行い、その結果の2をインデックスとして保存先を決める

次にハッシュテーブルに保存したいキーは90です。同じように、剰余演算を行い、`90 % 7`の結果は6です。インデックスが6の箱に、90を保存します（**図13.3**）。

90 % 7 = 6

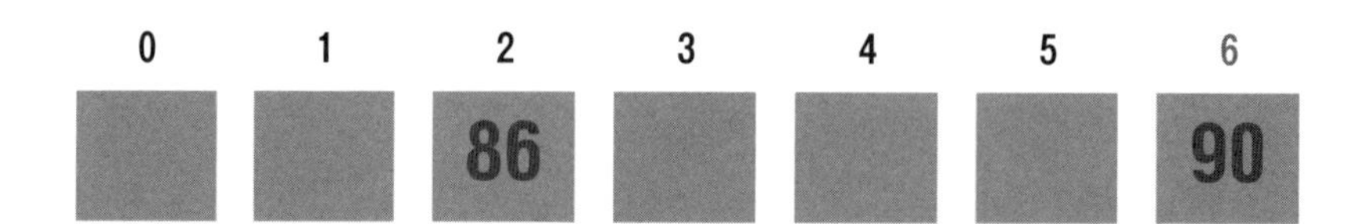

図13.3　90をハッシュテーブルに保存するために、剰余演算を行い、その結果の6をインデックスとして保存先を決める

次に、21、29、38、39、40のそれぞれのキーを、ハッシュテーブルに保存します。それぞれの剰余演算の結果は以下のとおりです。

21 % 7 = 0
29 % 7 = 1
38 % 7 = 3
39 % 7 = 4
40 % 7 = 5

これらをハッシュテーブルに保存すると**図13.4**のようになります。

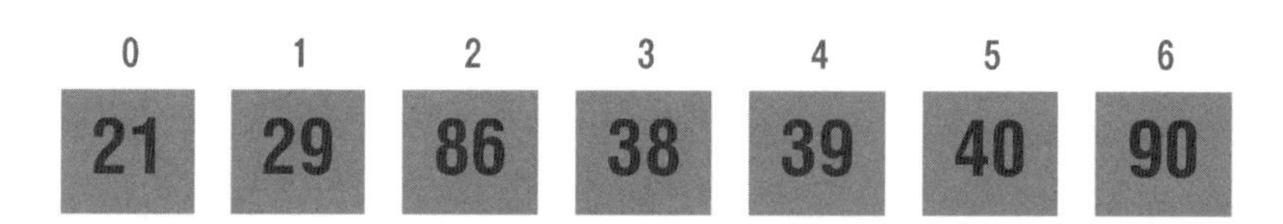

図13.4　ここまで登場したキーを追加後のハッシュテーブル

今のところ、ハッシュテーブルに数字を追加することは問題なくできました。

今度は30を追加して保存したいとしましょう。`30 % 7`の結果は`2`ですので、インデックスが2番の箱に追加を試みます。ここで問題が起こります。86がすでにその箱に入っているのです。

2つの異なるキーから生成されるハッシュ値が同じになることを**衝突**と呼びます。

この衝突をうまく処理するために、次の空いている箱に30を入れることにしたとします。この解決策で衝突を避けられますが、30の位置を見つけるときに少し手間がかかります。

まず、ハッシュ関数を使って配列の位置を判定し、インデックスが2番の箱を確認します。そこで中身が30でないことが分かります。そのため、見つけるまで、次の空いている箱を順番に見ていくことになります。ここでの問題は、時間計算量が増大してしまうことです。

衝突を回避する方法は、ほかにもいくつかあります。たとえば、第10章で学んだ連結リストを使う回避方法です。テーブルの要素ごとに連結リストをぶら下げておき、衝突時には衝突したキーバリューをその位置の連結リストに追加していくことで、同じインデックスになっても追記で保存できます。

ハッシュテーブルを作るときに目標とすべきは、必要十分な要素のための入れ物[訳注2]と、できるかぎり衝突を起こさないハッシュ関数を使うことです。ただ、Pythonを使っていれば、辞書が衝突を処理してくれますので、衝突を意識しなくて済みます。

ここまでの例は、キーバリューペアではなく、キーだけで説明しました。キーだけでなくバリューも保存できる2つの配列を考えることで、ペアの例になります。たとえば、キーが「独」で、バリューが「学」のキーバリューペアがあるとします。

ハッシュ関数でキーの「独」をハッシュ値（これは、配列のインデックスと同義）に変換します。「独」をキーのための配列の、インデックスで指定された位置に保存します。「学」をバリューのための配列の、インデックスで指定された位置に保存します（**図13.5**）。

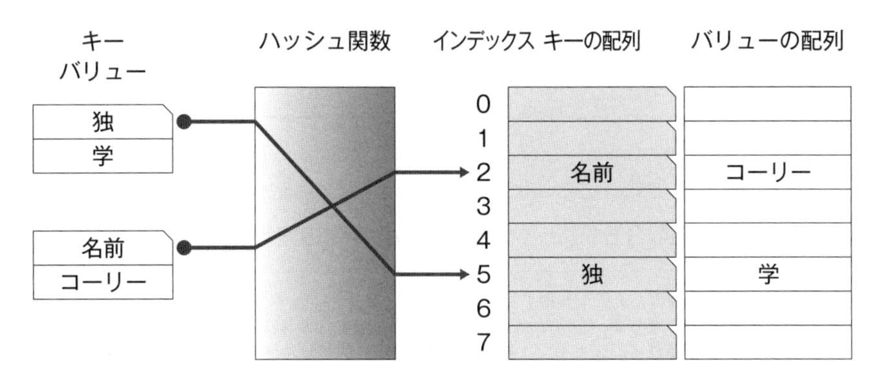

図13.5　キーとバリューをそれぞれの配列に保存

ハッシュテーブルをいつ使うのか

ここまで学んできた、あるいはこれから学ぶほかのデータ構造と違って、ハッシュテーブルでのデータの探索は、平均で $O(1)$ です。データの挿入や削除も、平均で $O(1)$ です。しかし衝突はハッシュテーブルの効率を損なってしまい、最悪のケースでは、探索、挿入、削除のいずれでも $O(n)$ の時間計算量になってしまいます。それでも、ハッシュテーブルは大量データを保存しておくにはもっとも効率的なデータ構造の1つです。

探索対象のデータがハッシュテーブルにあるかどうか判断するのに必要な処理は、たった1ステップです。ハッシュテーブルがこれほど効率的なのは、データをハッシュ関数に適用し、出力されるインデックス値の場所にある配列の要素を確認するだけですむためです。**図13.6**はハッシュテーブルの各操作の実行時間を表示しています。ハッシュテーブルのアクセス列の実行時間は書かれていません。これは、ハッシュテーブルでは、配列や連結リストと違って、n番目の要素へのアクセスができないためです。

データ構造	時間計算量							
	平均				最悪			
	アクセス	探索	挿入	削除	アクセス	探索	挿入	削除
配列	$O(1)$	$O(n)$	$O(n)$	$O(n)$	$O(1)$	$O(n)$	$O(n)$	$O(n)$
スタック	$O(n)$	$O(n)$	$O(1)$	$O(1)$	$O(n)$	$O(n)$	$O(1)$	$O(1)$
キュー	$O(n)$	$O(n)$	$O(1)$	$O(1)$	$O(n)$	$O(n)$	$O(1)$	$O(1)$
連結リスト	$O(n)$	$O(n)$	$O(1)$	$O(1)$	$O(n)$	$O(n)$	$O(1)$	$O(1)$
ハッシュテーブル	N/A	$O(1)$	$O(1)$	$O(1)$	N/A	$O(n)$	$O(n)$	$O(n)$
二分探索木	$O(\log n)$	$O(\log n)$	$O(\log n)$	$O(\log n)$	$O(n)$	$O(n)$	$O(n)$	$O(n)$

図13.6　ハッシュテーブルの操作の実行時間

[訳注2]　必要十分な要素のための入れ物を目標とするのは、入れ物が少なすぎても多すぎてもリソースの有効活用につながらず、適切な数がふさわしいためです。入れ物の数が少ないと衝突が頻発し、連結リストが伸びていきます。これによる速度低下、メモリー使用量の増加などがあり得ます。要素数よりもあまりに数が多すぎる場合も、メモリー使用量に無駄が発生してしまいます。詳しくは「補章1：アルゴリズムへの理解を深めるために―ハッシュテーブル―」で解説しています。

ここまで、データをソートすれば線形探索よりも圧倒的に早い二分探索を実行できることなど、探索アルゴリズムについて学びました。図13.6を見ると、ハッシュテーブルのデータ探索は $O(1)$ です。これは、第14章で紹介する二分探索木よりも効率的で、可能なかぎりもっとも速いデータ探索方法だといえます。

線形探索や二分探索を使わずに一定時間でデータを探索できることは、大規模なデータセットを扱う際のパフォーマンスに非常に大きな違いを生み出します。

プログラマーはハッシュテーブルを頻繁に使います。たとえば、ウェブ開発者であれば **JavaScript Object Notation（JSON）** をよく使うはずです。これは、JSON（ジェイソン）と呼ばれる、JavaScriptの記法で記述されるデータ交換のためのフォーマットで**アプリケーションプログラミングインターフェース（API）**[訳注3]を介して、アプリ同士が通信してJSONデータを送り合っています。JSONフォーマットのデータは、Pythonでは簡単に辞書に変換できます。Pythonではキーバリューペアで構成されるデータを辞書で扱えます。バージョン管理システムでもっとも使われているGitは、各プロジェクトの違うバージョンに関するデータを保存するために、暗号化ハッシュ関数で生成されるハッシュ値を使っています。オペレーティングシステムは、ハッシュテーブルを使って、メモリー管理をしています。Python自体も辞書（ハッシュテーブル）を使って、オブジェクトの変数名とバリューを保持しています。

大量のデータかつ、各データ要素をすばやく取り出す必要があるなら、ハッシュテーブルを使うことを検討すべきです。たとえば、英語の辞書を検索する必要があるプログラムを書いていたり、何十万、何百万ものデータがある電話帳から誰かの電話番号を瞬時に探し出すアプリを作っていたりするときには、ハッシュテーブルが必要でしょう。

ハッシュテーブルは一般に、高速でランダムにデータを取り出す必要があるときに活用できるデータ構造です。しかし、データを順番に操作するようなことがほとんどの場合は、配列や連結リストのほうが良い選択かもしれません。

文字列内の文字の出現回数

いかなる問題を解くときでも、まずハッシュテーブルを使って解くことを検討

[訳注3] アプリケーションプログラミングインターフェースは、プログラムの機能を外部（別のプログラム）から利用するための仕様です。

すると良いでしょう。ハッシュテーブルはそれほど効率的です。たとえば技術面接などで面接官から、文字列の中の各文字の出現回数を求めてほしいと言われたとします。

解決方法の1つは、Pythonの辞書を使うことです。各文字をキー、出現回数をバリューとして保存するコードが考えられます。

```
1  def count(a_string):
2      a_dict = {}
3      for char in a_string:
4          if char in a_dict:
5              a_dict[char] += 1
6          else:
7              a_dict[char] = 1
8      return a_dict
```

このコードを細かく見ていきましょう。count 関数は、文字の出現回数を数えたい文字列を入力値として受け取ります。

```
1  def count(a_string):
```

関数内で、まず辞書を作ります。

```
2      a_dict = {}
```

次に、文字列の長さ分の繰り返し処理を行うために、for ループを使います。

```
3      for char in a_string:
```

もし、文字が辞書にすでに存在していたら、出現回数を 1 だけ増やします。

```
4          if char in a_dict:
5              a_dict[char] += 1
```

もし、その文字がまだ辞書にない場合は、新しいキーとして追加し、初めて出現したわけですから、その出現回数を1とします。

```
6         else:
7             a_dict[char] = 1
```

最後に、文字列内の各文字と出現回数が格納されたa_dictを呼び出し元に返します。

```
8     return a_dict
```

countを実行したとき、何が起こっているかを見ていきましょう。この関数を呼び出し、"Hello"という文字列を渡します。

```
print(count("Hello"))
```

1巡目で大文字のHがキーとして追加され、出現回数の値が1として保存されます。この時点では、辞書には以下のように保持されています。

```
{'H': 1}
```

次のループでは、eを見にいきます。eは辞書にはないので、辞書に追加し、その出現回数値は1として保存されます。

ここで辞書は以下のようになります。

```
{'H': 1, 'e': 1}
```

同じことを次の文字、lに対して行います。すると、辞書は以下のようになります。

```
{'H': 1, 'e': 1, 'l': 1}
```

次のループでは、lがまた出現しました。今回は、その文字はすでに辞書のキーに入っているので、値を 1 だけ増やします。辞書は以下のように変化します。

```
{'H': 1, 'e': 1, 'l': 2}
```

この工程は、文字列のすべての文字に対して繰り返します。この繰り返しが終わると、辞書が出力されます。以下のように表示されるはずです。

```
{'H': 1, 'e': 1, 'l': 2, 'o': 1}
```

このアプローチを取ると、この課題をただ解いただけでなく、ハッシュテーブルを使って $O(n)$ の時間計算量で非常に効率的に解いたことになるのです（この n は文字列内の文字数です）。

2つの整数の和

技術面接において頻繁に登場する課題でハッシュテーブルを使って解けるものに、「2つの整数の和」（two sum）と呼ばれる課題があります。

この2つの整数の和の課題では、ソートされていない数値のリストと目標値が1つ与えられます。リストから2つの数値を選び、その2つを足すと目標値になる組み合せを探して、その2つの数値のインデックスを出力します。そのリストには正解となる組合せは1ペアしかなく、同じ要素を2回使ってはいけません。

たとえば、目標値が5で、以下のリストが与えられたとします。

```
[-1, 2, 3, 4, 7]
```

この場合、足して目標値と同じになる数字はインデックスが1と2の数字です（数値は2と3なので、2 + 3 = 5）。そのため、答えのインデックスは1と2です。

解法の1つは、総当たり（ブルートフォース）でリスト全部に対して2つの数字が足すと5になるかを繰り返すことです。総当たりのコードを書いてみましょう。

```
1  def two_sum_brute(the_list, target):
2      index_list = []
3      for i in range(0, len(the_list)):
4          for j in range(i, len(the_list)):
5              if the_list[i] + the_list[j] == target:
6                  return i, j
```

このコードでは、入れ子になった2つのループで繰り返し処理をしています。外側のループでは、リストに入っている数の要素数分、i という変数を使って繰り返し処理が行われます。内側のループでも、変数 j を使って同じ要素数分の処理が行われます。

この2つの変数を使って、たとえば、−3と2、2と3のような、2つの数のペアを作り、足し合わせたときに目標値と同じ数になるかをテストします。この総当たりアルゴリズムはシンプルですが、効率的ではありません。すべての組み合わせで繰り返す入れ子の2つのループを使うため、時間計算量は $O(n^2)$ になってしまいます。

もっと効率的にこの問題を解くには、次のコードのように辞書を使います。

```
1  def two_sum(a_list, target):
2      a_dict = {}
3      for index, n in enumerate(a_list):
4          rem = target - n
5          if rem in a_dict:
6              return index, a_dict[rem]
7          else:
8              a_dict[n] = index
```

この two_sum 関数は、2つの入力を受け取ります。1つは数のリスト、もう1つは目標値です。

```
1  def two_sum(a_list, target):
```

この関数内で、空の辞書を宣言します。

```
2        a_dict = {}
```

次に、リストに対してPython組み込みの enumerate 関数を呼び出します。enumerate は、リストに含まれる各インデックスと数字の両方を追いながら、繰り返し処理を行います。

```
3        for index, n in enumerate(a_list):
```

次に、目標値から n を引きます。

```
4            rem = target - n
```

引いた結果である rem は、繰り返し処理中の n にどれだけ足せば目標値と一致するかの数です。この結果が、辞書にあれば、答えを見つけたことになります。その場合、n に対応するインデックスと、rem と同じ数に対応するインデックスを検索して、結果として返します。

```
5            if rem in a_dict:
6                return index, a_dict[rem]
```

もし、引いた結果である rem が辞書にない場合は、n をキー、そのインデックスをバリューとして、辞書に追加します。

```
7            else:
8                a_dict[n] = index
```

この関数がどのように動作するか実例で見てみましょう。次に示す数字のリストがあり、目標値が5だとします。

```
[-1, 2, 3, 4, 7]
```

繰り返し処理の1巡目では、n は −1 です。辞書はまだ空の状態なので、もちろんこの数字は辞書には入っていません。そこで、−1 をキー、そのインデックスの0をバリューとして辞書に追加します。

2巡目で n は2で、rem は 5−2＝3 です。これも辞書にはないので、2をキー、そのインデックスの1をバリューとして辞書に追加します。3巡目の n は3です。rem を計算すると、5−3＝2 となり、先ほど追加した2が辞書から見つかるので、そのインデックス値を取得します。これで答えを見つけました。

```
print(two_sum([-1, 2, 3, 4, 7], 5))
```

```
>> (2, 1)
```

総当たり（ブルートフォース）の時間計算量は $O(n^2)$ でしたが、辞書を使う解法は $O(n)$ です。ハッシュテーブル（つまり、Pythonの辞書）を使う場合、入れ子になった2つの for ループを使う必要がなくなり、より効率的に処理できます。

用語集

連想配列　抽象データ型の1つで、一意なキーを持ち、キーバリューペアを格納する配列

キーバリューペア　キーとバリュー（値）という2つのデータが対応づけられているペア

キー　バリュー（値）を取り出すために使うデータ

バリュー（値）　キーを使って取り出すデータ

ハッシュテーブル　キーバリューペアが格納されている線形のデータ構造。一意のキーを持つ

ハッシュ関数　キーを入力として受け取り、配列のインデックスに対応する一意の整数を返す関数。インデックスは、値を格納するためにコンピューターによって使用される

ハッシュ値　ハッシュ関数が生成する一意の値

衝突　2つの異なるキーから生成されるハッシュ値が同じで、配列の同じインデックスを指してしまうこと

JavaScript Object Notation（JSON）　JSON（ジェイソン）と呼ばれる、

JavaScriptの記法で記述されるデータ交換のためのフォーマット（データ形式）

アプリケーションプログラミングインターフェース（API） API（エーピーアイ）と呼ばれる、アプリが互いに通信し合うためのインタフェース

チャレンジ

1. 与えられた文章に対して、2回目以降に登場する単語を削除する関数を書こう。たとえば、`"I am a self-taught programmer looking for a job as a programmer."`という文章が与えられたら、その関数は、`"I am a self-taught programmer looking for job as."`という文章を返そう。

第 14 章

二分木

最強の人類は、決して学ぶことをやめない人たちだ。

——リジョイス・デンヘリ（Rejoice Denhere）起業家

これまで学習したすべてのデータ構造は線形です。ここからの章では、いくつかの重要な非線形データ構造と抽象データ型について学びます。最初に紹介するのは、ノードが階層構造でつながった、非線形の抽象データ型である木（tree）です（**図14.1**）。木でよく行う操作は、挿入、探索、削除です。

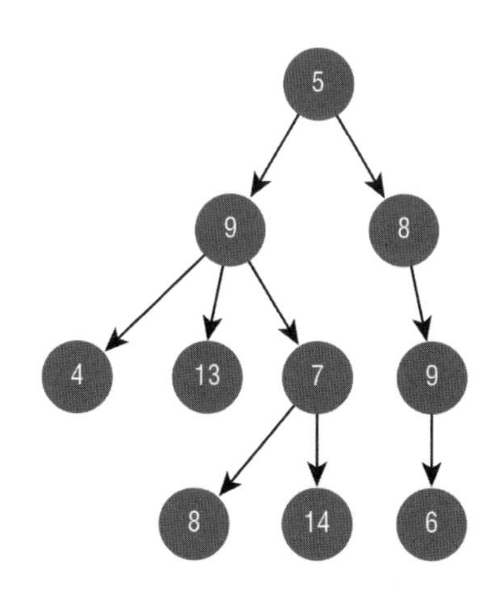

図14.1　木構造の例

木構造にはいくつかの種類があります。一般的な木、AVL木、赤黒木、二分木、二分探索木、などです。本章では、二分木を中心に紹介し、一般的な木や、二分探索木についても説明します。本書で紹介する以外にもたくさんの種類の木構造があります。ぜひ、ほかの種類の木構造についても学んでみてください。

一般的な木は階層構造に何の制限もない、一番上のノードから始まる[訳注1]データ構造です。木の一番上のノードは、**根ノード**（Root Node）と呼びます。あるノードの下につながっているノードはすべて、**子ノード**と呼びます。1つ以上の子ノードを持つノードは、**親ノード**と呼びます。**兄弟ノード**は同じ親ノードを持っています。木に含まれる2つのノード間の接続は**辺**（Edge）と呼びます（**図14.2**）。

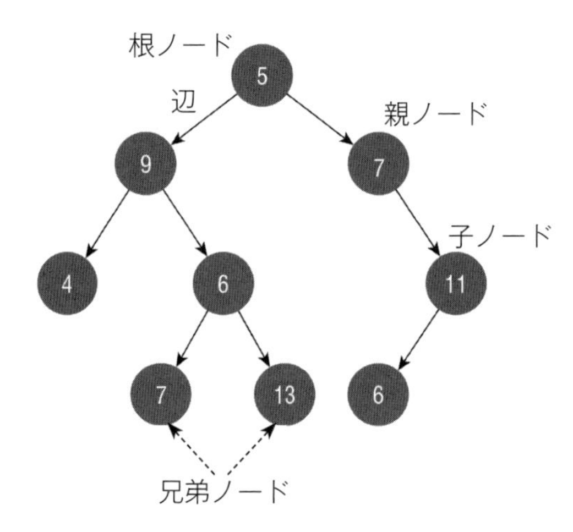

図14.2　木は、根ノード、親ノード、子ノード、辺を持つ

あるノードから別のノードへは、辺でつながっていれば移動できます（**図14.3**）。

[訳注1]　コンピューターサイエンスでこの構造を木と呼ぶのは、森にある自然の木に似ているためです。しかし木構造を図示するときは通常、起点となる根を1番上に書きます。この逆転現象で上と下の意味を取り違えることを避けるために、親、子、子孫、といった家系図の表現を併用したりもします。

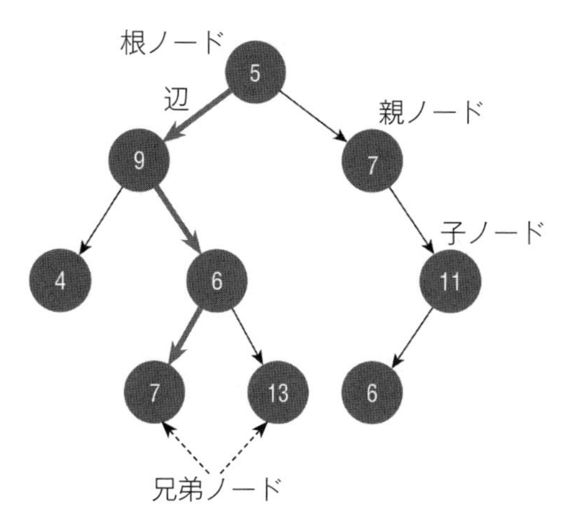

図14.3　木の探索経路

根ノードを除くすべてのノードは、親ノードを1つ持ちます。子ノードを持たないノードは**葉ノード**（Leaf Node）と呼び、子ノードを持つノードは**分岐ノード**（Branch Node）と呼びます（後述する図14.6を参照）[訳注2]。

二分木は、各ノードが2つまでの子ノードを持てる木構造です。二分木では、根ノードを除くすべてのノードは、親ノードの左右どちらかの子ノードです（**図14.4**）。

二分木には子ノード数が2までという制限がありますが、それ以外は一般的な木と同じです。

[訳注2]　葉ノードのように1番外側のノードを「外部ノード」や「終端ノード」、分岐ノードのように子を持つノードを「内部ノード」や「中間ノード」「非終端ノード」とも呼びます。

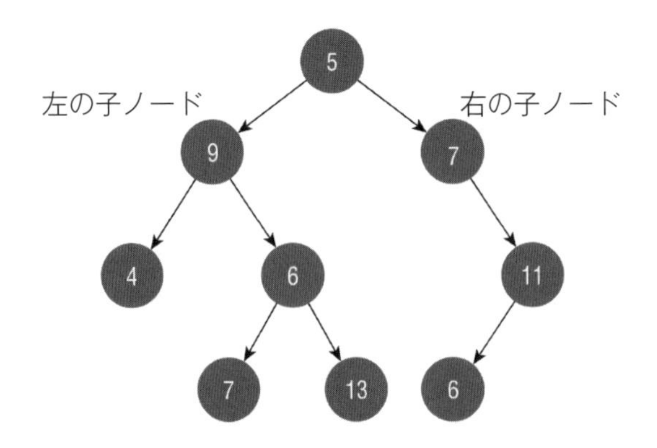

図14.4　二分木の親ノードは、子ノードを2つ持てる

二分探索木は、各ノードが持てる子ノードが2つまでで、あるノードの値はそのノードの左側の部分木（Subtree）のどの値よりも大きく、そのノードの右側の部分木のどの値よりも小さくなるように並べられている木構造です（**図14.5**）。ハッシュテーブルのキーと同様に、二分探索木には重複した値を格納できません[訳注3]。しかし、ノードに値の出現回数をカウントするためのフィールドを持たせれば、重複する値があることを表現できます。

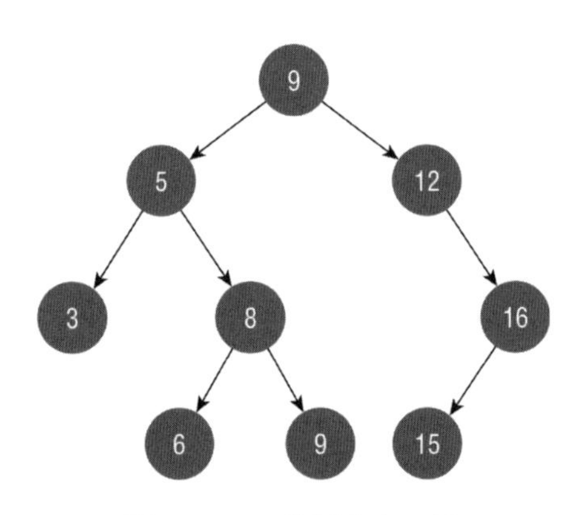

図14.5　二分探索木の例

[訳注3]　二分探索木の値は必ず「左の子 < 親」かつ「親 < 右の子」だ、と定義しているため、重複した値を持てません。

木構造では、配列や連結リストのような線形のデータ構造とは異なり、全ノードを走査するには後戻り（バックトラッキング）が必要です。根ノードから始めれば木のどのノードにも到達できますが、いったん根ノードから離れたらそのノードの子孫にしか到達できなくなります。ノードの**子孫**とは、あるノードの子ノード、子ノードの子ノード、子ノードの子ノードの子ノード、などです。たとえば**図14.6**は、根ノードA、葉ノードB、DとE、分岐ノードCを持つシンプルな木です。ノードAは2つの子ノード（B、C）を持ち、ノードCは2つの子ノード（D、E）を持っています。ノードB、C、DとEはノードAの子孫です。

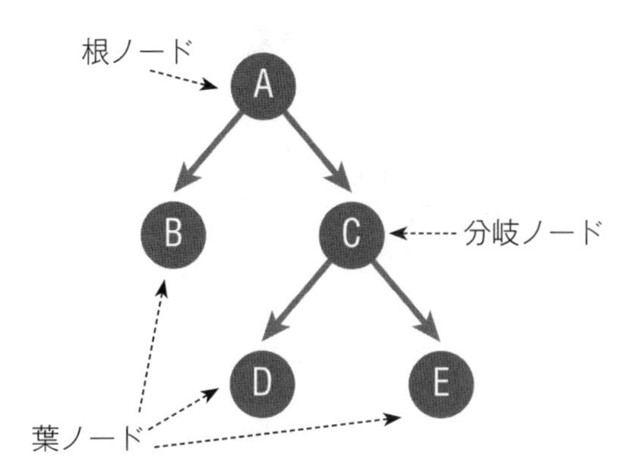

図14.6　根ノードAとその子孫のシンプルな木

根ノードからはじめて右側の子ノードのみに移動する場合、ノードAとC、Eを通ります。逆に左側の子ノードのみに移動するとノードAとBを通ります。どちらの走査方法でもノードDを通っていないことに気づいたでしょうか？ ノードDに到達するには、最初にノードAの右側の子ノードに移動して、次にノードCの左側の子ノードに移動しなければなりません。つまり、この二分木でノードDに到達するには後戻り[訳注4]する必要があります。

木構造をいつ使うのか

一般的な木や二分木へのデータの挿入、削除、探索といった操作の計算量は

[訳注4]　後戻り（バックトラッキング）は、探索中に分岐点で一方を選択して進み、それが間違いだったときには分岐のもう一方に進むために最後の分岐まで戻ることです。

$O(n)$ です。二分探索木はより効率的で、ノードの挿入、削除、探索の操作は対数時間で実行されます。これは各操作が二分探索によって行われるからです（**図14.7**）。

データ構造	時間計算量							
	平均				最悪			
	アクセス	探索	挿入	削除	アクセス	探索	挿入	削除
配列	$O(1)$	$O(n)$	$O(n)$	$O(n)$	$O(1)$	$O(n)$	$O(n)$	$O(n)$
スタック	$O(n)$	$O(n)$	$O(1)$	$O(1)$	$O(n)$	$O(n)$	$O(1)$	$O(1)$
キュー	$O(n)$	$O(n)$	$O(1)$	$O(1)$	$O(n)$	$O(n)$	$O(1)$	$O(1)$
連結リスト	$O(n)$	$O(n)$	$O(1)$	$O(1)$	$O(n)$	$O(n)$	$O(1)$	$O(1)$
ハッシュテーブル	N/A	$O(1)$	$O(1)$	$O(1)$	N/A	$O(n)$	$O(n)$	$O(n)$
二分探索木	$O(\log n)$	$O(\log n)$	$O(\log n)$	$O(\log n)$	$O(n)$	$O(n)$	$O(n)$	$O(n)$

図14.7　二分探索木の操作の実行時間

操作に線形時間もかかる一般的な木や二分木を使う必要はあるのでしょうか？対数時間で探索できる二分探索木でさえハッシュテーブルより遅いのに、どこで木構造を使うべきでしょうか？

木は、配列のような線形のデータ構造を使って格納するのが難しい、あるいは不可能な、階層的な情報を格納できます。たとえば、コンピュータープログラムで階層構造を表現するときを考えてみましょう。ドキュメントフォルダーの中に10個のフォルダーがあり、さらにその各フォルダーの中に4個のフォルダーがあり、……と続いていたとします。コンピューターのフォルダーとユーザーが今見ている階層との関連を表そうとすると、配列を使うと難しいですが、木構造を使うと簡単に表せます（**図14.8**）。

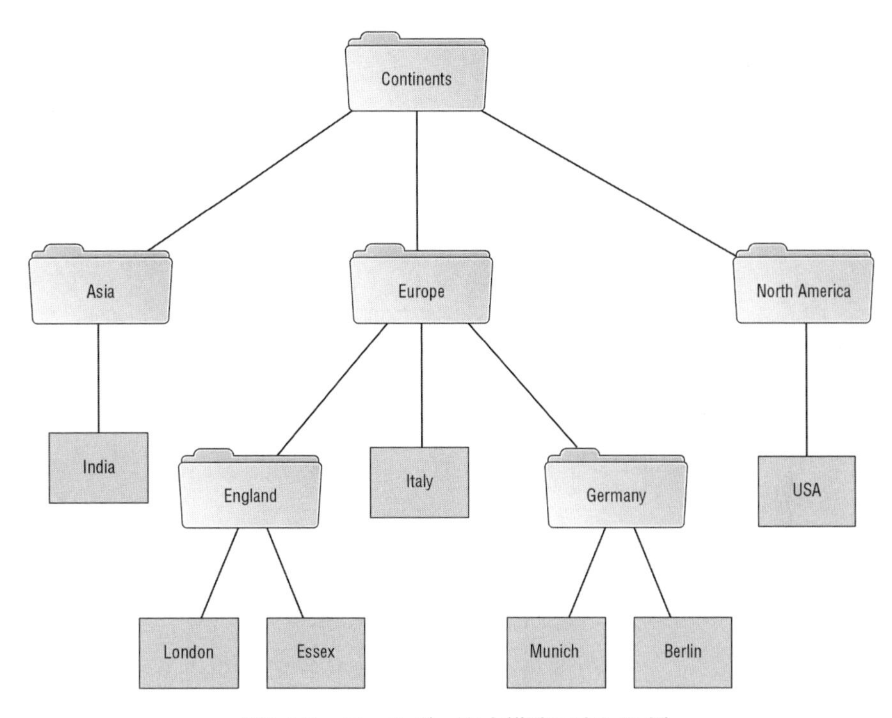

図14.8　フォルダーを木構造で表した例

HTMLとXMLは木構造でデータの階層を表したもう1つの例です。**HTML**はウェブページを作成するためのマークアップ言語です。**XML**はドキュメントのためのマークアップ言語です。HTMLやXMLのタグは入れ子にできるため、HTMLやXMLの1つの要素を木の1つのノードとしてよく表します。ウェブサイトのフロントエンドを実装するときに使用するプログラミング言語のJavaScriptを使えば、ドキュメントオブジェクトモデルにアクセスできます。**ドキュメントオブジェクトモデル（DOM）**は木構造でHTMLやXMLをモデル化する、マークアップ言語に依存しないインターフェースです（**図14.9**）。

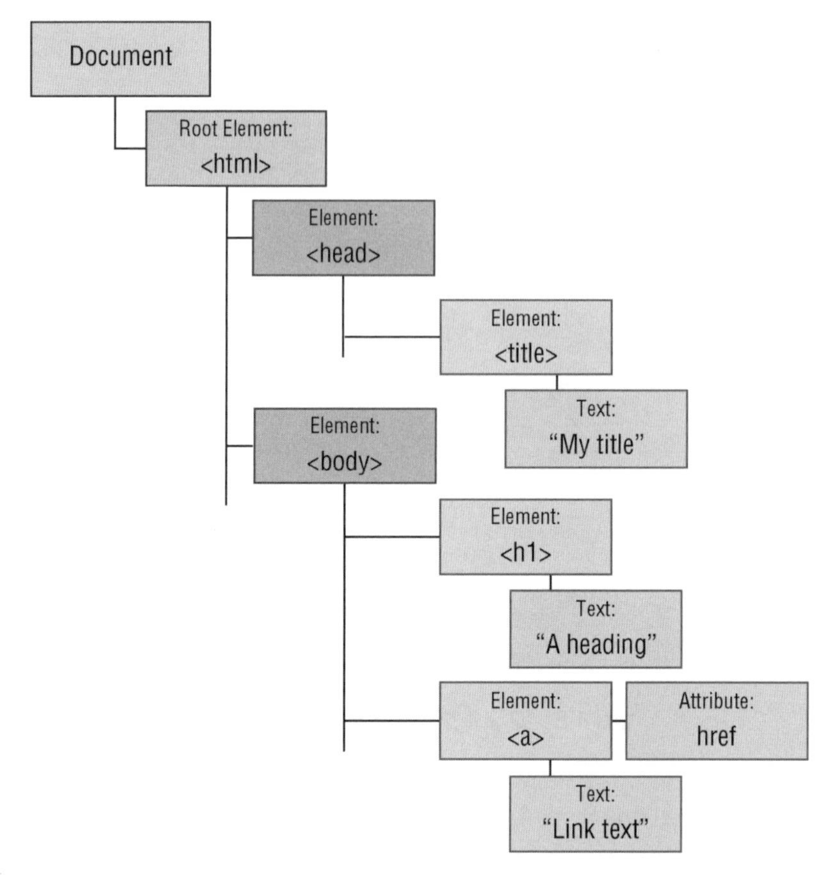

図14.9　ドキュメントオブジェクトモデル（DOM）で表した例

ほかにも、木を使って数式を解析できます。たとえば、次のような木を作ることによって、2 + 3 × 4のような式を評価できます（**図14.10**）。この木の一番下の3 × 4を評価し、それから階層を上げて最終的な解である2 + 12を計算します。

この図14.10のような木を解析木と呼びます。**解析木**は、一連の規則に従ってデータを順序立てて並べた木です。たとえば、図にあるような、数式の評価順を表した木です。

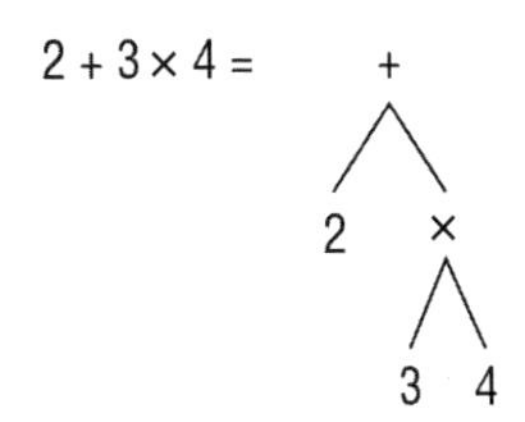

図14.10　数式を評価する木の例

木構造を使う目的は、階層的なデータを表すためだけではありません。先に紹介したように、対数時間で並べられた二分木を探索できます。対数時間での探索はハッシュテーブルの一定時間での探索ほど速くありませんが、二分探索木はハッシュテーブルより2つの優れた点があります。

1つ目の利点はメモリーの使い方です。ハッシュテーブルは、衝突が原因で実際のデータの10倍かそれ以上の領域を使うことがあります。一方で二分探索木は余分なメモリーを使いません。

2つ目はデータ走査です。二分探索木はソート順やその逆順に格納されているデータをすばやく走査できますが、ハッシュテーブルはデータが並んでいないのでソート順や逆順に走査できません。

二分木を作成する

次のコードは、Pythonで二分木を実装する方法です。

```
1  class BinaryTree:
2      def __init__(self, value):
3          self.key = value
4          self.left_child = None
5          self.right_child = None
6
7      def insert_left(self, value):
8          if self.left_child is None:
9              self.left_child = BinaryTree(value)
10         else:
11             bin_tree = BinaryTree(value)
```

```
12                bin_tree.left_child = self.left_child
13                self.left_child = bin_tree
14
15        def insert_right(self, value):
16            if self.right_child is None:
17                self.right_child = BinaryTree(value)
18            else:
19                bin_tree = BinaryTree(value)
20                bin_tree.right_child = self.right_child
21                self.right_child = bin_tree
```

まず、木を表すBinaryTreeクラスを定義します。BinaryTreeには、key、left_child、right_childという3つの変数があります。keyは、ノードのデータ（たとえば数値）を保持します。left_childはノードの左側の子ノードの情報を保持し、right_childはノードの右側の子ノードの情報を保持します。木に子ノードを作ったら、BinaryTreeクラスの新しいインスタンスを作ります。どの子ノードも部分木です。**部分木**は根ノード以外のノードで、根ノードの子孫です。部分木は部分木を持てます。

次に、木の左側に子ノードを追加するinsert_leftメソッドを定義します。

```
7        def insert_left(self, value):
8            if self.left_child is None:
9                self.left_child = BinaryTree(value)
10           else:
11               bin_tree = BinaryTree(value)
12               bin_tree.left_child = self.left_child
13               self.left_child = bin_tree
```

まず、self.left_childがNoneか否かを判定します。Noneだった場合は、BinaryTreeクラスの新しいインスタンスを作り、self.left_childに代入します。

```
8            if self.left_child is None:
```

```
9                 self.left_child = BinaryTree(value)
```

self.left_child が None ではない場合は、新しい BinaryTree インスタンスを作り、self.left_child に元々代入されていた BinaryTree インスタンスを新しい BinaryTree インスタンスの bin_tree.left_child に代入します。その後、新しい BinaryTree インスタンスを self.left_child に代入します。

```
10            else:
11                bin_tree = BinaryTree(value)
12                bin_tree.left_child = self.left_child
13                self.left_child = bin_tree
```

insert_left メソッドを定義したら、同じように二分木の右側にノードを追加する insert_right メソッドを定義します。

```
15        def insert_right(self, value):
16            if self.right_child is None:
17                self.right_child = BinaryTree(value)
18            else:
19                bin_tree = BinaryTree(value)
20                bin_tree.right_child = self.right_child
21                self.right_child = bin_tree
```

二分木を作って、その木にノードを追加してみましょう。

```
tree = BinaryTree(1)
tree.insert_left(2)
tree.insert_right(3)
tree.insert_left(4)
tree.left_child.insert_right(6)
tree.insert_right(5)
```

このコードは**図14.11**に示す二分木を作ります。

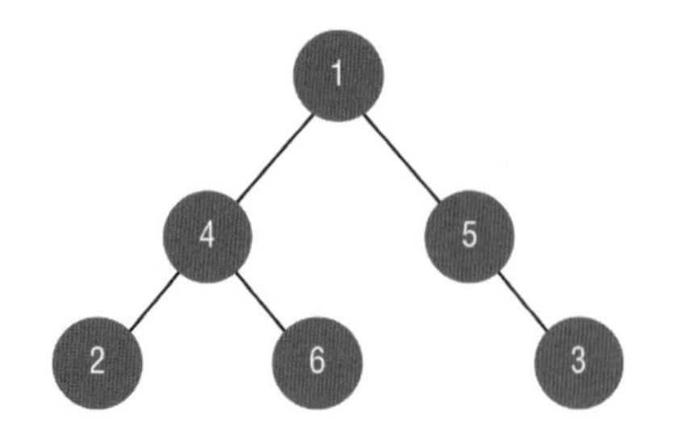

図14.11　6つのノードを持つ二分木

幅優先走査

第8章ですでに学習したように、後戻りなしにノードからノードへ移動するだけでは必ずしも走査できるとはかぎりません。これは木からデータを探せないという意味ではありません。1つのデータを木から見つけるためには、木のすべてのノードを訪問する必要があり、そのノードが探しているデータを含んでいるかを探さなければいけません。二分木にはすべてのノードを訪問する方法がいくつかあります。その1つは、レベルごとに木の各ノードを訪問することによって、木のすべてのノードを訪問する**幅優先走査**という方法です。たとえば、次のような二分木（**図14.12**）は、根ノードはレベル0、続いてレベル1、2、3と続きます[訳注5]。

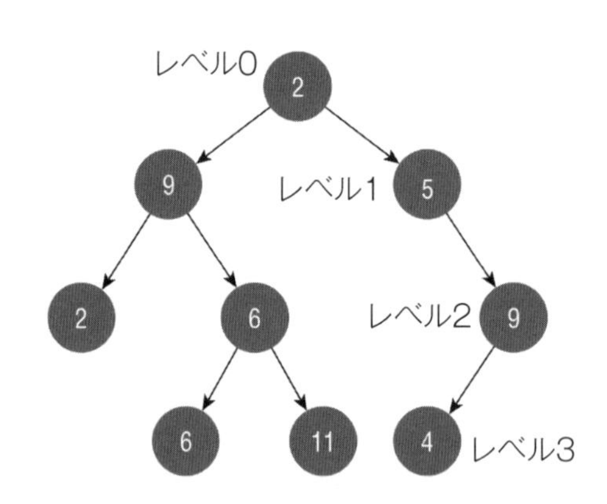

図14.12　二分木のレベル

[訳注5]　レベルは、根ノードから数えた距離を数字で表したものです。深さ（depth）とも呼ばれます。

幅優先走査を使って探索することを、**幅優先探索**と呼びます。木の根（レベル0）から幅優先探索を開始し、木をレベルごとに移動し、最後のレベルに到達するまで各レベルのノードを1つずつ訪問します。木の現在のレベルのノードと次のレベルのノードを追跡する、「現在レベル」と「次レベル」の2つのリストを使って、幅優先探索を実装できます。「現在レベル」リストにあるノードを次々に訪問し、探しているデータか確認し、その子ノードを「次レベル」リストに追加していきます。次のレベルに移動するとき、「次レベル」リストを「現在レベル」リストとして切り替えます。以下のコード23行目以降は、ある数値を幅優先探索を使って二分木から探す実装例です。

```
 1  class BinaryTree:
 2      def __init__(self, value):  # 前述のコードと同じ
 3          self.key = value
 4          self.left_child = None
 5          self.right_child = None
 6
 7      def insert_left(self, value):  # 前述のコードと同じ
 8          if self.left_child is None:
 9              self.left_child = BinaryTree(value)
10          else:
11              bin_tree = BinaryTree(value)
12              bin_tree.left_child = self.left_child
13              self.left_child = bin_tree
14
15      def insert_right(self, value):  # 前述のコードと同じ
16          if self.right_child is None:
17              self.right_child = BinaryTree(value)
18          else:
19              bin_tree = BinaryTree(value)
20              bin_tree.right_child = self.right_child
21              self.right_child = bin_tree
22
23      def breadth_first_search(self, n):
```

```
23      def breadth_first_search(self, n):  # 前ページと同じ行
24          current = [self]
25          next = []
26          while current:
27              for node in current:
28                  if node.key == n:
29                      return True
30                  if node.left_child:
31                      next.append(node.left_child)
32                  if node.right_child:
33                      next.append(node.right_child)
34              current = next
35              next = []
36          return False
```

breadth_first_search メソッドを詳しく見ていきましょう。このメソッドは探索したい数値を引数 n に受け取ります。

```
23      def breadth_first_search(self, n):
```

次に2つのリストを定義します。1つ目の current 変数を使って、「現在レベル」を追跡します。2つ目の next 変数を使って、「次レベル」を追跡します。current 変数に self を追加すると、アルゴリズムは木の根（レベル0）の探索から始めます。

```
24          current = [self]
25          next = []
```

while ループは、current に探索するノードが含まれているかぎり継続します。

```
26          while current:
```

それから、for ループを使って current のすべてのノードを次々に訪問します。

```
27                for node in current:
```

ノードの値が引数 n の値と等しかったら、True を返します。

```
28                    if node.key == n:
29                        return True
```

それ以外の場合、ノードの左と右の子ノードが存在すれば、次のレベルの探索が期待どおりに行われるように「次レベル」用の next にノードデータを追加します。

```
30                    if node.left_child:
31                        next.append(node.left_child)
32                    if node.right_child:
33                        next.append(node.right_child)
```

そして、while ループが終わったら、next の内容は current に代入し、next に空のリストを代入します。

```
34                current = next
35                next = []
```

木から幅優先探索で n の値が見つけられずに while ループが終了したら、False を返します。

```
36            return False
```

深さ優先走査

幅優先走査は、二分木を走査する唯一の方法ではありません。深さ優先でも走査できます。**深さ優先走査**は、次の兄弟ノードに移動する前にできるだけ深く一方向に進むことによって二分木のすべてのノードを訪問します。深さ優先走査は、すべてのノードを訪問するために行きがけ順（preorder）、帰りがけ順（postorder）、通りがけ順（inorder）の3つの方法があります。3つのアプローチの実装は似ていますが、用途が異なります。

次のような二分木（**図14.13**）があります。行きがけ順走査では、根から始めて、左に移動し、それから右に移動します。

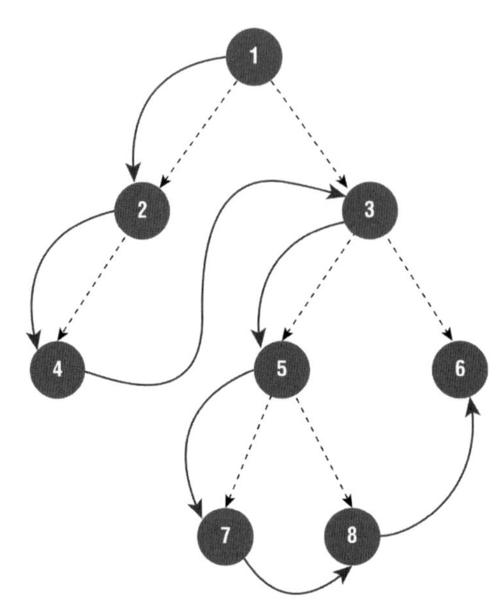

行きがけ順：1, 2, 4, 3, 5, 7, 8, 6

図14.13　木の行きがけ順走査

以下は、木の行きがけ順走査の実装です。

```
38  def preorder(tree):
39      if tree:
40          print(tree.key)
41          preorder(tree.left_child)
42          preorder(tree.right_child)
```

木の最下部に到達するまで、関数は再帰的に呼び出されます。次の部分です。

```
39      if tree:
```

この行は、各ノードの値を表示する処理です。

```
40          print(tree.key)
```

これらの行は、各ノードの左右の子それぞれを引数にしてpreorder関数を呼び出します。

```
41          preorder(tree.left_child)
42          preorder(tree.right_child)
```

この走査は、第4章のマージソートアルゴリズムと似ているので、比較しながら理解すると良いでしょう[訳注6]。マージソートを実装したときは、リストの左半分を再帰的に呼び出して、それからリストの右半分を再帰的に呼びました。リストの要素が1つになるまでリストの左半分を引数に関数を再帰的に呼び出し、そして、リストの要素が1つになるまでリストの右半分を引数に関数を再帰的に呼び出しました。元のリストを分割していき、要素が1つのサブリスト群に変わると、アルゴリズムの分割部分の完了条件を満たしました。その後、再帰的にソートしながらマージを実行していきました。

マージソートのアルゴリズムは、行きがけ順走査に似ていますが、帰りがけ順走査と呼びます。2つの走査の違いは、帰りがけ順走査では再帰的に関数が呼ばれた後に（帰りに）各ノードの値を表示（または処理）することです。

```
44  def postorder(tree):
45      if tree:
46          postorder(tree.left_child)
47          postorder(tree.right_child)
48          print(tree.key)
```

帰りがけ順走査では、次に示すように木を左から右に移動し、根ノードで終わ

[訳注6]　第4章マージソートの節のコードと図4.1を参照すると分かりやすいでしょう。

ります（**図14.14**）。

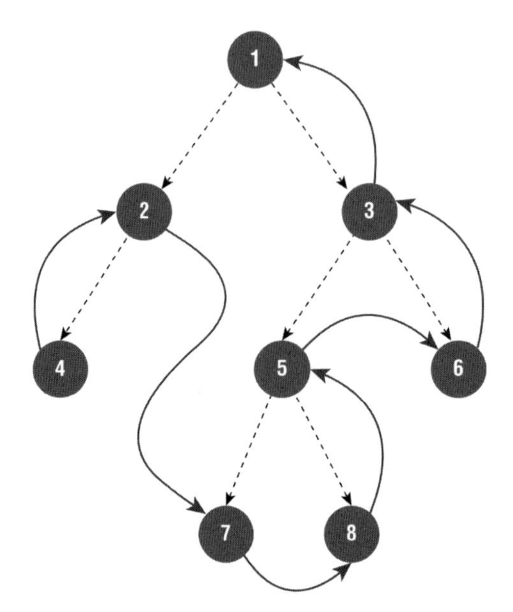

帰りがけ順：4, 2, 7, 8, 5, 6, 3, 1

図14.14　木の帰りがけ順走査

マージソートは帰りがけ順走査なので、サブリストをマージするたびにノードを表示していきます。

最後に、通りがけ順走査を紹介します。

```
50  def inorder(tree):
51      if tree:
52          inorder(tree.left_child)
53          print(tree.key)
54          inorder(tree.right_child)
```

通りがけ順走査は、行きがけ順走査や帰りがけ順走査に似ていますが、上記のコードを見て分かるように、左ノードのための再帰処理と右ノードのための再帰処理の間でノードの値を表示（または処理）します。通りがけ順走査を使う場合、次に表すように木を左から、根、そして右の順で走査します（**図14.15**）。

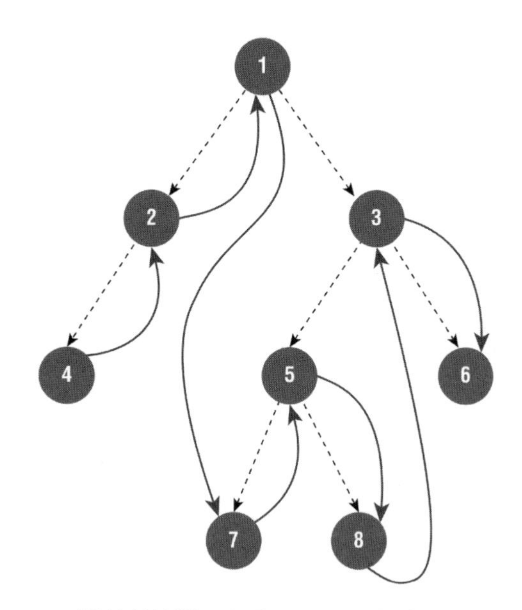

通りがけ順：4, 2, 1, 7, 5, 8, 3, 6

図14.15　木の通りがけ順走査

二分木を反転する

マックス・ハウエル（Max Howell）氏は、macOSユーザーの開発者なら大抵使うパッケージ管理システム「Homebrew」を1人で開発しました。それほど優秀なプログラマーですが、Googleのソフトウェアエンジニア職の求人に応募し、不採用になった話は有名です。彼は、不採用になった後、以下のようにTwitterに投稿しました。「Google採用担当が私に言いました。『我が社の9割のエンジニアがあなたの作ったHomebrewを使ってますよ！でもね、ホワイトボード上に書かれてる二分木を反転できないようですので、我が社ではお断りです。』」[訳注7]

二分木の反転とは、木のすべての左右のノードを入れ替えることを意味します。つまり、すべての右ノードを左ノードにし、すべての左ノードを右ノードにすることです。この節では、技術面接でハウエル氏のようにならないよう、二分木を

[訳注7]　Googleが二分木の理解度をエンジニアの採用基準としてどれだけ大事にしていたかが分かるエピソードです。以下からこのツイートを見られます。
https://twitter.com/mxcl/status/608682016205344768

反転する方法を学びましょう。

二分木を反転するには木にあるすべてのノードを訪問し、各ノードの子ノードをたどり、子ノードの左右を入れ替える必要があります。その方法の1つに幅優先探索の利用があります。幅優先探索を使うことで、子ノードの左右それぞれをたどり、簡単に入れ替えられます。

以下は、二分木を反転させる実装です。

```
1  class BinaryTree:
2      def __init__(self, value):  # 前述のコードと同じ
3          self.key = value
4          self.left_child = None
5          self.right_child = None
6
7      def insert_left(self, value):  # 前述のコードと同じ
8          if self.left_child is None:
9              self.left_child = BinaryTree(value)
10         else:
11             bin_tree = BinaryTree(value)
12             bin_tree.left_child = self.left_child
13             self.left_child = bin_tree
14
15     def insert_right(self, value):  # 前述のコードと同じ
16         if self.right_child is None:
17             self.right_child = BinaryTree(value)
18         else:
19             bin_tree = BinaryTree(value)
20             bin_tree.right_child = self.right_child
21             self.right_child = bin_tree
22
23     def invert(self):
24         current = [self]
25         next = []
26         while current:
```

```
27                for node in current:
28                    if node.left_child:
29                        next.append(node.left_child)
30                    if node.right_child:
31                        next.append(node.right_child)
32                    tmp = node.left_child
33                    node.left_child = node.right_child
34                    node.right_child = tmp
35            current = next
36            next = []
```

この実装は数値を探索する幅優先走査と基本は同じですが、ノードの値がnかを確認するbreadth_first_searchメソッドの代わりに左右の子ノードを入れ替えるinvertメソッドがあります。これを実現するために、まずtmp変数にnode.left_childを保存します。それから、2つの子ノードを入れ替えるためにnode.left_childにnode.right_childを代入し、node.right_childにtmpを代入します。

```
32                    tmp = node.left_child
33                    node.left_child = node.right_child
34                    node.right_child = tmp
```

コードが実行されると、二分木が反転します。二分木を反転させるもっと良いやり方は、深さ優先走査を利用するものです。チャレンジ問題で挑戦してみましょう。

用語集

木　ノードが階層構造でつながった、非線形の抽象データ型

根ノード　木の頂点のノード

子ノード　木の親ノードの下につながっているノード

親ノード　1つ以上の子ノードを持つノード

兄弟ノード　同じ親を持つノード

辺　木に含まれる2つのノード間の接続

葉ノード　子ノードを持たないノード

分岐ノード　子ノードを持つノード

二分木　各ノードが持てる子ノード数が2までの木構造

二分探索木　各ノードが持てる子ノードが2つまでで、あるノードの値はそのノードの左側の部分木のどの値よりも大きく、そのノードの右側の部分木のどの値よりも小さくなるように並べられている木構造

子孫　あるノードの子ノード、子ノードの子ノード、子ノードの子ノードの子ノードなど

HTML　ウェブページを作成するためのマークアップ言語

XML　ドキュメントのためのマークアップ言語

ドキュメントオブジェクトモデル（DOM）　木構造でHTMLやXMLをモデル化する、マークアップ言語に依存しないインターフェース

解析木　一連の規則に従ってデータを順序立てて並べた木。たとえば、数式の評価順を表した木

部分木　根ノード以外のノードで、根ノードの子孫

幅優先走査　レベルごとに木の各ノードを訪問することによって、木のすべてのノードを訪問するメソッド

幅優先探索　幅優先走査を使った探索

深さ優先走査　次の兄弟ノードに移動する前に、できるだけ深く一方向に進むことによって二分木のすべてのノードを訪問すること

二分木の反転　木の中のすべての左右のノードを入れ替えること

チャレンジ

1. 二分木のコードに `has_leaf_nodes` メソッドを追加しよう。このメソッドは、木に葉ノードがあれば `True` を返し、なければ `False` を返そう。
2. 深さ優先走査を使って、二分木を反転しよう。

第 15 章

二分ヒープ

グーグル、フェイスブック、アップルの隆盛を見よ。コンピューターサイエンス（計算機科学）が、人々が日々直面する問題を解くものである証拠だ。

——エリック・シュミット（Eric Schmidt）Gooogle 元CEO

優先度付きキューは、各データが優先度を持つデータ構造を表す抽象データ型です。ファーストイン・ファーストアウトのキューと違い、優先度付きキューは要素を優先度で並べ替えます。まず、1番高い優先度を持つデータを最初に取り出します。続いて、その次に高い優先度を持つデータを取り出します。

優先度付きキューの実装はたくさんありますが、その1つにヒープがあります。**ヒープ**は、各ノードが値とその優先度という2つのデータを管理する、木（tree）構造に基づいたデータ構造です[訳注1]。ヒープのノードの値のことを**キー**と呼びます。ノードのキーと優先度は無関係でかまわないのですが、もしキーが整数や文字などの順番を持つ場合は、優先度として扱えます。この章では、ヒープにあるキーを使って、優先度を表します。

先に述べたように、ヒープは木構造を使います。どの木でヒープを作るかによってさまざまなヒープがあるのですが、本章では二分木を使った**二分ヒープ**を学びます（**図15.1**）。

[訳注1] ヒープは「半順序木」とも呼ばれる木構造で、すべての要素が「親 ≧ 子」あるいは「親 ≦ 子」という関係にあります。

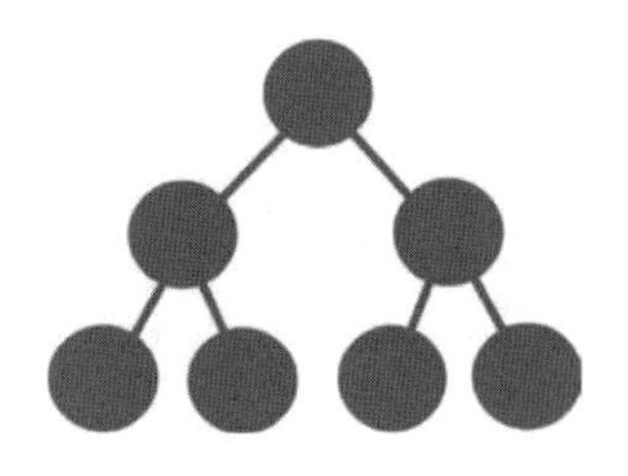

図15.1　二分木を使って二分ヒープを作る

二分ヒープには、最大ヒープと最小ヒープがあります。

最大ヒープは、親ノードの優先度がすべての子ノードよりも常に高いか同じで、根（root）ノードは1番高い優先度を持ちます。たとえば、**図15.2**は1、2、3、4、6、8と10の整数を持つ最大ヒープの例です。

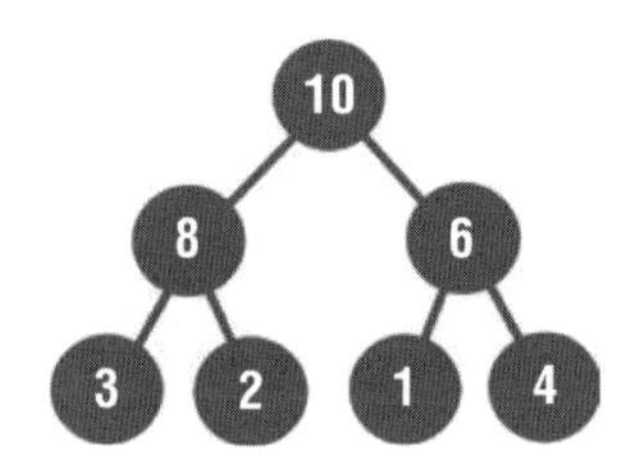

図15.2　最大ヒープは根ノードにもっとも高い優先度のノードを持つ

最小ヒープは、親ノードの優先度がすべての子ノードよりも常に低いか同じで、根ノードは1番低い優先度を持ちます。**図15.3**は、図15.2で見た最大ヒープと同じ整数を持つ最小ヒープを表しています。

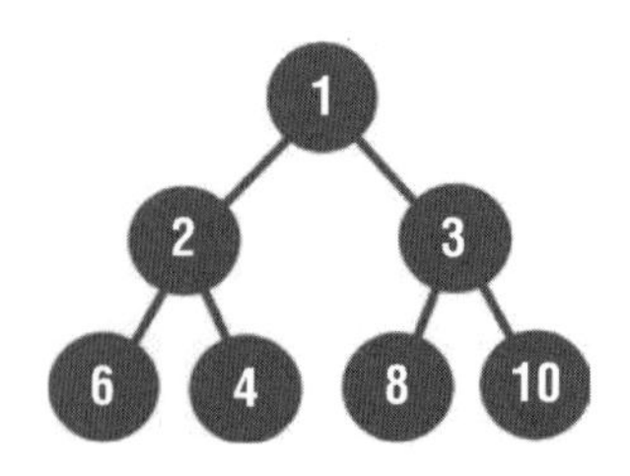

図15.3　最小ヒープは根ノードにもっとも低い優先度のノードを持つ

二分ヒープでは、順序づけは親ノードと子ノードの間にだけ適用されます。兄弟ノードは並べ替えません。図15.3を見れば分かるように、たとえば6と4など、兄弟ノードに順序はありません。

配列のようなデータ構造からヒープを作ることを**ヒープ化**と呼びます。たとえば、以下のようなソートされていないキーの配列があるとします。

```
["R", "C", "T", "H", "E", "D", "L"]
```

このデータを最小ヒープにヒープ化するためには、最初に各要素を1つずつ二分木のノードに追加します。木の1番上から始め、その下のレベル[訳注2]の左から右の順番で子ノードを埋めていきます（**図15.4**）。

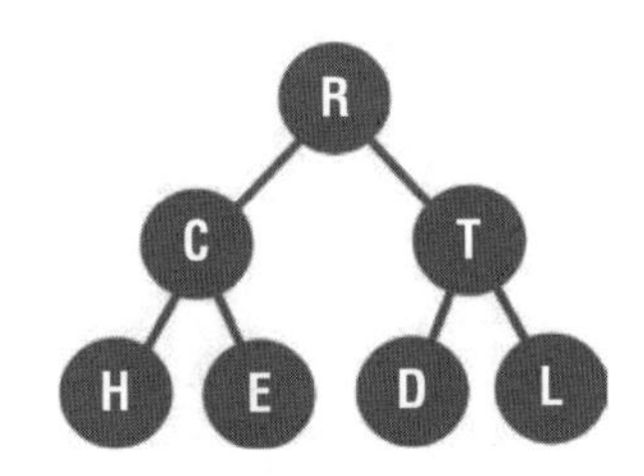

図15.4　配列をヒープ化した結果

続いて、ヒープのバランスを整えます。**ヒープのバランスを整える**というのは、順序がおかしくなっているキーを並べ替えることです。この場合、最後の親ノード（T）から始め、その子ノード（D、L）と比較します。もしも子ノードのどれかの値が親ノードの値よりも小さい場合、親ノードと交換します（**図15.5**）。

［訳注2］　第14章で学んだように、レベルとは、根ノードから特定の「深さ」（depth）にあるノードすべての総称です。根ノードから数えますので、根ノードはレベル0、その1段下の深さにあるノードはレベル1、その1段下はレベル2となります。

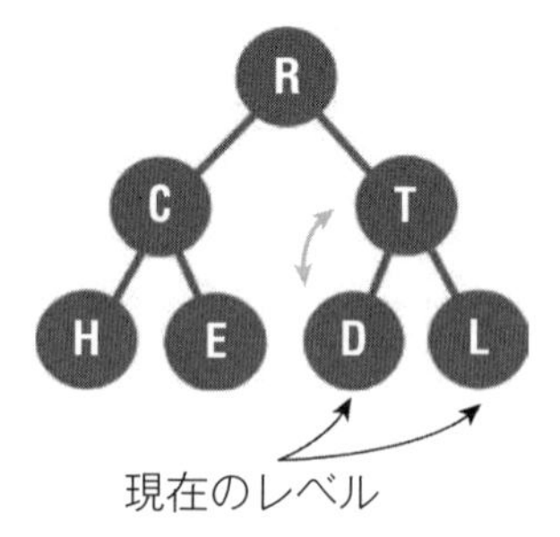

図15.5　ヒープのバランスを整えるために値を交換する

この場合、Dが3つのノード（T、DとL）の中で1番小さい値なので、親ノードと交換します（**図15.6**）。

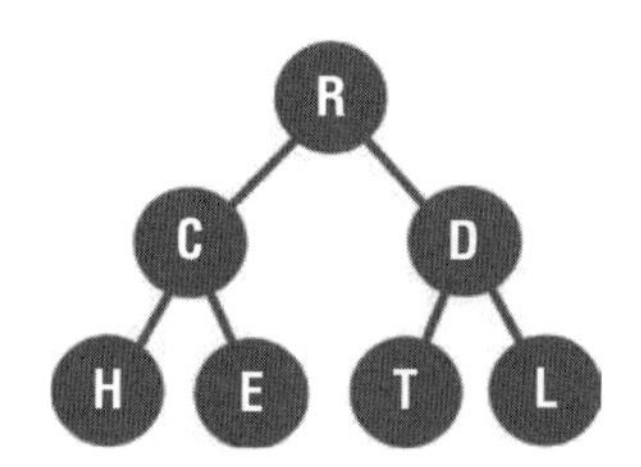

図15.6　DとTの交換が、ヒープのバランスを整えることの最初の一歩

次に、最後から2番目の親ノードとその子ノード（C、HとE）に注目します。CがHとEの上にありますので、この左側の木ではなんの交換も行いません（**図15.7**）。

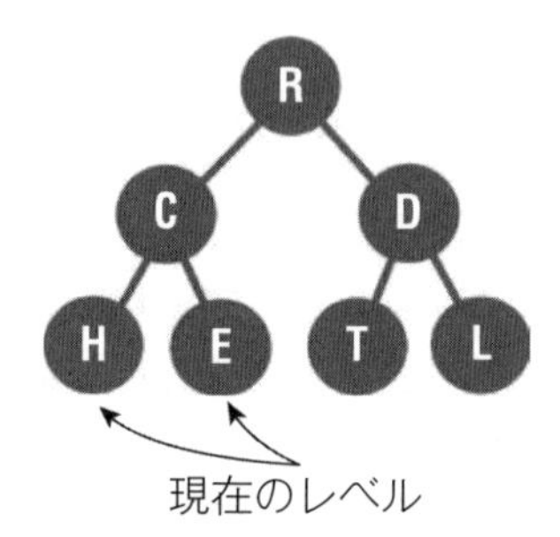

図15.7　ヒープの左側はすでにバランスが取れている

今度は、1つ上のレベルに注目し、ノード（R）とその子ノード（C、D）で比較します（**図15.8**）。R、C、Dのノードの中でCが1番低い値なので、CとRを交換します（**図15.9**）。

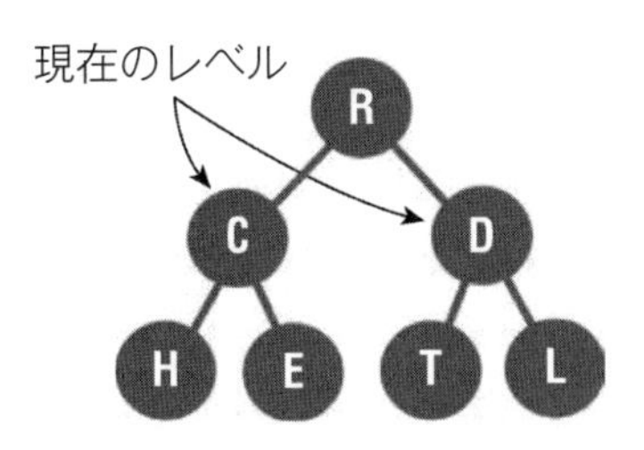

図15.8　次のレベルで木のバランスを整える

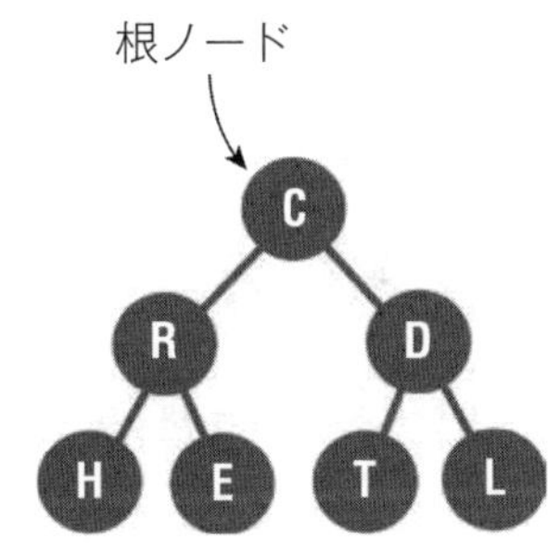

図15.9　Cが根ノードになる

今度は、上から移動してきたRノードとその下の子ノードを比較していきます。

もしもRノードが子ノードよりも大きな値なら子ノードと交換し、さらに、その下の子ノードと比較していきます。

この工程を、Rが比較対象の子ノードよりも1番小さな値になるか、ヒープの1番下のレベルまで到達するまで続けます。EはRよりも上にくるので、この2つを交換します（**図15.10**）。

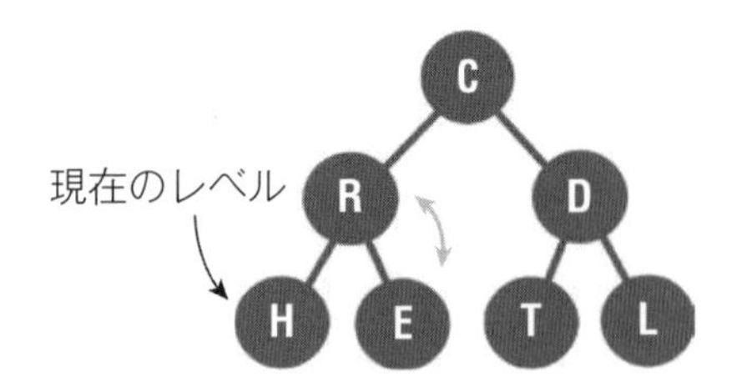

図15.10　Rノードが、子ノードよりも1番小さな値になるか、ヒープの1番下に到達するまで、木の中を滴り落ちていく様子

これでヒープのバランスが整いました（**図15.11**）。

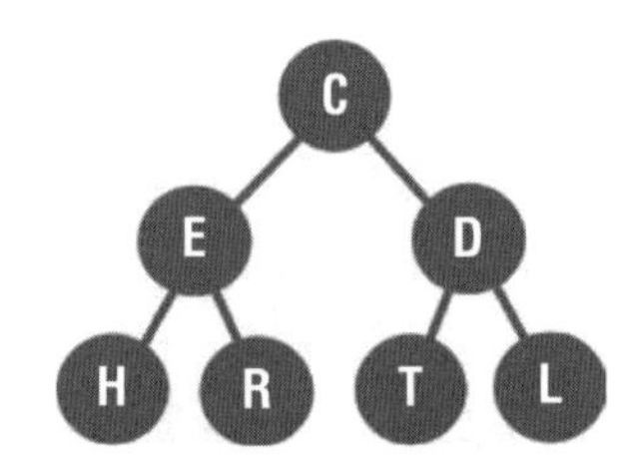

図15.11　バランスが整ったヒープ

ヒープは、配列に保存されることがあります。ノードが木のどこに位置するかに応じてキーをリストに配置することにより、Pythonのリストを使ってヒープを保存できます（**図15.12**）。

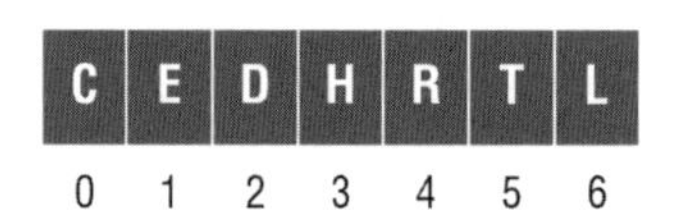

図15.12　木での位置関係に応じて、対応するインデックスにキーを配置した配列

リストでは、インデックスが0の位置にヒープの根ノードが置かれます。インデックスが1の位置に左側の子ノードが置かれ、インデックスが2の位置に右側の子ノードが置かれます。

子ノードのインデックスは、数学的に表現できます。任意のノード k において、その左側の子ノードのインデックスは2k + 1 、右側の子ノードのインデックスは2k + 2 です。たとえば、インデックスが0であるCノードの右側の子ノードを特定するには、2 × 0 + 2 ですので、結果は2です。つまり、右側の子ノードは、インデックスが2の位置にあることが分かります（**図15.13**）。

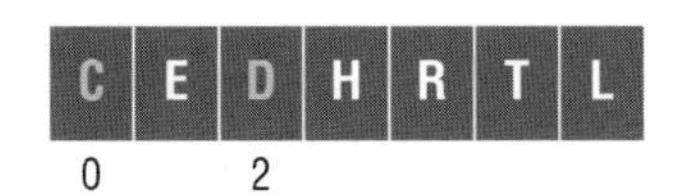

図15.13　根ノードの右側の子ノードは、インデックスが2の位置にある

二分ヒープをいつ使うのか

最大ヒープで最大値（最小ヒープの場合は最小値）を特定するのは、定数時間 $O(1)$ でできます。しかし、最小ヒープで最小値を削除すること、もしくは最大ヒープで最大値を削除することは、対数時間 $O(\log n)$ になります。これは、その要素を削除した後、残りのノードのバランスを整えないといけないからです。ヒープ内に要素を挿入するのも対数時間ですが、データを探索するのは、線形時間 $O(n)$ です。

ヒープは、優先度に基づいてタスクを実行しなくてはいけないときに役に立ちます。たとえば、オペレーティングシステムでは、さまざまなタスクを管理し、タスクの優先度に応じてコンピューターリソースを配分するとき、ヒープを使います。グラフ内の2つのノードのもっとも短い距離を特定するためのダイクストラ法を実装するときにも、ヒープが使えます。ダイクストラ法は詳しくは第16章で学ぶように、ある都市から別の都市への経路を決めたり、コンピューターネットワークの経路を制御するときなど、さまざまな経路問題を解く際に役立ちます。また、ヒープソートと呼ばれるソートアルゴリズムでも、ヒープを使います。

ヒープを作成する

Pythonには、最小ヒープを簡単に作れるPython組み込みの heapq モジュールがあります。その関数を使った簡単なプログラムを以下に示します。このプログラムでは、7つの要素を持つリストをヒープ化するために、heapqのheapify関数を使います。

```
1  from heapq import heapify
2
3  a_list = ['R', 'C', 'T', 'H', 'E', 'D', 'L']
4  heapify(a_list)
5  print(a_list)
```

```
>> ['C', 'E', 'D', 'H', 'R', 'T', 'L']
```

この例では、最初にheapqモジュールのheapify関数をインポートします。次に、heapify関数にリストを渡します。ヒープ化されたリストの出力を見ると、最小ヒープがPythonのリストとして保存されたことが分かります。

ヒープから根ノードのキーを取り除き、残ったヒープのバランスを整えるために、heapqモジュールのheappop関数が使えます。以下の例では、先ほどの例に追記して、根ノードを取り除き、残ったキーでバランスを整えています[訳注3]。

```
1  from heapq import heapify, heappop
2
3  a_list = ['R', 'C', 'T', 'H', 'E', 'D', 'L']
4  heap = heapify(a_list)
5  print(a_list)
6  heappop(a_list)
7  print("After popping")
8  print(a_list)
```

```
>> ['C', 'E', 'D', 'H', 'R', 'T', 'L']
>> After popping
>> ['D', 'E', 'L', 'H', 'R', 'T']
```

[訳注3] heappop関数は配列先頭の値を返し、配列末尾の値を空席になった配列先頭に移動した後、図15.5以降で説明したようにバランスを整えます。

では、このコードを細かく見ていきましょう。まず、heapq から heapify 関数と heappop 関数の両方をインポートします。

```
1  from heapq import heapify, heappop
```

先ほどの例と同じで、heapify 関数にリストを渡してリストをヒープ化し、結果を出力します。

```
3  a_list = ['R', 'C', 'T', 'H', 'E', 'D', 'L']
4  heap = heapify(a_list)
5  print(a_list)
```

次に、heappop 関数を使って、ヒープから最小の要素を取り出し、結果を出力します。根ノードCがなくなり、残りの要素でヒープのバランスが整っていることが分かります。

```
6  heappop(a_list)
7  print("After popping")
8  print(a_list)
```

```
>> ['C', 'E', 'D', 'H', 'R', 'T', 'L']
>> After popping
>> ['D', 'E', 'L', 'H', 'R', 'T']
```

while ループを使って、ヒープからすべての要素を取り除くこともできます。以下のように、ヒープを作り、そのキーを取り除いていきます。

```
1  from heapq import heapify, heappop
2
3  a_list = ['D', 'E', 'L', 'H', 'R', 'T']
4  heapify(a_list)
5  while a_list:
6      print(heappop(a_list))
```

ここでは、まず、ヒープを作ります。

```
3  a_list = ['D', 'E', 'L', 'H', 'R', 'T']
4  heapify(a_list)
```

その後に、while ループですべてのキーを取り除いていきます。

```
5  while a_list:
6      print(heappop(a_list))
```

heapq モジュールには、ヒープに最後の要素としてキーを挿入し、バランスを整える heappush という関数もあります。以下が、heappush を用いてヒープにキーを挿入した例です。

```
1  from heapq import heapify, heappush
2
3  a_list = ['D', 'E', 'L', 'H', 'R', 'T']
4  heapify(a_list)
5  heappush(a_list, "Z")
6  print(a_list)
```

```
>> ['D', 'E', 'L', 'H', 'R', 'T', 'Z']
```

Pythonは最小ヒープを作るための組み込み関数のみを提供していますが、ヒープの要素が数字であれば、各々の数値に－1を掛けて簡単に最大ヒープを作れます。文字列の最大ヒープを作るには、文字だけでなく優先度を持たせる必要があります（以下の訳注コラムを参照）。heapq モジュールの関数は、優先度と値のタプルを扱えます。値には何を持たせてもかまいません。ダイクストラ法の実装で二分ヒープを利用する方法は、次章で紹介します。

訳注コラム：文字列の最大ヒープをタプルで作る

最小ヒープと条件が逆になるように、優先度を文字コードのマイナス値とします。

```
1  a = [(-ord(c), c) for c in "RCTHEDL"]
2  print(a)
```

```
>> [(-82, 'R'), (-67, 'C'), (-84, 'T'), (-72, 'H'),
(-69, 'E'), (-68, 'D'), (-76, 'L')]
```

これをヒープ化するために、heapify に指定します。

```
3  heapify(a)
4  print(a)
```

```
>> [(-84, 'T'), (-72, 'H'), (-82, 'R'), (-67, 'C'),
(-69, 'E'), (-68, 'D'), (-76, 'L')]
```

そして、heappop 関数でヒープの先頭から値の最小値（一番大きい文字）を取り出します。

```
5  print(heappop(a))
```

```
>> (-84, 'T')
```

```
6  print(a)
```

```
>> [(-82, 'R'), (-72, 'H'), (-76, 'L'), (-67, 'C'),
(-69, 'E'), (-68, 'D')]
```

最小の費用でロープをつなぐ

ヒープは、日常のプログラミングで遭遇する多くの問題を解決する際にも重宝しますし、技術面接に出てくるような問題でも非常に効果的です。たとえば、技術面接では次のような問題を尋ねられることがあります。

「それぞれ違う長さの複数のロープが入ったリストを渡され、費用が1番安くなるように2本ずつつなぎ、すべてのロープをつないでください。その際、2本のロープをつないだときの費用はその2本の長さの和で、総費用はロープ全部をつないだときの和と考えます」

具体例として、以下のようなリストを渡されたとします。

```
[5, 4, 2, 8]
```

8と2をつなぐと10になり、これを4とつなぎます。これで14になります。その14と5をつなぎます。これらの総和は43になります。これは以下のように表せます。

```
[5, 4, 2, 8]  # 2 + 8 = 10
[5, 4, 10]    # 4 + 10 = 14
[5, 14]       # 5 + 14 = 19
              # 10 + 14 + 19 = 43
```

ロープをつなぐ順番を変えると、違う結果になります。最小の費用という正しい答えを得るには、毎回、1番目に安いロープと2番目に安いロープをつなぐ必要があります。以下のような工程です。

```
[5, 4, 2, 8]  # 4 + 2 = 6
[5, 8, 6]     # 5 + 6 = 11
[8, 11]       # 8 + 11 = 19
              # 6 + 11 + 19 = 36
```

このアプローチでこの問題を解くと、36になり、この問題が求めている結果が得られます。

最小ヒープを使って、この問題を解く関数を書けます。以下が、その例です。

```
1  from heapq import heappush, heappop, heapify
2
3  def find_min_cost(ropes):
4      heapify(ropes)
5      cost = 0
6      while len(ropes) > 1:
7          sum = heappop(ropes) + heappop(ropes)
8          heappush(ropes, sum)
9          cost += sum
10     return cost
```

まず、ロープのリストを入力とするfind_min_cost関数の宣言を行います。

```
3  def find_min_cost(ropes):
```

次に、ropesリストをheapifyを使った最小ヒープにヒープ化します。ロープ全部をつないだときの総費用を記録するためにcost変数を用意します。

```
4      heapify(ropes)
5      cost = 0
```

次に、ropesリストの長さが2以上あれば続くwhileループを用意します。

```
6      while len(ropes) > 1:
```

ループの中では、heappop関数を使ってヒープの中から2つの最小値を取り出して、その和を得ます。そして、heappushを使ってその和をヒープに入れ直します。足した値は残りのロープの中で最小ではなくなる可能性があるため、ヒープに戻すことで、次のループで最小の2つを手に入れられます。

最後に、cost変数に和を足し上げていきます。

```
7           sum = heappop(ropes) + heappop(ropes)
8           heappush(ropes, sum)
9           cost += sum
```

ループが終われば、costを結果として返します。

```
10      return cost
```

この変数には、ロープすべてをつないだときの最小の総費用が保存されているはずです。

```
print(find_min_cost([5, 4, 2, 8]))
```

```
>> 36
```

用語集

優先度付きキュー　各データが優先度を持つデータ構造を表す抽象データ型

ヒープ　各ノードが、値とその優先度の2つのデータを管理する、木構造に基づいたデータ構造

キー　ヒープのノードの値

二分ヒープ　二分木をデータ構造として使うヒープ

最大ヒープ　親ノードの優先度がすべての子ノードよりも常に高いか同じで、根ノードは1番高い優先度を持つヒープ

最小ヒープ　親ノードの優先度がすべての子ノードよりも常に低いか同じで、根ノードは1番低い優先度を持つヒープ

ヒープ化　配列のようなデータ構造からヒープを作ること

ヒープのバランスを整える　順序がおかしくなってしまったキーを並べ替えること

チャレンジ

1. 次の条件を満たす関数を書こう。引数に二分木を受け取り、それが最小ヒープなら True を返そう。そうでなければ False を返そう。

第16章

グラフ

プログラミングを学ぶことは、どんな職業に就いてもあなたの将来に大きなプラスとなるだろう。そして、とってもクールなことなんだ！

——マックス・レヴチン（Max Levchin）PayPal 共同設立者、元CTO

グラフは、1つ以上のデータ同士が接続する抽象データ型です。グラフ内の各データは、**頂点**（Vertex）またはノードと呼びます。頂点は、キーと呼ばれる名前と**ペイロード**と呼ばれる追加データを持ちます。グラフの頂点と頂点のつながりを**辺**（Edge）と呼びます。

グラフの辺には、頂点間の移動にかかるコストを表す**重み**を設定できます。たとえば、地図データを表すグラフを作った場合、各頂点は都市となり、2つの頂点間の重みは距離となります（**図16.1**）。

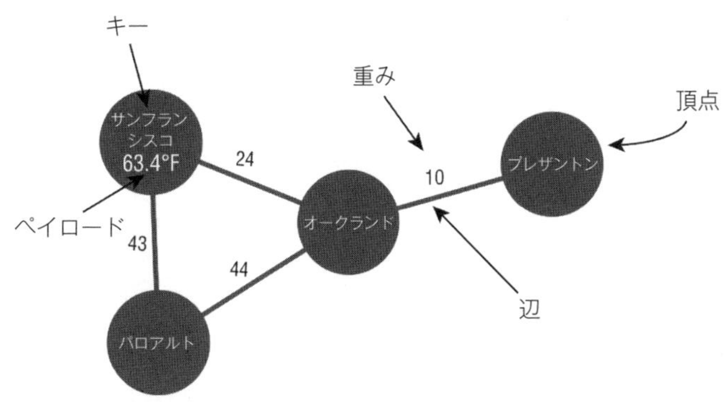

図16.1　グラフにはキーとペイロードを持つ頂点と、重みを持つ辺が含まれる

グラフには、有向グラフ、無向グラフ、完全グラフなどいくつかの種類があります。

有向グラフは各辺に方向があり、2つの頂点間をその方向にだけ移動できるグラフです。2つの頂点間の接続は通常一方通行ですが、双方向にもできます。有向グラフは、フォロワーがいるSNS（Twitterなど）を表すグラフに適しています。たとえば、Twitterであなたがレブロン・ジェームズ[訳注1]をフォローしていて、彼があなたをフォローしていないことを有向グラフで表現できます。有向グラフを描くときは通常、移動できる方向を示す矢印で辺を表します（**図16.2**）。

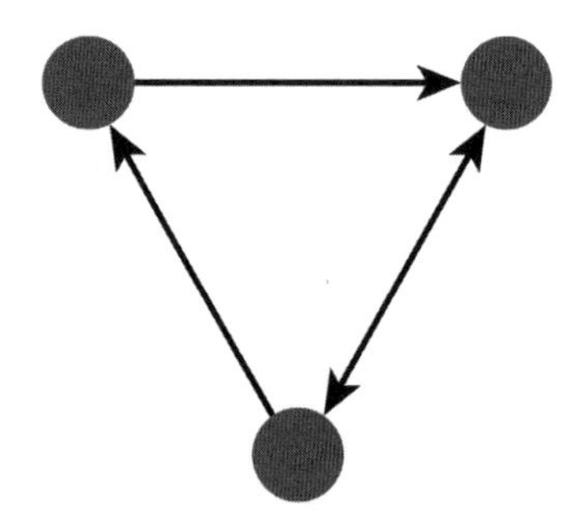

図16.2　有向グラフは特定の方向に移動する

無向グラフはすべての辺が双方向のグラフで、接続している2つの頂点の間をどちらの方向にも移動できます。これは、FacebookなどのSNSにおける友だち同士の関係のように、双方向のつながりと考えられます。たとえば、ローガンがハドリーとFacebookで友だちであれば、ハドリーもローガンの友だちです。無向グラフを描くときは矢印なしで辺を描きます（**図16.3**）。

[訳注1]　レブロン・ジェームズは、アメリカのプロバスケットボール選手です。フォロワー数は5千万以上もいます。

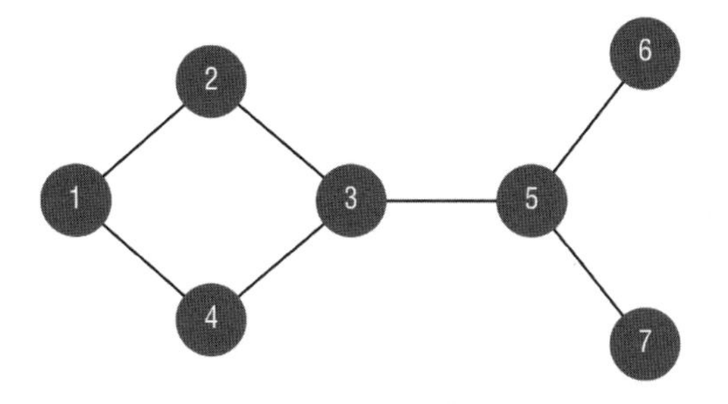

図16.3　無向グラフはどちらの方向にも移動できる

完全グラフは、すべての頂点がほかのすべての頂点に接続されているグラフです（**図16.4**）。

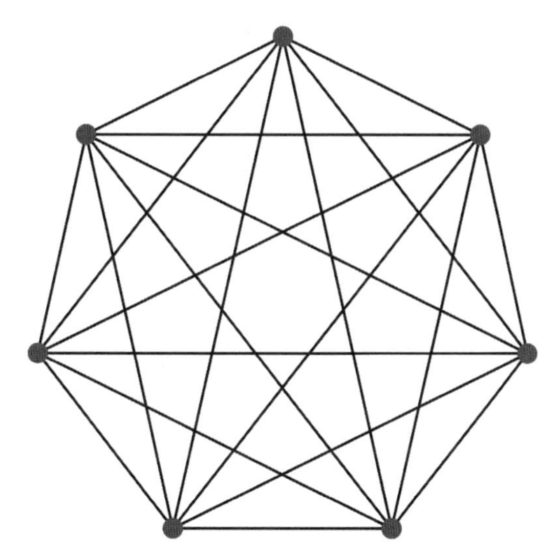

図16.4　完全グラフはすべての頂点間が接続されている

不完全グラフは、いくつかの頂点は接続されていますが、すべては接続されていません（**図16.5**）。

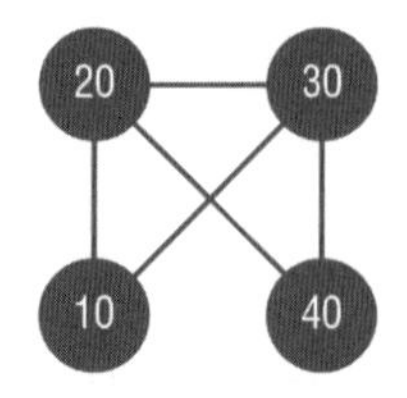

図16.5　不完全グラフはいくつかの接続された頂点を持つ

グラフの**経路**（Path）は、辺でつながっている頂点の列です（**図16.6**）。たとえば、ある都市を表すグラフがあるとします。ロサンゼルスとサンフランシスコを結ぶ経路は、ロサンゼルスからサンフランシスコへ移動するために使える辺（ここでは道の意味）の並びにある頂点の列です。

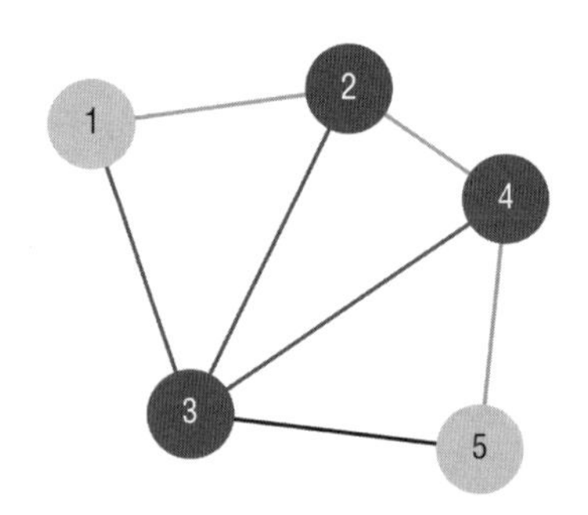

図16.6　経路は辺でつながっている頂点の列であり、特定の順序がある

巡回[訳注2]は、始点と終点が同じ頂点になるグラフの経路です（**図16.7**）。この巡回を含まないグラフを**非巡回グラフ**と呼びます。

[訳注2]「巡回」はすべての頂点を一筆書きで巡り始点に戻ってくることを指します。第10章で紹介した、経路の一部が環になっている「循環」とは異なります。

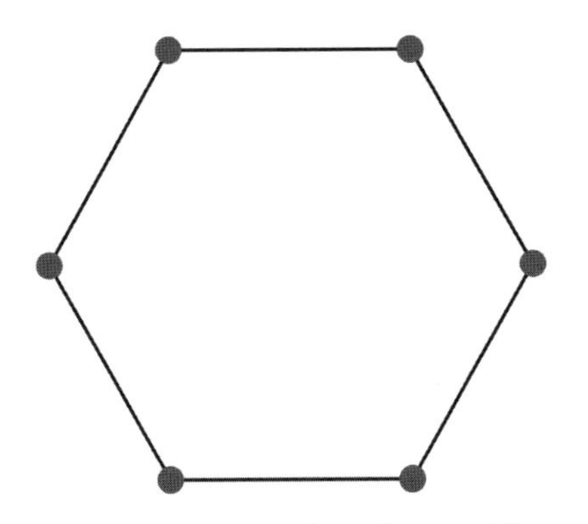

図16.7　巡回を含むグラフの例

多くの概念が木構造で説明した概念と似ていて、なじみがあると思います。木はグラフの制限版です。木はノード間に親子関係という方向を持ち、巡回を持たないため、有向非巡回グラフの一種と考えられます。木には「子は親を1つしか持てない」という特有の制約もあります。

プログラムでグラフを実装するには、いくつかの方法があります。たとえば、辺リスト、隣接行列、隣接リストといったデータ構造が使えます。

辺リストは、2つの頂点で辺を表し、そのペアのリストでグラフの各辺を表現するデータ構造です。たとえば、**図16.8**のように4つの頂点を持つグラフがあるとします。

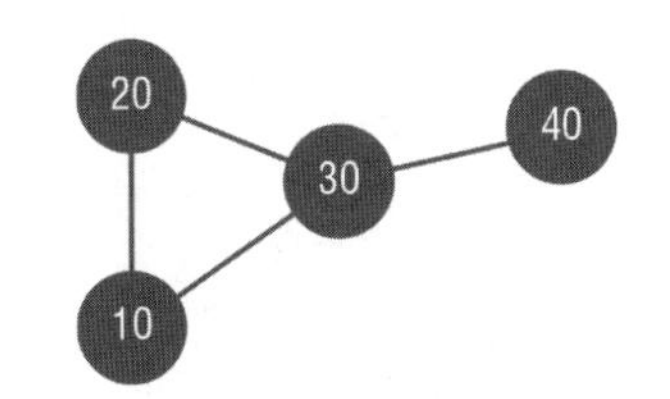

図16.8　4つの頂点を持つグラフ

辺リストで表現すると以下のようになります。

```
[
    [10, 20],
    [10, 30],
    [20, 10],
    [20, 30],
    [30, 10],
    [30, 20],
    [30, 40],
    [40, 30],
]
```

この辺リストは、リストの中にリストがある2重リストという構造で、各リストは接続する2つの頂点を持っています。

隣接行列でもグラフを表現できます。**隣接行列**は、グラフの頂点を行と列に持つ2次元配列で、行と列の交点を用いて辺を表現します。通常は、接続する頂点を「1」で、接続しない頂点を「0」で表します。2つの頂点が接続しているとき、それらは**隣接**しているといいます。**図16.9**は、図16.8のグラフを隣接行列で表現しています。

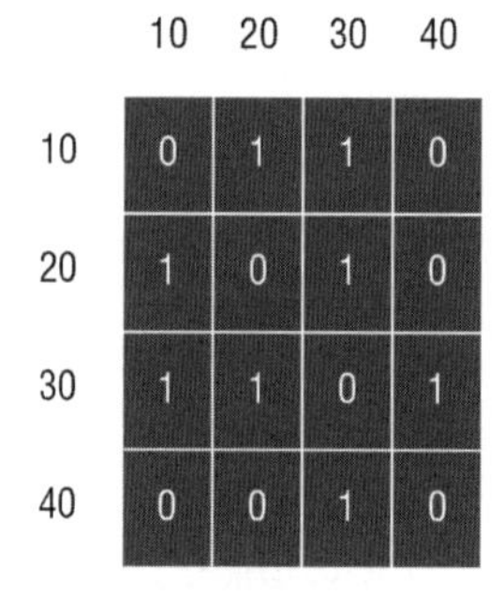

	10	20	30	40
10	0	1	1	0
20	1	0	1	0
30	1	1	0	1
40	0	0	1	0

図16.9　図16.8のグラフを隣接行列で表現する

隣接行列の問題点として、空のセル、つまり値が0のセルが大量にできる可能性があります。この例では、8つの空のセルがありますが、大きなグラフでは大量の空のセルを持つことになります。その分コンピューターのメモリーを消費するため、データの格納方法としてはあまり効率的ではありません。

隣接リストでもグラフを表現できます。**隣接リスト**は順序がないリストの集合で、各リストはある頂点からの接続先を表します。図16.8のグラフを隣接リストで表現すると次のようになります。

```
{
    10: [20, 30],
    20: [10, 30],
    30: [10, 20, 40],
    40: [30],
}
```

この場合は頂点10は20と30に、頂点20は10と30に接続しています。

グラフをいつ使うのか

ここまで見てきたとおり、グラフにはさまざまな実装方法があります。頂点と辺をグラフに追加する際の一般的なオーダーは $O(1)$ です。グラフのほかのアルゴリズム（検索や削除など）のオーダーは、実装方法や利用するデータ構造（配列、連結リスト、ハッシュテーブルなど）に依存します。

グラフは頂点と辺の2つのデータを扱うため、グラフに対する操作のパフォーマンスは、基本的に頂点数、辺数、その組み合わせに依存します。

グラフはさまざまな場面で役に立ちます。たとえば、InstagramやTwitterなどのSNS企業のソフトウェアエンジニアは、人々とその関係を表すためにグラフを使っています。グラフを使ってネットワークを構築することもあります。よくあるのは、デバイスを頂点、デバイス間のネットワーク接続を辺で表す使い方です。

地図をグラフで表現することもあります。各頂点を都市や目的地、辺をその目的地までの道路やバス路線、航空路に見立てます。そして、このグラフを使って目的地までの最短経路を見つけられます。

これらのほかにも、グラフの頂点や辺を利用して2次元や3次元の図形の点、線、面を表現できるため、CG（コンピューターグラフィックス）の分野でも役立っています（**図16.10**）。

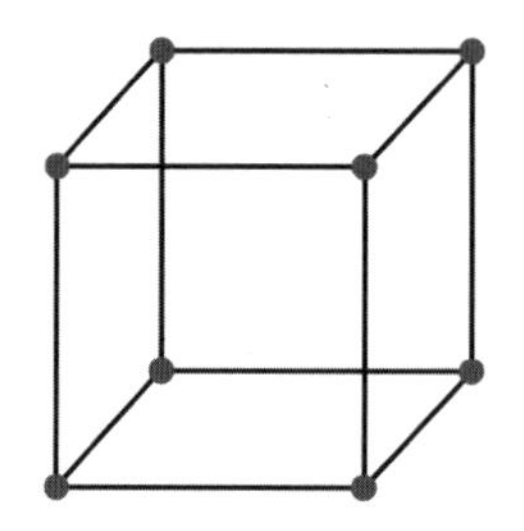

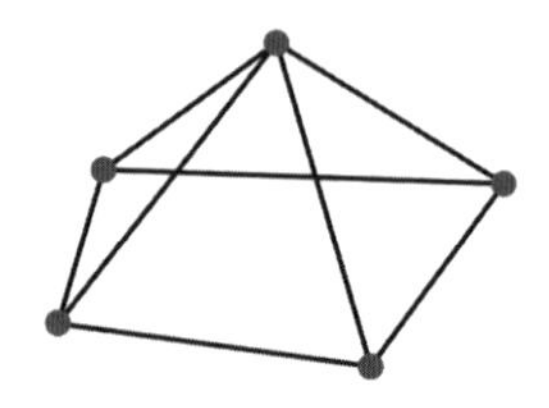

図16.10　グラフは3次元の図形を表現できる

検索エンジンのアルゴリズムではよく、検索キーワードと検索結果の結びつきをグラフで扱い、これに基づいて検索順位を決定します。OSやプログラミング言語のシステムでも、メモリー管理にはグラフが使われています。

グラフを作成する

次のコードは、Pythonで隣接リストを実装する方法です。

```
1  class Vertex:
2  
3      def __init__(self, key):
4          self.key = key
5          self.connections = {}
6  
7      def add_adj(self, vertex, weight=0):
8          self.connections[vertex] = weight
9  
10     def get_connections(self):
11         return self.connections.keys()
12 
13     def get_weight(self, vertex):
14         return self.connections[vertex]
15 
16 
```

```
17  class Graph:
18
19      def __init__(self):
20          self.vertex_dict = {}
21
22      def add_vertex(self, key):
23          new_vertex = Vertex(key)
24          self.vertex_dict[key] = new_vertex
25
26      def get_vertex(self, key):
27          if key in self.vertex_dict:
28              return self.vertex_dict[key]
29          return None
30
31      def add_edge(self, f, t, weight=0):
32          if f not in self.vertex_dict:
33              self.add_vertex(f)
34          if t not in self.vertex_dict:
35              self.add_vertex(t)
36          self.vertex_dict[f].add_adj(self.vertex_dict[t],
    weight)
```

まず、連結リストを作ったときのノードのように、頂点クラスを定義します。

```
1  class Vertex:
2
3      def __init__(self, key):
4          self.key = key
5          self.connections = {}
6
7      def add_adj(self, vertex, weight=0):
8          self.connections[vertex] = weight
```

Vertex クラスは、self.key と self.connections という2つのインスタンス変数を持っています。最初の key は頂点のキーを表し、2番目の connections は、各頂点が隣接する頂点とその重みを格納する辞書です。

```
3      def __init__(self, key):
4          self.key = key
5          self.connections = {}
```

Vertex クラスには add_adj というメソッドがあります。このメソッドは、引数として頂点を受け取り、メソッドのインスタンスと引数の頂点を隣接させるために self.connections に追加します。頂点間に重みをつけたい場合、引数に重みも指定できます。

```
7      def add_adj(self, vertex, weight=0):
8          self.connections[vertex] = weight
```

次に Graph クラスを定義します。Graph は各グラフの頂点を格納するためのインスタンス変数 self.vertex_dict を持っています。

```
17  class Graph:
18
19      def __init__(self):
20          self.vertex_dict = {}
```

add_vertex メソッドは、グラフに新しい頂点を追加します。まず頂点を作成し、引数として渡された key をキーとして self.vertex_dict に新しい頂点を保存します。

```
22      def add_vertex(self, key):
23          new_vertex = Vertex(key)
24          self.vertex_dict[key] = new_vertex
```

次に get_vertex メソッドは、引数として key を受け取り、self.vertex_dict をチェックして、key に対応する頂点があれば、その頂点を返します[訳注3]。

```
26      def get_vertex(self, key):
27          if key in self.vertex_dict:
28              return self.vertex_dict[key]
29          return None
```

最後は add_edge メソッドです。このメソッドは2つの頂点間に辺を追加します。

```
31      def add_edge(self, f, t, weight=0):
32          if f not in self.vertex_dict:
33              self.add_vertex(f)
34          if t not in self.vertex_dict:
35              self.add_vertex(t)
36          self.vertex_dict[f].add_adj(self.vertex_dict[t],
    weight)
```

これで次のようにグラフを作成し、頂点を追加できます[訳注4]。

```
graph = Graph()
graph.add_vertex("A")
graph.add_vertex("B")
graph.add_vertex("C")
graph.add_edge("A", "B", 1)
graph.add_edge("B", "C", 10)
vertex_a = graph.get_vertex("A")
vertex_b = graph.get_vertex("B")
```

この例ではシンプルにするために、2つの頂点が同じキーを持たないようにして

[訳注3] return self.vertex_dict.get(key) で同じ動作をシンプルに実装できます。
[訳注4] graph.add_edge メソッド内で頂点がなければ追加されるため、graph.add_vertex の呼び出しは省略できます。

います。

ダイクストラ法

グラフにある2つの頂点間の最短経路を求めることがよくあります。コンピューターサイエンスでもっとも有名なアルゴリズムの1つに、**ダイクストラ法**があります。このアルゴリズムを使って、グラフのある頂点から他のすべての頂点への最短経路を見つけられます。この方法は、有名なコンピューターサイエンティストのエドガー・ダイクストラが、ペンも紙も使わずに頭の中で、わずか20分で発明したものです[訳注5]。

ダイクストラ法のアルゴリズムは、次のように動作します。

まず、始点となる頂点を決めます。始点は、グラフ内の他のすべての頂点への最短経路を見つける開始地点です。たとえば、**図16.11**のようなグラフがあるとします。

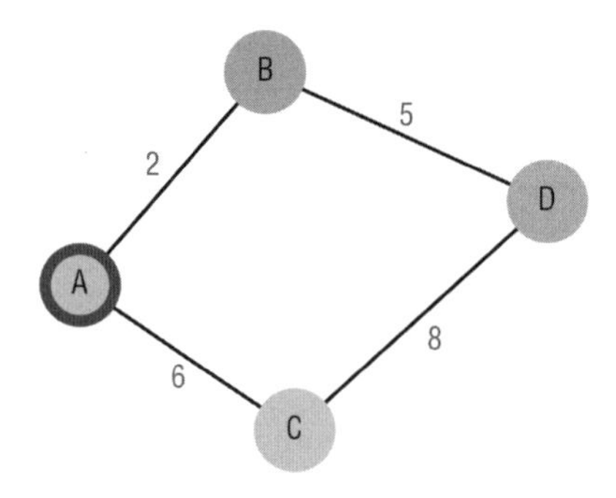

図16.11　4つの頂点を持つグラフ

Aを始点とする場合、プログラムを実行すると、グラフのすべての頂点と、始点Aから各頂点までの最短経路の辞書ができます。

［訳注5］ エドガー・ダイクストラ本人が2002年のACMのインタビュー（https://dl.acm.org/doi/10.1145/1787234.1787249）で話していたようです。

```
{
    "A": 0,
    "B": 2,
    "C": 6,
    "D": 7,
}
```

図16.11を見て分かるとおり、頂点A→B→Dの経路は7（2＋5）です。頂点A→C→Dの経路は14（6＋8）なので、AからDへの最短経路は小さいほうの7になります。

アルゴリズムを詳しく見ていきましょう。最初に始点から自身までの経路をゼロに設定し、ほかのすべての経路の長さを無限大に設定します（**図16.12**）。

距離：

A：0
B：∞
C：∞
D：∞

図16.12　始点自身への経路をゼロに、その他の経路を無限大に設定

アルゴリズムの鍵を握るのは、優先度付きキューの使用です。優先度付きキューを使ってグラフの幅優先探索を行い、始点から各頂点への距離を追跡します。先ほどのグラフ（図16.11）で、その仕組みを見ていきましょう。

最短経路は辞書に記録していきます。辞書のキーに各頂点を設定し、始点Aから自身への距離を0に、それ以外の頂点は距離を無限大に設定します（**図16.13**）。優先度付きキューには始点Aを追加します。この時点ではまだどの頂点も訪問していません。

頂点を訪問するには、優先度付きキューから頂点を取り出します。取り出した頂点への始点からの距離より近い経路がまだ見つかっていなければ、その頂点に隣接するすべての頂点に対して、始点からのより近い経路があるかを調べます。もし、より近い経路が見つかったら、その隣接する頂点を次の訪問先候補として優先度付きキューに入れます[訳注6]。

```
未訪問の頂点 {A, B, C, D}
優先度付きキュー [(0, A)]
距離 {
    A: 0,
    B: ∞,
    C: ∞,
    D: ∞,
}
```

図16.13　アルゴリズム開始直後のデータ構造

この時点（321ページの「補章2：アルゴリズムへの理解を深めるために―ダイクストラ法―」におけるステップ1に相当、以下同）では、優先度付きキューにある頂点は、(0, A）の1つだけです。キューから頂点を取り出し、これよりも距離が短い経路がすでに見つかっているか否かを確認します。優先度付きキューから取り出した頂点とその距離が、より短い経路ですでに見つかっていれば何もする必要はありません。

今回は、キューから取り出した頂点Aへの距離よりも短い経路はまだ見つかっていないため[訳注7]、頂点Aに隣接するすべての頂点について1つずつ処理していきます（補章2：ステップ1.1～1.2)。

それでは、隣接する頂点への始点からの距離を計算します。優先度付きキューから取得した距離と、隣接する頂点の重みを加算します。優先度付きキューは頂点と始点からの距離という2つの情報を保持しているため、処理が進んで始点からどれだけ離れても、優先度付きキューから取得した距離とその頂点から隣接する頂点の重みを足せば、隣接する頂点と始点との距離を簡単に計算できます。

もし、隣接する頂点と始点との距離がこれまでに見つけたどの距離よりも短ければ、新しい距離を辞書に追加し、隣接する頂点を優先度付きキューに入れます。

[訳注6]　この説明で理解するのは難しいかもしれません。その場合は、ぜひ「補章2：アルゴリズムへの理解を深めるために―ダイクストラ法―」の「ダイクストラ法の可視化」にあるコードでダイクストラ法のアルゴリズムが処理されていく様子を可視化して、1ステップずつ動かしながら本章を読み進めてみてください。

[訳注7]　短い経路がすでに見つかっていれば、「距離」のAには優先度付きキューから取り出したAの距離より小さい値が保存されているはずです。今回は同じ距離（0）のため処理を継続します。

今回の場合、頂点Aに隣接するBとCを優先度付きキューに入れ、その距離を辞書に追加します（**図16.14**）。

```
未訪問の頂点 {A̸, B, C, D}
優先度付きキュー [(2, B), (6, C)]
距離 {
    A: 0,
    B: 2,
    C: 6,
    D: ∞,
}
```

図16.14　頂点Aを訪問した後のデータ構造

次に優先度付きキューから取り出される頂点は、優先順位がもっとも高い、つまり始点からの最短経路となる頂点Bです（補章2：ステップ2）。頂点Bの始点からの距離は最短（辞書にある距離以下）なので、このままこの頂点を訪問します。頂点Bから隣接するすべての頂点への距離を計算し、すでに見つけている経路よりも短ければ見つかった距離で辞書を更新し、優先度付きキューに隣接する頂点を追加します。

今回は、Bから隣接する頂点Dの距離は辞書の値より短い経路となるため、辞書のDを7に更新し（補章2：ステップ2.2）、始点からDまでの距離を優先度付きキュー（**図16.15**）に追加します[訳注8]。

[訳注8]　ここでは、頂点BからAへの隣接がない有向グラフとして説明しています。仮に無向グラフであっても、Bより前に訪問しているAへの距離が辞書の値より小さくならないことは明らかでしょう。無向グラフでの例を「補章2：アルゴリズムへの理解を深めるために―ダイクストラ法―」で紹介しています。

未訪問の頂点 {~~A~~, ~~B~~, C, D}
優先度付きキュー [(6, C), (7, D)]
距離 {
    A: 0,
    B: 2,
    C: 6,
    D: 7,
}

図16.15 頂点Bを訪問した後のデータ構造

次に優先度付きキューから取り出される頂点は、優先度付きキュー内で始点からの最短経路を持つ頂点Cです（補章2：ステップ3）。Cが隣接する頂点Dをキューに追加していく処理（補章2：ステップ3.2）に移りますが、Cの経路にDの距離を足すと14となり、辞書にはDへのより短い経路（距離7）がすでに保存されているため、Dを再び優先度付きキューに追加することはありません（**図16.16**）。距離が長い経路を無視する、つまり長い経路で再訪問しないことがこのアルゴリズムを効率的にしています。

未訪問の頂点 {~~A~~, ~~B~~, ~~C~~, D}
優先度付きキュー [(7, D)]
距離 {
    A: 0,
    B: 2,
    C: 6,
    D: 7,
}

図16.16 頂点Cを訪問した後のデータ構造

頂点Dは他の頂点と隣接していないため[訳注9]、頂点Dを取り出せばアルゴリズム

[訳注9] 無向グラフであれば頂点DはBとCに隣接していますが、今回は有向グラフとして説明されています。

は終了です（**図16.17**）[訳注10]。

未訪問の頂点 {A̸, B̸, C̸, D̸}
優先度付きキュー []
距離 {
　A: 0,
　B: 2,
　C: 6,
　D: 7,
}

図16.17　頂点Dを訪問した後のデータ構造

次のコードは、Pythonでダイクストラ法を実装する例です。ここでは、本章の前半でコーディングした`Graph`クラスではなく、ネストした辞書でグラフを表します[訳注11]。

[訳注10] 次に優先度付きキューから取り出される頂点はDですが、頂点Dから隣接するより短い経路の頂点がなく、キューへ追加する頂点がありません。これでキューが空になり、アルゴリズムが終了します。

[訳注11] `graph`には「Aを始点とする」ことを前提としたデータだけを定義しています。このため`dijkstra`関数にA以外の頂点を指定しても正しい結果を得られません。図16.11にあるような無向グラフでの例を「補章2：アルゴリズムへの理解を深めるために—ダイクストラ法—」で紹介しています。

```
1  import heapq
2
3
4  def dijkstra(graph, starting_vertex):
5      distances = {vertex: float('infinity') for vertex in
   graph}
6      distances[starting_vertex] = 0
7      pq = [(0, starting_vertex)]
8
9      while len(pq) > 0:
10         current_distance, current_vertex = heapq.heappop
   (pq)
11         if current_distance > distances[current_vertex]:
12             continue
13
14         for neighbor, weight in graph[current_vertex].
   items():
15             distance = current_distance + weight
16             if distance < distances[neighbor]:
17                 distances[neighbor] = distance
18                 heapq.heappush(pq, (distance, neighbor))
19     return distances
20
21
22 graph = {
23     'A': {'B': 2, 'C': 6},
24     'B': {'D': 5},
25     'C': {'D': 8},
26     'D': {},
27 }
```

まず、heapq をインポートします。これは、ヒープを優先度付きキューとして使用するためです。dijkstra 関数は、始点からの最短経路を含む辞書を返します。

この関数はグラフと最短経路を求めたい頂点の2つの引数を受け取ります。

```
1  import heapq
2
3
4  def dijkstra(graph, starting_vertex):
```

この実装では、次のような隣接リストを渡します。

```
22  graph = {
23      'A': {'B': 2, 'C': 6},
24      'B': {'D': 5},
25      'C': {'D': 8},
26      'D': {},
27  }
```

dijkstra 関数を呼び出すとき、グラフと始点を表す文字列を下記のように渡します。

```
dijkstra(graph, 'A')
```

始点は、グラフ内の頂点でなければなりません。関数の中では、distances という名前の辞書を作成し、始点からグラフ内のほかの各頂点までの経路を保持します。処理の最後には、この辞書には始点からほかのすべての頂点への最短経路が含まれることになります。リスト内包表記と似ている辞書内包表記を利用して辞書を作成します。

内包表記の中では、各頂点の距離を数値の無限大を表す float('infinity') に設定します。各頂点にinfinityを設定するのは、経路の距離を比較するとき、最初は経路が未知数であるためです。この「未知数」を表現するためにinfinityを使っています。

```
5      distances = {vertex: float('infinity') for vertex in
   graph}
```

グラフを表す辞書をdijkstra関数に渡すと、先ほどのコードでは以下のような辞書が作られます。

```
{'A': inf, 'B': inf, 'C': inf, 'D': inf}
```

次に、始点とそれ自身との距離はゼロなので、ゼロを設定します。

```
6    distances[starting_vertex] = 0
```

次に、始点とその距離0を保持するリストを作成します。リストは優先度付きキューとして利用します。

```
7        pq = [(0, starting_vertex)]
```

続いて、優先度の高い頂点を訪問します。whileループを使い、優先度付きキューに頂点が残っているかぎり処理を繰り返します。このwhileループでグラフのすべての頂点を訪問します。

```
9        while len(pq) > 0:
```

whileループ内では、始点からの距離と現在の頂点を優先度付きキューから取り出し、current_distanceとcurrent_vertexに格納します。現在の頂点は、優先度付きキュー内で始点からの距離が最短の頂点です。今回の実装では優先度付きキューに最小ヒープを使っているため、キューから取り出す新しい頂点は自動的に最短距離の頂点となります。

```
10            current_distance, current_vertex = heapq.heappop
    (pq)
```

ある頂点を処理するのは、その頂点から始点までのより短い経路がまだ見つかっていない場合のみです。そのため、次に始点からの現在の距離がdistances辞書に記録してある距離よりも大きいかどうかを確認します。

大きい場合は、すでに短い経路を記録しているのでその経路を無視します。無視した場合は continue を使って while ループの先頭に戻り、次の頂点に処理を進めます。

```
11          if current_distance > distances[current_vertex]:
12              continue
```

current_distance が distances[current_vertex] よりも大きくない場合、つまり短い、あるいは等しい場合には、現在の頂点に隣接するすべての頂点を繰り返し処理します。

```
14          for neighbor, weight in graph[current_vertex].
    items():
```

隣接する各頂点について、その重みに current_distance を加えて、始点からの距離を計算します。この計算は current_distance が、始点から現在の頂点までの距離を表しているからできることです。weight は、隣接する頂点が現在の頂点からどれだけ離れているかを表すので、これらを足すと始点からの距離が得られます。

```
15              distance = current_distance + weight
```

次に、隣接する頂点に対して新たに見つかった経路が distances 辞書にあるその頂点の経路よりも短いかどうかを確認します。もし短いなら、新しい経路で辞書を更新します。そして、新しい距離と頂点を優先度付きキューに入れ、後でその頂点を訪問できるようにします。

```
16              if distance < distances[neighbor]:
17                  distances[neighbor] = distance
18                  heapq.heappush(pq, (distance, neighbor))
```

すべての頂点を探索し終えるとwhileループが終わり、distances にはグラフ内の始点からほかのすべての頂点までの最短経路が含まれます。後は distances

を結果として返すだけです。

```
19        return distances
```

実際にこれらのコードを動かすと以下のようになります。

```
print(dijkstra(graph, 'A'))
```

```
>> {'A': 0, 'B': 2, 'C': 6, 'D': 7}
```

用語集

グラフ 1つ以上のデータ同士が接続する抽象データ型
頂点 グラフを構成するデータ
ペイロード 頂点が名前とは別に持つ追加データ
辺 グラフの頂点と頂点のつながり
重み 頂点間の移動にかかるコスト
有向グラフ 各辺に方向性があり、2つの頂点間をその方向にのみ移動できるグラフ
無向グラフ すべての辺が双方向で、接続している2つの頂点の間をどちらの方向にも移動できるグラフ
完全グラフ すべての頂点が他のすべての頂点に接続するグラフ
不完全グラフ いくつかの頂点は接続されているが、すべては接続されていないグラフ
経路 辺で結ばれた頂点の列
巡回 グラフの中で、始まりと終わりが同じ頂点になる経路のこと
非巡回グラフ 巡回を含まないグラフ
辺リスト グラフの各辺を、接続する2つの頂点で表現するデータ構造
隣接行列 グラフの頂点を含む、行と列の2次元配列
隣接 グラフの中の2つ以上の頂点が接続している状態のこと
隣接リスト 順不同のリストの集合で、各リストは1つの頂点の接続を表す
ダイクストラ法 グラフのある頂点から他のすべての頂点への最短経路を求めるためのアルゴリズム

チャレンジ

1. ダイクストラ法のコードを変更して、始点から引数で渡した別の頂点までの経路だけを返そう。

第 17 章

独学伝：イーロン・マスク

イーロン・マスク（Elon Musk）は、テスラ、スペースX、ペイパルの創始者として知られ、業界に革命を起こしてきました。今でこそ大金持ちの起業家ですが、小さなころはただ単に自分でビデオゲームを作りたいと思っていたようです。独学プログラマーのイーロン・マスクは、ゲームで遊んでいた子ども時代からどのように億万長者になったのでしょうか。本章では「マスクの人生勉強」、および彼のゲームへの興味がどのようにプログラミング学習へとつながっていったのかを見ていきましょう。

「マスクの人生勉強」は、今の住まいであるロサンゼルスから遠く離れた地で始まりました。イーロン・マスクは南アフリカで生まれ育ち、10歳のときにコンピューターに興味を持ちました。そのころの彼は、1日に10時間以上も読書を続けるほど何か始めるととことんまでやり、ビデオゲームにものめり込みました。彼自身、ビデオゲームへの情熱がプログラミングを学ばせたのだと言っています。「自分のゲームが作れたらと思ってたし、そのためにゲームがどうやって動くのか知りたかった。それがコンピュータープログラミングを学ぶきっかけだった」

彼が最初に学んだプログラミング言語はBASICです。BASICは1960年代に人気のあったプログラミング言語で、1980年代にも多くのコンピューターで利用されていました。彼は6カ月で学ぶ想定で書かれたBASICの本を、たった3日で学び終えました。そしてすぐにゲームのプログラムを書き始め、1984年、12歳で最初のゲーム「Blastar」を開発しました。それは「Alien Invaders」から着想を得た、敵のビームを避けながら爆弾を運ぶ宇宙船を撃ち落とすシューティングゲームでした。

彼は作ったゲームを業界紙「PC and Office Technology」に売り込み、500ドルで売却しました。最初のプログラミングの時点で収益を上げる方法を学んだのです。これは「マスクの人生勉強」において重要な転換点といえます。「Blastar」を通して彼が得た重要な学びは、本を読みコードを書いて自分のビデオゲームを作れること、学びを作品として形にすること、それによってお金を得られることです。たった12歳にして、プログラミング技術でお金が稼げることを学んだのです。

「マスクの人生勉強」はその後も続きます。彼のプログラミングを学ぶ意欲は10代の間、ずっと続きました。17歳のとき、彼は南アフリカからカナダに引っ越しました。モントリオールの叔父の家に住むつもりでしたが、行ってみると叔父はすでにミネソタに引っ越してしまっていたのです。彼はそこであきらめたりせず、カナダに住む他の親類の家をめぐるため3200キロもバスを乗り継いで、住ませてくれるいとこを見つけました。そして、まだ10代のうちにサスカチュワンの農場で働いたり、バンクーバーで丸太を切ったり、ボイラー清掃などの仕事をしました。

彼はボイラー清掃の体験を『イーロン・マスク　未来を創る男』(講談社、2015年)で語っています。「防護服を身に着けギリギリ通れるくらいの狭いトンネルの中を通らないといけない。トンネルの奥でショベルを持って、砂やべとべとしたまだ蒸気を上げるくらい熱いカスをすくい上げ、通ってきたトンネルに放り込む。トンネルの反対側にいる誰かがそのカスを集めて手押し車に乗せるまでは逃げ場がなくなる。30分以上そこにいたら熱くて死んでしまう」

1990年、イーロン・マスクはオンタリオ州のクイーンズ大学に入学しました。大学では友だちに「もし食事をしなくて良い方法があれば、もっと働くよ。食事をしなくても栄養を摂れる方法があればなあ」と話していました。そして意欲的に突き進み続けました。寮ではコンピューターを作って販売しました。「ゲーマー好みに仕立てられたゲーム用コンピューターやシンプルなワープロのように、客のニーズに合うものをお店で買うより安く提供したんだ」と彼は語っています。

「シヴィライゼーション」などのゲームを何時間もやり、ゲーム開発のキャリアも考えていましたが、ペンシルベニア大学へ転校後にビジネスやテクノロジーの魅力にとりつかれました。少年時代からゲームに熱中していましたが、彼はもっと大きな影響を世界に与えたかったのです。「コンピューターゲームは本当に好きだが、もし自分がすごいゲームを作ったとして、世界にどれだけの影響を与えられるだろうか」と考えたのです。「大した影響はないだろう。ゲームが好きでしかたなくても、それを自分のキャリアとしては選べない」

彼は在学中に、自分は物覚えが早いことに気づきました。このころ、すでに太陽光発電、宇宙、インターネット、電気自動車に興味を持っていたため、ペンシルベニア大学で経済学と物理学で学位を取得した後、エネルギー物理学の博士号を得るためカリフォルニアのスタンフォード大学に移りました。しかし、スタンフォード大学の目と鼻の先に位置するシリコンバレーの魅力を知った彼は、たった2日で博士課程を辞めてしまいました。

そして、オンラインで街のガイドを提供する会社Zip2を1995年に立ち上げ、1999年に3億ドル以上で売却しました。その後も、ペイパル、スペースX、テスラ、ボーリング・カンパニーなど、多くの企業で成功に関わり続けました。プログラミングを独学で学ぶ姿勢が、イーロン・マスクを史上もっとも成功した起業家の一人へと押し上げたのです。

第18章

次のステップ

世界の多くの人にとって、デジタル革命はまだ始まってもいない。今後10年ですべてが変わるだろう。世界をコーディングで埋め尽くそう！

——エリック・シュミット（Eric Schmidt）Google 元CEO

お疲れ様でした！ 本書の技術パートはすべて完了しました。ここまでの努力が実り、あなたはソフトウェアエンジニアへの道を順調に歩んでいます。本書を選び、独学コミュニティの一員になってくれたことに感謝します。このコミュニティは信じられないほど大きくなりました。刺激を与え合える仲間と出会う機会が得られるのはすばらしいことです。次はあなたの成功体験が聞けるのを楽しみにしています。この最終章では、あなたが今後に取り組むべきことや、参考になる情報を紹介していきます。

次に何をする？

まずは独学プログラマーとしての成長をお祝いしましょう。あなたはプログラミング方法を知っているだけでなく、コンピューターサイエンスの基礎的な考え方の多くを理解しました。アルゴリズムの書き方や問題の解決方法を知り、2つのアルゴリズムを見てどちらを使うべきかすぐに判断できるようになっています。

再帰的アルゴリズムを使う洗練されたコードで問題を解決したり、いろいろな方法でデータの探索や整列を実行したりできます。いくつものデータ構造に精通し、それが何かを知っているだけでなく、いつ使うべきかも理解しています。あなたは新たな手法を手に入れ、より知識豊富なプログラマーになりました。

プログラミングの知識が大幅に増えただけでなく、多少練習すれば技術面接にも合格できるでしょう。つまり、ソフトウェアエンジニアの職に就く道を順調に進んでいるのです。次に何をするのが良いかは、これまでのプログラミング業務経験次第となります。すでに経験があれば、次の節は飛ばしてかまいません。経験がなかったり、採用される可能性を高めたいのであれば、次の節を読んでください。

フリーランスのハシゴを登る

独学プログラマーになったばかりの状況では、業務経験なしでプログラミングの仕事に応募するという困難さが伴います。これは昔からある問題で、仕事を得るには経験が必要ですし、経験を得るには仕事が必要なのです。この問題への解決策として私は、「フリーランスのハシゴを登る」という方法を考え出しました。独学コミュニティの多くの仲間もこれで成功しています。私はほかの企業での業務経験がない状況で、eBayでソフトウェアエンジニアとしての仕事を得た際にも、この方法を使いました。

eBayで仕事をする前、私はフリーランスのプログラマーとして働いていました。成功のポイントは、いきなり大きな仕事をしなかったことです。Upworkというフリーランス向けに仕事を仲介するクラウドソーシング[訳注1]で小さい仕事を始めました。クラウドソーシングでは、依頼者が仕事を投稿し、希望者が応募します。最初に25ドルの仕事を受けましたが、何時間もかかってしまって、時給で考えると良い結果とはいえませんでした。

ただ、この仕事で多くの経験を積みました。その依頼者が仕事の結果に満足して5つ星の評価をくれたおかげで、次の仕事を見つけるのが少し簡単になりました。次の仕事にもまた懸命に取り組み、もうひとつ5つ星の評価を得ました。少しずつ大きなプロジェクトで仕事をし、最終的には千ドル台のプロジェクトにたどり着きました。

eBayで面接を受けたとき、企業でのプログラミング経験はありませんでしたが、フリーランスとしての経験を伝えることに注力しました。eBayの面接担当者はフリーランスの経験が十分あると考え、採用してくれました。もし企業でのプログ

[訳注1] 日本では、ランサーズ（https://www.lancers.jp/）、クラウドワークス（https://crowdworks.jp/）などが有名です。

ラミング経験がなく、フリーランスでの経験もないまま採用面接に応募していたら、私のキャリアのスタート地点となったeBayでの仕事は得られなかったでしょう。

ソフトウェアエンジニアとして働きたいけれど業務経験がない、という場合、採用面接を受けるにはまだ早いでしょう。クラウドソーシングなどのサービスに登録して、たとえそれが25ドル程度でも良いので、今のあなたができそうな仕事に応募してください。5つ星の評価をもらったり、より良い条件のプロジェクトを待ちつつ、フリーランスのハシゴを登っていきましょう。経験を十分に積めば、好きな会社で夢のソフトウェアエンジニアに応募する準備が整います。

採用面接に進む方法

ソフトウェアエンジニアとしての最初の仕事はLinkedInで手に入れました。LinkedIn[訳注2]は就職するのに今でも有益な情報源です。フリーランスとしてある程度経験を積んだら、LinkedInのプロフィールを更新しておきましょう。フリーランスとしての直近の業務経験を書いておくこと、また役職はソフトウェアエンジニアとしておきましょう。そして、これまで仕事をした企業に連絡をとって、プログラミングスキルについての推薦文を書いてもらえないか依頼すると良いでしょう。

LinkedInのプロフィールを更新したら（職務経歴も合わせて更新しましょう）、次は人脈作りをします。興味のある会社を5〜10社ほど選び、採用担当者かその会社の誰かに連絡をとりましょう。企業ではエンジニアが足りなくなることがよくあり、エンジニアを紹介してくれた社員にボーナスを出すこともあります。あなたがエンジニアとして活躍できそうな人であれば、あなたから連絡を受けた社員は喜んで話を聞いてくれる可能性があります。

Meetup.com[訳注3]のようなサービスも利用できるでしょう。人脈を作りたい、新しい人と出会いたい人たちが集まっています。Indeed[訳注4]などのインターネットサイトを使って求人に直接応募もできます。

[訳注2] 日本では、LinkedInは外資系企業で働きたい人向けというイメージが強いかもしれません。日本企業で働きたい人向けとしては、Wantedly（https://www.wantedly.com/）、Forkwell（https://forkwell.com/）などがあります。

[訳注3] Meetup.comのサービスは日本語でも利用できます（https://www.meetup.com/ja-JP/）。また、connpass.com（https://connpass.com/）では日本の多くのコミュニティがIT系イベントを多数開催しているため、イベント参加を通じてコミュニティに関わる多くの人に出会う方法もあります。

[訳注4] 日本では、インディード（https://jp.indeed.com/）です。

技術面接の準備

求人に応募すると、最終的には技術面接を受けて合格する必要があります。十分な時間をかけて準備し、技術面接に臨みましょう。応募した会社の競争率にもよりますが、準備に少なくとも2、3カ月かけることをお勧めします。FAANG[訳注5]のような巨大IT企業に応募する場合、有望なエンジニアが技術試験にむけて6カ月以上準備するという話も聞きます。一方でスタートアップ企業に応募する場合は、数週間の準備で済むかもしれません。

1日数時間でもLeetCode[訳注6]で問題を解いておくと良いでしょう。LeetCodeは技術面接の準備に適した、もっともお勧めできるリソースの1つです。LeetCodeでは、アルゴリズムとデータ構造の練習問題が解答とセットで何百問と用意されています。

技術面接のもっとも難しいことの1つに、不慣れな環境ということがあります。普段のプログラミングでは、誰かが近くに立ってその様子を評価したりすることはありません。また、プログラマーは短い時間で問題を解くことにも慣れていません。

技術面接では、そのような状況でプログラミングする必要があります。対策には競技プログラミングが最適です。競技プログラミングでは、スポーツのようにほかのプログラマーとコンピューターサイエンスの課題を解くことを競い合います。時間の制限がある中でプログラミング課題を解くプレッシャーもあり、これも技術面接の対策として適しているところです。

私が技術面接の練習として競技プログラミングをしていたときは、1人で課題に取り組んでいたときよりもずっと良いパフォーマンスを出せました。競技プログラミングにはCodeforces[訳注7]などのサービスを試してみてください。

競技プログラミングで難しいプログラミング課題をすばやく解くことに慣れてきたら、ソフトウェアエンジニアとして模擬面接を受けてみましょう。できれば実際に技術面接の経験がある人と何回か行ってみると良いでしょう。

[訳注5] 米巨大IT企業の頭文字を取ってFAANG（Facebook、Amazon、Apple、Netflix、Google）やGAFAM（Google、Apple、Facebook、Amazon、Microsoft）と呼ばれたりします。

[訳注6] LeetCode（https://leetcode.com）はプログラミング面接の準備を行うためのプラットフォームです。

[訳注7] Codeforces（https://codeforces.com/）には日本語版はありませんが、AtCoder（https://atcoder.jp/）が日本語で提供されています。

手伝ってくれる友人が見つからなかったら、クラウドソーシングなどでソフトウェアエンジニアに依頼してみましょう。30ドルから60ドルくらいで経験のあるソフトウェアエンジニアに依頼できると思います[訳注8]。数時間であっても、模擬面接の練習をしておくことは価値のある投資になるでしょう。

その他の情報

コンピューターサイエンスが扱う範囲は広大なため、本書ではプログラミングのキャリアに役立つテーマを選んで紹介しました。つまり、本書で扱っていないテーマがまだまだたくさんあるということです。そういったテーマを学ぶための情報を紹介します。

本書では二分木を紹介しましたが、ほかにも木構造のデータ構造はいくつもあります。二分探索木、AVL木や解析木など、木構造だけ見てももっと時間をかけて学びたいだろうトピックがたくさんあります。

また、一般的なソートアルゴリズムについてもカバーできていません。技術面接の準備として、あるいは純粋にもっとソートアルゴリズムを学びたい場合は、ヒープソート、選択ソート、クイックソート、計数ソート、基数ソートについて学んでみてください。

『アルゴリズムイントロダクション』（近代科学社、2010年）で木構造やソートについて詳しく学べます。この本は決してやさしい本ではありませんが、本書でコンピューターサイエンスの基礎を理解した後であれば、読み進められるんじゃないかと思います。『Computer Science Illuminated』（Jones & Bartlett Learning、2012年）はコンピューターサイエンスのアルゴリズムとデータ構造以外の分野について学ぶのにお勧めできる1冊です[訳注9]。

最後に

本書を手にとってくれて、ありがとうございます。著者としては楽しんで本書

[訳注8] 日本でもプログラミングのメンターを探せるサービスがいくつかあります。金額は1時間3000円～6000円ほどです。

[訳注9] 日本語で読める近い書籍として『教養としてのコンピューターサイエンス講義 第2版』（日経BP、2022年）があります。
https://bookplus.nikkei.com/atcl/catalog/22/04/24/00110/

を書いていたのですが、読者のあなたも同じように楽しんでくれていたら幸いです。質問やコメントは、Facebookの独学プログラマーのグループ、https://facebook.com/groups/selftaughtprogrammersへぜひ投稿してください。https://selftaught.blogでは、独学コミュニティの最新情報を手に入れたり、ニュースレターの登録もできます。

インスタグラム、ツイッター、フェイスブックなどのSNSでは@coryalthoffで活動しているので、気軽に連絡ください。もしAmazonのレビューを書いてもらえたら最高に嬉しいです。レビューのおかげで、また独学プログラマーに向けた本や教材を作り続けられます。

それでは、また！

第 3 部

もっと学ぼう

補章1

アルゴリズムへの理解を深めるために —ハッシュテーブル—

この補章1では、第13章で学んだハッシュテーブルについて、もう少し詳しく紹介します。

オープンアドレス法によるハッシュテーブル

第13章の229ページで、2つの異なるキーから生成されるハッシュ値が同じになり**衝突**した場合にバリューを「次の空いている箱に」入れると説明しました。この方法は「オープンアドレス法（開番地法）」と呼ばれます（**図1**）。また、次の空いている箱を探す方法として2つのハッシュ関数を使う「二重ハッシュ法」などいくつかの方法がありますが、ここでは隣を順番に見ていく「線形探索法」を使います。

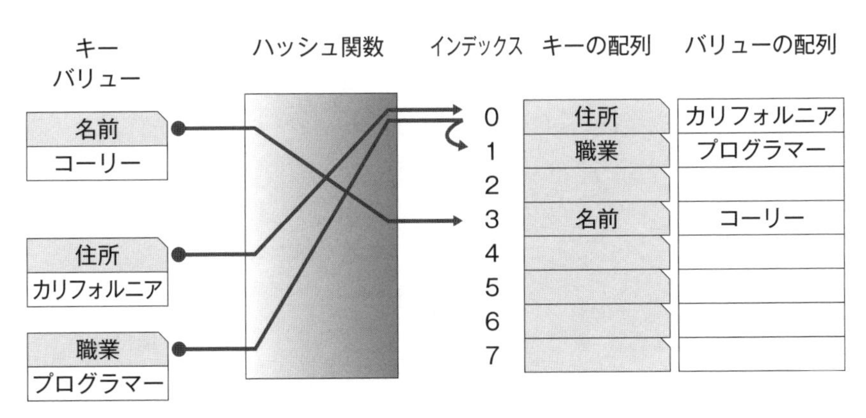

図1　オープンアドレス法によるハッシュテーブルへの格納

次のコードは、オープンアドレス法で実装したハッシュテーブルです。このコードにはハッシュテーブルの状態を簡単に確認できるように __str__ 特殊メソッドを実装しています。キーバリューペアを格納すると状態がどのように変化していくか見てみましょう。

```
 1  from pprint import pformat
 2  from textwrap import indent
 3
 4  class OpenAddressHashTable:
 5      def __init__(self, size):
 6          self.size = size             # 固定長配列のサイズ
 7          self.keys = [None] * size  # 固定長配列
 8          self.vals = [None] * size  # 固定長配列
 9
10      def hash_index(self, key):
11          h = hash(key)   # Python組み込みのハッシュ関数を利用
12          return h % self.size
13
14      def set(self, key, value):
15          index = self.hash_index(key)
16          print(
17              f"{key}のindex={index}の空きを確認しkey={key},
    value={value}を格納")
18          for shift in range(self.size):
19              i = (index + shift) % self.size  # 位置ずらし
20              if self.keys[i] is None:  # 衝突しなければ
21                  self.keys[i] = key     # i位置に格納
22                  self.vals[i] = value  # i位置に格納
23                  return  # 格納できたので終了
24              elif self.keys[i] == key:  # 同じキーなら更新
25                  self.vals[i] = value  # i位置に格納
26                  return  # 格納できたので終了
27              print(
```

```
28                    f"\t衝突発生: i={i}が使用中のため、次の"
29                    "インデックスの空きを確認")
30            raise KeyError(
31                "衝突発生: 空きインデックスが見つかりません")
32
33        def get(self, key):
34            index = self.hash_index(key)
35            for shift in range(self.size):
36                i = (index + shift) % self.size  # 位置ずらし
37                if self.keys[i] == key:  # キーが一致するか?
38                    return self.vals[i]
39                print(
40                    f"i={i}のキーが一致しないため、"
41                    "次のインデックスのキーを確認します")
42            raise KeyError(key)  # 一致するキーがない
43
44        def __str__(self):
45            results = [
46                (i, self.keys[i], self.vals[i])
47                for i in range(self.size)
48            ]
49            s = indent(
50                pformat(results, width=40),
51                prefix='\t')
52            return (
53                f'{self.__class__.__name__}({self.size})=\n'
54                + s
55            )
```

\n は改行、\t はタブ（空白数桁）を表します。\（バックスラッシュ）は日本語キーボードでは「ろ」のキーにあります。見つからない場合は半角の ¥ 記号を入力してください。記号の見た目は異なりますが、同じものです。

それでは、OpenAddressHashTable のインスタンスに実際にキーバリューペアをセットしてみましょう。衝突を観察しやすくするため、サイズ3で初期化し、キーバリューペアをセットしていきます。

```
table = OpenAddressHashTable(3)
table.set('名前', 'コーリー')
print(table)
```

```
>> 名前のindex=1の空きを確認しkey=名前,value=コーリーを格納
>> OpenAddressHashTable(3)=
>>    [(0, None, None),
>>     (1, '名前', 'コーリー'),
>>     (2, None, None)]
```

最初のキーバリューペアはインデックス1に格納されました。このインデックス値はPython組み込みの hash 関数から計算しています[注1]。

続けて、2つのキーバリューペアをセットします。

```
table.set('住所', 'カリフォルニア')
print(table)
table.set('職業', 'プログラマー')
print(table)
```

```
>> 住所のindex=2の空きを確認しkey=住所,value=カリフォルニアを格納
>> OpenAddressHashTable(3)=
>>    [(0, None, None),
>>     (1, '名前', 'コーリー'),
>>     (2, '住所', 'カリフォルニア')]
>> 職業のindex=1の空きを確認しkey=職業,value=プログラマーを格納
>>         衝突発生: i=1が使用中のため、次のインデックスの空きを確認
>>         衝突発生: i=2が使用中のため、次のインデックスの空きを確認
```

[注1] hash 関数に渡す値が同じなら、いつも同じ戻り値を返すのがハッシュ関数の仕様ですが、この値はPythonを実行するたびに異なります。このため、もう一度はじめからプログラムを実行した場合、インデックスは1以外の値になるかもしれません。

```
>> OpenAddressHashTable(3)=
>>   [(0, '職業', 'プログラマー'),
>>    (1, '名前', 'コーリー'),
>>    (2, '住所', 'カリフォルニア')]
```

このように「住所」のインデックスは衝突しませんでしたが[注1]、「職業」は衝突し、空いているインデックスを探す処理が発生しました。最後にもう1つ格納してみましょう。

```
table.set('年齢', 32)
```

```
>> 年齢のindex=0の空きを確認しkey=年齢,value=32を格納
>>       衝突発生: i=0が使用中のため、次のインデックスの空きを確認
>>       衝突発生: i=1が使用中のため、次のインデックスの空きを確認
>>       衝突発生: i=2が使用中のため、次のインデックスの空きを確認
>> Traceback (most recent call last):
>> ...
>> KeyError: '衝突発生: 空きインデックスが見つかりません'
```

テーブルのサイズより多くのキーバリューペアを格納できず、エラーが発生しました。このように、オープンアドレス法によるハッシュテーブルは格納したいキーの数以上のサイズを用意しておくか、要素数を拡張する必要があります。

要素数の拡張には、第9章配列の154ページで紹介したようなコピーによる移動や、あらかじめ領域を多く確保しておくオーバーアロケーションの考え方が利用できます。

チェイン法によるハッシュテーブル

第13章の229ページで、**衝突**した場合の回避方法として「テーブルの要素ごとに連結リストをぶら下げておき、衝突時には衝突したキーバリューをその位置の連結リストに追加していく」と説明しました。この方法は「チェイン法（連鎖法）」と呼ばれます（**図2**）。

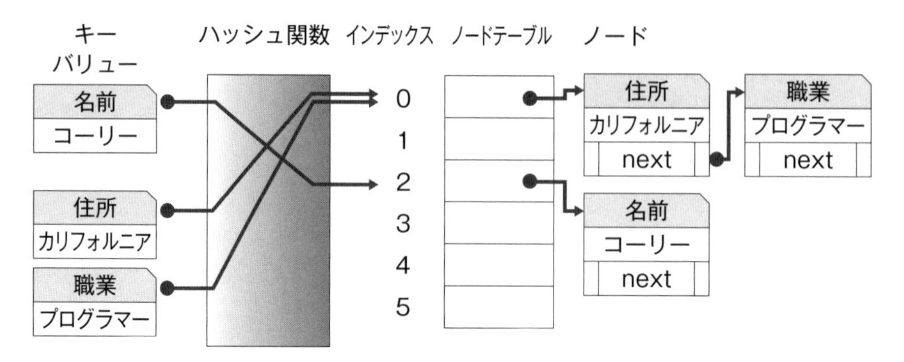

図2　チェイン法によるハッシュテーブルへの格納

次のコードを動かして、チェイン法で実装したハッシュテーブルにキーバリューペアを格納する様子を見てみましょう。

```
1   from pprint import pformat
2   from textwrap import indent
3
4   class Node:
5       def __init__(self, key, value, next=None):
6           self.key = key
7           self.value = value
8           self.next = next
9
10  class ChainHashTable:
11      def __init__(self, size):
12          self.size = size # 固定長配列のサイズ
13          self.table = [None] * size # 固定長配列
14
15      def hash_index(self, key):
16          h = hash(key) # Python組み込みのハッシュ関数を利用
17          return h % self.size
```

```
18
19      def set(self, key, value):
20          index = self.hash_index(key)
21          print(
22              f"{key}のindex={index}にkey={key},value={value}
    を格納")
23          if self.table[index] is None:
24              node = Node(key, value)
25              self.table[index] = node
26          else:
27              node = self.table[index]
28              while node:
29                  if node.key == key:
30                      # keyが格納済みならvalueを更新
31                      node.value = value
32                      return # 格納できたので終了
33                  elif node.next is None:
34                      # 次のノードがもうないなら末尾に格納
35                      node.next = Node(key, value)
36                      return # 格納できたので終了
37                  # 次のノードを確認
38                  node = node.next
39
40      def get(self, key):
41          index = self.hash_index(key)
42          node = self.table[index]
43          while node:
44              if node.key == key: # キーが一致するか?
45                  return node.value
46              node = node.next
47          raise KeyError(key) # 一致するキーがない
```

```
48
49      def __str__(self):
50          results = []
51          for i in range(self.size):
52              linked_list = []
53              node = self.table[i]
54              while node:
55                  linked_list.append((node.key, node.value))
56                  node = node.next
57              results.append((i, linked_list))
58          s = indent(
59              pformat(results, width=55),
60              prefix='\t')
61          return (
62              f'{self.__class__.__name__}({self.size})=\n'
63              + s
64          )
```

それでは、ChainHashTableのインスタンスに実際にキーバリューペアをセットしてみましょう。衝突を観察しやすくするため、こちらもサイズ3で初期化し、キーバリューペアをセットしていきます。

```
table = ChainHashTable(3)
table.set('名前', 'コーリー')
print(table)
table.set('住所', 'カリフォルニア')
print(table)
table.set('職業', 'プログラマー')
print(table)
table.set('年齢', 32)
print(table)
```

```
>> 名前のindex=1にkey=名前,value=コーリーを格納
>> ChainHashTable(3)=
>>   [(0, []),
>>    (1, [('名前', 'コーリー')]),
>>    (2, [])]
>> 住所のindex=2にkey=住所,value=カリフォルニアを格納
>> ChainHashTable(3)=
>>   [(0, []),
>>    (1, [('名前', 'コーリー')]),
>>    (2, [('住所', 'カリフォルニア')])]
>> 職業のindex=1にkey=職業,value=プログラマーを格納
>> ChainHashTable(3)=
>>   [(0, []),
>>    (1, [('名前', 'コーリー'), ('職業', 'プログラマー')]),
>>    (2, [('住所', 'カリフォルニア')])]
>> 年齢のindex=1にkey=年齢,value=32を格納
>> ChainHashTable(3)=
>>   [(0, []),
>>    (1, [('名前', 'コーリー'), ('職業', 'プログラマー'),
       ('年齢', 32)]),
>>    (2, [('住所', 'カリフォルニア')])]
```

このように、「職業」と「年齢」は、「名前」とインデックスが衝突したために連結リストで同じインデックスにぶら下がりました。

チェイン法を導入することでプログラムが多少複雑になりましたが、配列サイズ数以上の要素を格納できるようになりました。その上で、必要十分な配列サイズを考える必要があります。この例ではサイズを3としているために衝突が発生しやすく、連結リストが伸びていってしまいます。第13章230ページの訳注2でも説明したように、リストが伸びることによるプログラム実行速度の低下、メモリー使用量の増加など、性能が悪化することがあります。だからといって実際の要素数よりもあまりにも多すぎるサイズを指定すると、今度は使われない配列要素の分だけメモリー使用量に無駄が発生します。このため、ハッシュテーブルのサイズは、格納する要素数に対して必要十分なサイズを目標とする必要があります。

また、連結リストが伸びすぎないように、配列自体を拡張して要素を再配置する必要もあるでしょう。

本節で紹介したChainHashTableのサイズや格納する要素数を変えながら、データの格納状況がどのように変化するかいろいろなパターンで試してみてください。そして、前述の拡張と再配置などのより効率の良いデータ構造を考え、実装してみると良いでしょう。ハッシュテーブルについてより詳細に知りたい方は、『入門データ構造とアルゴリズム』（オライリー・ジャパン、2013年）などの書籍を参照してください。

補章 2

アルゴリズムへの理解を深めるために
—ダイクストラ法—

この補章2では、第16章で学んだダイクストラ法について、有向グラフから無向グラフへの変換方法と、ダイクストラ法の途中経過の可視化方法を紹介します。

隣接リストで無向グラフを定義

第16章では**図1**（図16.11を再掲）のようなグラフに対して、次のような隣接リストを定義しました。

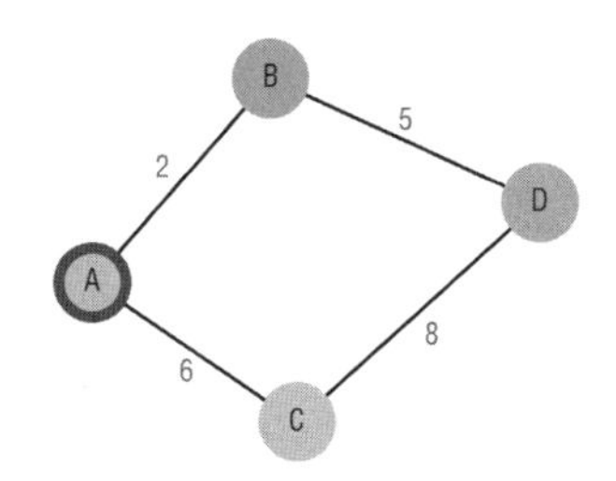

図1　4つの頂点を持つグラフ

```
1  graph = {
2      'A': {'B': 2, 'C': 6},
3      'B': {'D': 5},
4      'C': {'D': 8},
5      'D': {},
6  }
```

この隣接リストを表す辞書graphは、AからBとCへ接続していますが、BやCからAへは接続していません。このため、有向グラフをデータ定義していることになります。

ダイクストラ法は、有向グラフか無向グラフかにかかわらず、任意の頂点から到達可能なすべての頂点への最短経路を計算するアルゴリズムです。前述の隣接リスト定義では、任意の頂点としてDを選んでも他の頂点へは到達できません。次のコードは、頂点Cからの距離を第16章の292ページで定義したdijkstra関数で計算した結果です。

```
1  print(dijkstra(graph, "C"))
```

```
>> {'A': inf, 'B': inf, 'C': 0, 'D': 8}
```

このように、頂点Cからは頂点AやBに到達できていません。任意の頂点から他のすべての頂点への距離を計算するには、次のように無向グラフとして隣接リストを定義すると良いでしょう。

```
1  undirected_graph = {
2      'A': {'B': 2, 'C': 6},
3      'B': {'D': 5, 'A': 2},
4      'C': {'D': 8, 'A': 6},
5      'D': {'B': 5, 'C': 8},
6  }
```

頂点AからBと、BからAへの距離は同じため、どちらの向きでも距離は2となっています。隣接リストの定義は有向グラフから機械的に双方向の無向グラフに置き換えられるため、次のプログラムで変換できます。

```
1  from collections import defaultdict
2
3  def directed_to_undirected(graph):
4      ud_graph = defaultdict(dict)
5
```

```
6         for vertex, neighbors in graph.items():
7             for neighbor, weight in neighbors.items():
8                 ud_graph[vertex][neighbor] = weight
9                 ud_graph[neighbor][vertex] = weight
10
11        return dict(ud_graph)
```

このdirected_to_undirected関数に有向グラフの隣接リストを渡すことで、無向グラフの隣接リストに変換します。

```
1  from pprint import pprint
2
3  graph = {
4      'A': {'B': 2, 'C': 6},
5      'B': {'D': 5},
6      'C': {'D': 8},
7      'D': {},
8  }
9
10 undirected_graph = directed_to_undirected(graph)
11 pprint(undirected_graph)
```

```
>> {'A': {'B': 2, 'C': 6},
>>  'B': {'A': 2, 'D': 5},
>>  'C': {'A': 6, 'D': 8},
>>  'D': {'B': 5, 'C': 8}}
```

それでは、第16章で実装したdijkstra関数に無向グラフの隣接リストundirected_graphを渡して、頂点Cからの距離を計算してみましょう。

```
1 print(dijkstra(undirected_graph, "C"))
```

```
>> {'A': 6, 'B': 8, 'C': 0, 'D': 8}
```

無事、頂点Cからすべての頂点への距離が計算できました。

ダイクストラ法の可視化

ダイクストラ法のアルゴリズムが処理されていく様子を可視化してみましょう。可視化といえばグラフィカルな表示が想像されますが、グラフィカルな表示は実装の難易度が少し高く、実行できる環境が限られてしまいます。そこで今回は、print 関数でコンソールに途中状態を表示する簡易的な可視化方法を紹介します。

次のプログラムは、第16章で紹介した dijkstra 関数に以下の変更を加えています。

1. 紙面上コードの折り返しを避けるため変数名を短くしています。
2. 状態を表示するコード（濃い灰色の行）を追加しています。ダイクストラ法のアルゴリズムには影響しません。
3. input 関数を追加し、アルゴリズムの状態を確認できるようにステップごとに一次停止させています。

```
1   import heapq
2
3   def dijkstra(graph, starting_vertex):
4       distances = {v: float('infinity') for v in graph}
5       distances[starting_vertex] = 0
6       pq = [(0, starting_vertex)]
7
8       solved = {} # 確定済みの経路だけ持たせる辞書
9       step = 0 # ステップ数カウンター
10      while len(pq) > 0:
11          step += 1
12          input('Enter') # Enterキーで次のステップを実行
13          print(f'ステップ: {step} 頂点の最短経路確定')
14          print(f'\tPriQ: {sorted(pq)}')
15          print(f'\t距離: {distances}')
16          print('\t操作: キューの先頭から頂点を取り出し')
```

```
17          cur_d, cur_v = heapq.heappop(pq)
18          print(f'\t現在の頂点: {cur_v}, 距離={cur_d}')
19          if cur_d > distances[cur_v]:
20              print(f'\t訪問: {cur_v}(距離='
21                    f'{distances[cur_v]})は訪問済み')
22              continue
23          else:
24              print(f'\t訪問: {cur_v}(距離='
25                    f'{cur_d})に最短経路で訪問する')
26              solved[cur_v] = cur_d
27              print(f'\t確定: {solved}')
28
29          i = 0 # サブステップカウンター
30          for neighbor, weight in graph[cur_v].items():
31              i += 1
32              input('Enter') # Enterキーで次のステップを実行
33              distance = cur_d + weight
34              if distance < distances[neighbor]:
35                  distances[neighbor] = distance
36                  heapq.heappush(pq, (distance, neighbor))
37                  ope = (
38                      f'{neighbor}の距離{distance}は短い'
39                      'ので訪問予定キューに追加')
40              else:
41                  ope = (
42                      f'{neighbor}の距離{distance}は長い'
43                      '経路なので再訪問しない')
44
45              print(f'ステップ: {step}.{i} 隣接頂点の確認')
46              print(f'\t現在の頂点: {cur_v}, 距離={cur_d}')
47              print(f'\t隣接頂点: {neighbor}, 重み={weight}'
48                    f', 距離={cur_d}+{weight}={distance}')
49              print(f'\t操作: {ope}')
```

```
50                print(f'\tPriQ: {sorted(pq)}')
51                print(f'\t距離: {distances}')
52
53      return distances
```

それでは、print関数を追加したdijkstra関数で頂点Aからの距離を計算してみましょう。実行中にEnterが表示されたら、エンターキーを入力して次のステップに進めてください。

```
1  from pprint import pprint
2
3  graph = {
4      'A': {'B': 2, 'C': 6},
5      'B': {'D': 5},
6      'C': {'D': 8},
7      'D': {},
8  }
9
10 undirected_graph = directed_to_undirected(graph)
11 pprint(undirected_graph)
12 print('結果:', dijkstra(undirected_graph, "A"))
```

```
>> {'A': {'B': 2, 'C': 6},
>>  'B': {'A': 2, 'D': 5},
>>  'C': {'A': 6, 'D': 8},
>>  'D': {'B': 5, 'C': 8}}
>> Enter
>> ステップ: 1 頂点の最短経路確定
>>           PriQ: [(0, 'A')]
>>           距離: {'A': 0, 'B': inf, 'C': inf, 'D': inf}
>>           操作: キューの先頭から頂点を取り出し
>>           現在の頂点: A, 距離=0
>>           訪問: A(距離=0)に最短経路で訪問する
```

```
>>          確定: {'A': 0}
>> Enter
>> ステップ: 1.1 隣接頂点の確認
>>          現在の頂点: A, 距離=0
>>          隣接頂点: B, 重み=2, 距離=0+2=2
>>          操作: Bの距離2は短いので訪問予定キューに追加
>>          PriQ: [(2, 'B')]
>>          距離: {'A': 0, 'B': 2, 'C': inf, 'D': inf}
>> Enter
>> ステップ: 1.2 隣接頂点の確認
>>          現在の頂点: A, 距離=0
>>          隣接頂点: C, 重み=6, 距離=0+6=6
>>          操作: Cの距離6は短いので訪問予定キューに追加
>>          PriQ: [(2, 'B'), (6, 'C')]
>>          距離: {'A': 0, 'B': 2, 'C': 6, 'D': inf}
>> Enter
>> ステップ: 2 頂点の最短経路確定
>>          PriQ: [(2, 'B'), (6, 'C')]
>>          距離: {'A': 0, 'B': 2, 'C': 6, 'D': inf}
>>          操作: キューの先頭から頂点を取り出し
>>          現在の頂点: B, 距離=2
>>          訪問: B(距離=2)に最短経路で訪問する
>>          確定: {'A': 0, 'B': 2}
>> Enter
>> ステップ: 2.1 隣接頂点の確認
>>          現在の頂点: B, 距離=2
>>          隣接頂点: A, 重み=2, 距離=2+2=4
>>          操作: Aの距離4は長い経路なので再訪問しない
>>          PriQ: [(6, 'C')]
>>          距離: {'A': 0, 'B': 2, 'C': 6, 'D': inf}
>> Enter
>> ステップ: 2.2 隣接頂点の確認
>>          現在の頂点: B, 距離=2
```

```
>>          隣接頂点: D, 重み=5, 距離=2+5=7
>>          操作: Dの距離7は短いので訪問予定キューに追加
>>          PriQ: [(6, 'C'), (7, 'D')]
>>          距離: {'A': 0, 'B': 2, 'C': 6, 'D': 7}
>> Enter
>> ステップ: 3 頂点の最短経路確定
>>          PriQ: [(6, 'C'), (7, 'D')]
>>          距離: {'A': 0, 'B': 2, 'C': 6, 'D': 7}
>>          操作: キューの先頭から頂点を取り出し
>>          現在の頂点: C, 距離=6
>>          訪問: C(距離=6)に最短経路で訪問する
>>          確定: {'A': 0, 'B': 2, 'C': 6}
>> Enter
>> ステップ: 3.1 隣接頂点の確認
>>          現在の頂点: C, 距離=6
>>          隣接頂点: A, 重み=6, 距離=6+6=12
>>          操作: Aの距離12は長い経路なので再訪問しない
>>          PriQ: [(7, 'D')]
>>          距離: {'A': 0, 'B': 2, 'C': 6, 'D': 7}
>> Enter
>> ステップ: 3.2 隣接頂点の確認
>>          現在の頂点: C, 距離=6
>>          隣接頂点: D, 重み=8, 距離=6+8=14
>>          操作: Dの距離14は長い経路なので再訪問しない
>>          PriQ: [(7, 'D')]
>>          距離: {'A': 0, 'B': 2, 'C': 6, 'D': 7}
>> Enter
>> ステップ: 4 頂点の最短経路確定
>>          PriQ: [(7, 'D')]
>>          距離: {'A': 0, 'B': 2, 'C': 6, 'D': 7}
>>          操作: キューの先頭から頂点を取り出し
>>          現在の頂点: D, 距離=7
>>          訪問: D(距離=7)に最短経路で訪問する
```

```
>>           確定: {'A': 0, 'B': 2, 'C': 6, 'D': 7}
>> Enter
>> ステップ: 4.1 隣接頂点の確認
>>           現在の頂点: D, 距離=7
>>           隣接頂点: B, 重み=5, 距離=7+5=12
>>           操作: Bの距離12は長い経路なので再訪問しない
>>           PriQ: []
>>           距離: {'A': 0, 'B': 2, 'C': 6, 'D': 7}
>> Enter
>> ステップ: 4.2 隣接頂点の確認
>>           現在の頂点: D, 距離=7
>>           隣接頂点: C, 重み=8, 距離=7+8=15
>>           操作: Cの距離15は長い経路なので再訪問しない
>>           PriQ: []
>>           距離: {'A': 0, 'B': 2, 'C': 6, 'D': 7}
>> 結果: {'A': 0, 'B': 2, 'C': 6, 'D': 7}
```

これで、アルゴリズムのステップごとの状態が確認できました。第16章の説明と上記の実行結果を比較しながら読むことで、アルゴリズムの動作が理解しやすくなると思います。

最後に、より複雑なグラフに対して実行して状態を見てみましょう。7つの頂点と12の辺を持つグラフを**図2**に示します。

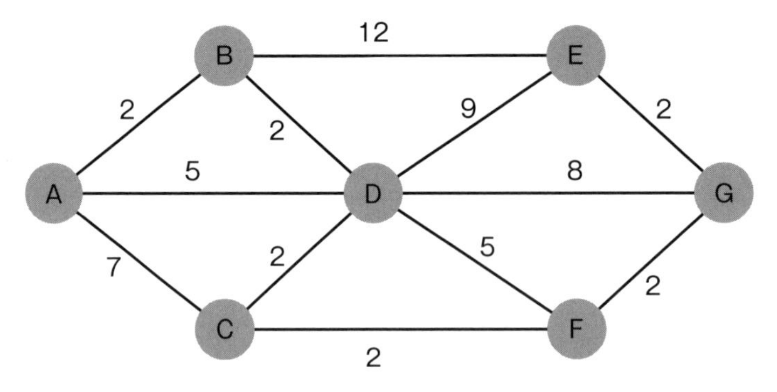

図2　7つの頂点と12の辺を持つグラフ

次のコードは、このグラフを表す隣接リストを使ってダイクストラ法の実行状態を表示します。

```
1  from pprint import pprint
2  
3  g2 = {
4      'A': {'B': 2, 'C': 7, 'D': 5},
5      'B': {'D': 2, 'E': 12},
6      'C': {'D': 2, 'F': 2},
7      'D': {'E': 9, 'F': 5, 'G': 8},
8      'E': {'G': 2},
9      'F': {'G': 2},
10 }
11 
12 udg2 = directed_to_undirected(g2)
13 pprint(udg2)
14 print('結果:', dijkstra(udg2, "A"))
```

```
>> {'A': {'B': 2, 'C': 7, 'D': 5},
>>  'B': {'A': 2, 'D': 2, 'E': 12},
>>  'C': {'A': 7, 'D': 2, 'F': 2},
>>  'D': {'A': 5, 'B': 2, 'C': 2, 'E': 9, 'F': 5, 'G': 8},
```

```
>>  'E': {'B': 12, 'D': 9, 'G': 2},
>>  'F': {'C': 2, 'D': 5, 'G': 2},
>>  'G': {'D': 8, 'E': 2, 'F': 2}}
>> Enter
>> ステップ: 1 頂点の最短経路確定
>>         PriQ: [(0, 'A')]
>>         距離: {'A': 0, 'B': inf, 'C': inf, 'D': inf, 'E': 
   inf, 'F': inf, 'G': inf}
>>         操作: キューの先頭から頂点を取り出し
>>         現在の頂点: A, 距離=0
>>         訪問: A(距離=0)に最短経路で訪問する
>>         確定: {'A': 0}

～～途中経過は省略～～

>> ステップ: 13 頂点の最短経路確定
>>         PriQ: [(14, 'E')]
>>         距離: {'A': 0, 'B': 2, 'C': 6, 'D': 4, 'E': 12, 
   'F': 8, 'G': 10}
>>         操作: キューの先頭から頂点を取り出し
>>         現在の頂点: E, 距離=14
>>         訪問: E(距離=12)は訪問済み
>>  結果: {'A': 0, 'B': 2, 'C': 6, 'D': 4, 'E': 12, 'F': 8,
    'G': 10}
```

本章では、アルゴリズムが処理されていく様子を可視化して理解しやすくする方法を紹介しました。本書の中で1番複雑なグラフのアルゴリズムを可視化しましたが、この方法は本書で紹介した他のアルゴリズムにも使えます。もし、まだ理解できていないと感じるアルゴリズムやデータ構造があれば、処理状態の可視化にチャレンジしてみてください。

補章 3

継続して学ぶために

この補章3では、アルゴリズムとデータ構造を学んだ後に役立つ書籍やQ&Aサイト、学習サイトを訳者が紹介します。

アルゴリズムとデータ構造

『アルゴリズムの絵本 第2版』（翔泳社、2019年）

https://www.shoeisha.co.jp/book/detail/9784798159379

分かりやすいイラストでアルゴリズムを解説していて、直感的に理解できます。if 文や for 文といった制御構文の動きや、データの変化、関数の使いどころといったプログラミングの基礎も含めて紹介しています。

『アルゴリズム図鑑 絵で見てわかる26のアルゴリズム』（翔泳社、2017年）

https://www.shoeisha.co.jp/book/detail/9784798149776

アルゴリズムを絵で見て視覚的に理解するための本です。『独学コンピューターサイエンティスト』で扱った多くのアルゴリズムとデータ構造がイラストで紹介されています。アルゴリズムを使うことでデータがどのように変わっていくのか、どのような結果が得られるのかを紹介しています。データの動きをアニメーションで確認できる、同タイトルのスマートフォン向けアプリが公開されています。

『Pythonで体験してわかるアルゴリズムとデータ構造』（近代科学社、2018年）

https://www.kindaikagaku.co.jp/book_list/detail/9784764905702/

アルゴリズムとデータ構造をPythonで学ぶ本です。各章の最初に「なぜアルゴリズムが重要か」が解説されていて、章後半には練習問題と演習があり、解き方がていねいに解説されています。『独学コンピューターサイエンティスト』と比べて、プログラムコードや解説文は少し難しいかもしれませんが、図が分かりやすいため、Pythonコードと図を見比べながら理解するのに向いています。

『みんなのデータ構造』（ラムダノート、2018年）

https://www.lambdanote.com/products/opendatastructures

さまざまなデータ構造について詳しく説明し、そこから適したアルゴリズムを導き出す方法を解説している入門書です。データ構造についてより詳細に知りたい方に適しています。データ構造を考えるうえで必須となる、実行時間、時間計算量、オーダーの定義についても詳しく説明しています。この本の内容は原文と日本語版どちらもクリエイティブコモンズ継承ライセンス（CC BY）で公開されています。解説に使われている言語はC++ですが、Python版コードも以下で公開されています。

https://github.com/spinute/ods/tree/ja/python/ods

『入門 データ構造とアルゴリズム』（オライリー・ジャパン、2013年）

https://www.oreilly.co.jp/books/9784873116341/

データ構造とアルゴリズムについての入門書です。かなりのボリュームがあり、内容も詳細です。コードはC言語で解説されていて、全体の構成は『独学コンピューターサイエンティスト』に似ています。各データ構造について抽象データ型（ADT）を明示しているので、概念と実装の違いに迷ったらこの本を参照するのが良いでしょう。演習問題が全体の3割くらいあるので、この本を手に取った方はぜひ挑戦してみてください。

『アルゴリズムイントロダクション 第3版』（近代科学社、2013年）

https://www.kindaikagaku.co.jp/book_list/detail/9784764904088/

木構造やソートについて詳しく学べます。この本は決してやさしくありません。『独学コンピューターサイエンティスト』でコンピューターサイエンスの基礎を理解した後であれば、読み進められるんじゃないかと思います。

コンピューターサイエンス

『教養としてのコンピューターサイエンス講義 第2版』（日経BP、2022年）

https://bookplus.nikkei.com/atcl/catalog/22/04/24/00110/

ブライアン・カーニハン（Brian W. Kernighan）先生によるコンピューターサイエンスの入門書です。プリンストン大学で一般人向けに行っている講義に基づくので読みやすく、理系ではない人にも分かりやすくざっくりと学ぶのに適しています。扱っている範囲は、ハードウェアから始まり、CPU、プログラミング、ネットワーク、プライバシーとセキュリティなど広く、アルゴリズムとデータ構造以外の分野について学ぶのにお勧めできる1冊です。

『The Art of Computer Programming Volume 1 Fundamental Algorithms Third Edition 日本語版』（アスキードワンゴ、2015年）

https://asciidwango.jp/post/122327235600/

ドナルド・クヌース（Donald Knuth）先生による有名なプログラミングの解説書で、タイトルを略して「TAoCP」と呼ばれています。7巻構想で、現在4巻前半まで出版されています。さまざまなアルゴリズムについて、その背景や歴史にまで踏み込んだ徹底した解説が特徴です。内容は難しいですが、深く厳密に理解したい場合に最適な書籍です。『独学コンピューターサイエンティスト』の第3章冒頭に登場した格言「An algorithm must be seen to be believed」はこの本からの引用です。

『The Art of Computer Programming Volume 3 Sorting and Searching Second Edition 日本語版』（アスキードワンゴ、2015年）

https://asciidwango.jp/post/132136635140/

TAoCPシリーズの第3巻です。ソートについて、アルゴリズムごとの仕組みや時間計算量オーダーを交えて徹底的に解説しています。

プログラミング

『自走プログラマー』（技術評論社、2020年）

https://gihyo.jp/book/2020/978-4-297-11197-7

プログラムの設計や開発プロセスについて、実際の現場で起こった問題とその解決方法を元に120のトピックでベストプラクティスを紹介しています。プログラミング入門者が中級者にランクアップするのに必要な知識を伝える本です。

次のURLで抜粋版が参照できます。

https://jisou-programmer.beproud.jp/

アルゴリズムを理解するうえで便利なサイト

『Python Tutor』

https://pythontutor.com/

Pythonプログラムの動作を、視覚的に確認できるウェブサイトです。Pythonコードを書いて、1ステップずつ実行しながら、データがどのように変化しているのかを把握できます。サイトは英語で書かれていますが、使い方は難しくありません。"Start writing and visualizing code now" のリンクから始めましょう。

プログラミングについてのQ&Aサイト

1問1答形式のQ&Aサイトを紹介します。このサイトで質問すると、有志の回答者から答えが得られるかもしれません。漠然と質問するのではなく、回答者が質問内容を読むだけで答えられるよう、質問の仕方を工夫しましょう。また、入門者にある多くの疑問は、すでに回答が投稿されていることもあります。まずは検索してみましょう。

Stack Overflow

https://ja.stackoverflow.com/

teratail

https://teratail.com/

プログラミング学習

LeetCode

https://leetcode.com

プログラミングの自学自習サービスです。プログラミングスキルを高め、知識を広げ、技術面接に備えるうえで役立ちます。内容はすべて英語で、アルゴリズムやデータベースの扱いなどについて、コードを書いて課題を解き、解説を読むことで学習を進めます。Python以外の言語も選択できます。

PyQ

https://pyq.jp/

自学自習を目的にPythonに特化した、日本語による学習サービスです。プログラミング初心者がイチからプログラミングを学べます。プログラムの作成と実行などはすべてウェブブラウザだけで行えます。課題は段階的にプログラミングを学べるように設定されていて、身に付いていないと感じたら何回でも再挑戦できます。多くの課題があり、機械学習やウェブアプリケーション開発だけでなく、技術面接にも役立つ、数学やアルゴリズムに関する課題も扱っています。

日本語版に寄せて　コーリー・アルソフ

私が最初の著作『独学プログラマー』を書き終えた当時、その本にどのような反響が起こるか、想像できませんでした。誰かの助けになれば良いなとは思っていましたが、そんなに多くは売れないだろうなとも思っていました。ところが、その本が米国で出版されるとたちまち人気になり、米Amazon.comでもっとも売れているプログラミング本の1冊になったのには本当にびっくりしました。さらに驚いたのは「独学プログラマーを日本で出版しないか」と連絡を受けたことです。

私は日本と日本文化について、いろいろなメディアを通して少し知っていたので、ずっと興味を持っていました。私のお気に入りの本の多くは日本に移り住んだアメリカ人に関するものです。お気に入りのポッドキャストはケビン・ローズとティム・フェリス［訳注1］のものですが、彼らはポッドキャストで、日本に旅行したときの話と、その旅行がどれほどすばらしかったかをしょっちゅう話していました。ですから、私の本を日本語で出版する申し出を受けたとき、とても興奮しました。

2018年の夏、私はようやく東京に来る機会を得ました。私の本の日本語版を翻訳してくれた編集チームに会うことができ、出版記念の講演会を東京の池袋で行いました。もちろんその間、魅力的な日本文化を堪能しました。初めて日本語版『独学プログラマー』の表紙を見たとき、あまりの本の美しさに感動しました。また、この日本語版出版プロジェクトに参加できていることにウキウキしました。この日本訪問は、私の人生において最高の旅行の1つでした。あまりにも良い旅だったので、翌年東京で開催されたPyCon JP［訳注2］にキーノートスピーカーとして呼ばれた際には、大喜びで参加を決めたほどでした。

私は日本をはじめ世界中の人と話すことで、『独学プログラマー』という本がどのくらい大きく人々の人生を変えたかを聞く機会に恵まれました。私の著作と私が育てたコミュニティを通して、プログラミングという有用なスキルを、たくさんの人が学ぶ手伝いができたことをとても誇りに思っています。私は、特に以下の2点を念頭に『独学プログラマー』を書きました。ひとつはこの本が、プログラミング初心者がソフトウェアエンジニアになるために、何をどのように学ぶかの

［訳注1］　ケビン・ローズ（Kevin Rose）はアメリカのインターネット起業家。ティモシー・フェリス（Tim Ferriss）は、アメリカの起業家、投資家、作家、ポッドキャスター。

［訳注2］　PyCon JPは、日本で開催されるPythonに関する国際カンファレンス。

ロードマップとなること。もうひとつは、世界を大きく変えるプログラマーという職に就くのに大学の学位は必要ない、と人々に知ってもらうこと。

『独学プログラマー』は初学者を対象に簡潔に書いたので、その1冊だけで書きたいことすべてを網羅できませんでした。そこで今回の本、『独学コンピューターサイエンティスト』を書こうと決意しました。特に、アルゴリズムとデータ構造を習得する良い教材がないと多くの人から聞いたことが強い動機になりました。実際に、アルゴリズムとデータ構造をしっかりと理解していないとソフトウェアエンジニアとしての職にはなかなか就けません。これは私が育ててきた独学コミュニティにとってとても大きな問題でした。

アルゴリズムとデータ構造に関する分かりやすい本を書くという私の目標を達成できているでしょうか？ その判断は読者の皆さんにお任せしようと思います。私は心から楽しんでこの本を書き上げることができました。読者の皆さんが、同じようにこの本を楽しんで読んでくださったら良いな、と願っています。

1冊だけでなく、2冊も日本語で出版することができ、私は最高の気分です。2冊の本の出版に携わってくださったすべての皆さんに心から感謝します。2冊の翻訳に携わってくださった監訳者の清水川貴之さんと翻訳担当の新木雅也さん、日本語版編集者の田島篤さんに感謝します。皆さんとこの2冊の本を出版できて非常に感慨深く、すばらしい仕事に本当に感謝しています。

出版に携わってくださった皆さん、並びに日本の独学コミュニティの方々と近いうちにお会いすることを本当に楽しみにしています！

謝辞

この本を作りあげてくれたすべての人々に多大な感謝をしています。まずは最愛の妻、ボビイ。常に私をサポートしてくれました。父ジェームス・アルソフはこの本のために多くの時間を割いて手伝ってくれました。次にスティーブ・ブッシュ。この本を読み、たくさんのフィードバックをくれたことに感謝します。プロジェクト管理者のロビン・アルヴァレス、技術主幹であるハンヌ・パルヴィアイネンにも感謝します。そして、このプロジェクトを実現するために、とても柔軟に対応してくれた編集者であるデヴォン・ルイスにも感謝します。最後に娘ルカに感謝します。世界一の娘であり、一生懸命仕事できるよう私を励ましてくれました。ルカ、愛してるよ！君のサポートなしではこの本はなかったよ。

日本語版あとがき

「コンピューター」は私たちの生活に大きく関与するとともに、とても身近になっています。多くの人が1人1台以上のコンピューター、具体的にはスマートフォンやパソコンなどを持っていることでしょう。

コンピューターがより身近になるにつれて「プログラミング」は日々のちょっとした困りごとをうまく解決してくれる道具になりつつあります。業務効率化のために簡単なプログラムを書くといったこともあれば、専門分野における開発のためにプログラムを書くこともあるでしょう。たとえば、IoT分野ではセンサーデータを収集してスマートホームを実現することもできますし、FinTech分野ではAIを取り入れて株を自動売買するツールも作れます。

プログラムを書いて作りたいものがある、あるいは、プログラミングを覚えて日々の面倒ごとをスマートに解決したいという人にとって、「コンピューターサイエンス」の知識はプログラミングを効率良く行える礎になります。しかし、アルゴリズムとデータ構造の知識を身に付けるのはあまり楽しいことではないかもしれません。必要になって学ぼうとしたけど挫折したという人も多いのではないでしょうか。アルゴリズムとデータ構造を学ぶうえで難しいのは、いくつもの難しそうな用語が出てくることと数学的な説明が登場すること、そして、それらが何の役に立つのかをイメージしづらいことにあると思います。必要性が分からないことを勉強して身に付けるのは、プログラミング経験者かどうかに関係なく、誰にだって難しいものです。

本書はコンピューターサイエンスを学んだことがない初学者を対象にしています。平易な文章で読みやすく、そして学びの階段をできるだけ小さく、なだらかにして理解しやすいよう解説しています。本書だけで十分な高さには到達できないかもしれませんが、世の中にある多くの書籍を読み始められるだけの知識と、難しいという先入観を乗り越えられると思います。

本書の魅力

本書の著者、コーリー・アルソフ（Cory Althoff）は、独学プログラマーです。前作『独学プログラマー』は、彼が独学で、ゼロからプログラミングを学んだ体験に基づいて書かれました。彼の独学プログラマーとしての学び方は、多くの人に支持されています。

前作のあとがきでも触れましたが、コーリー自身が学びの途中にあり、対象読者と同じ視点でアルゴリズムとデータ構造というコンピューターサイエンスの必須知識を説明してくれていることに価値があります。アルゴリズムとデータ構造を扱う本はたくさんありますが、本書ほど入門しやすく説明してくれている本は稀でしょう。

本書は、難しい内容であるアルゴリズムとデータ構造について、要点を絞って分かりやすく伝えています。そのため、これらを学ぶ1冊目としてちょうど良い難易度になっています。本書を読んだ後ならきっと、技術面接においてある程度の自信が持てるでしょうし、プログラムを実装する際にもキーワードとその内容を知っているので、文献探しや実装例を見つけ出す手がかりが得やすいでしょう。

本書の読み方

本書では読み手の理解しやすさを最優先しているため、定義の厳密さや説明の正確さが二の次になっている個所もあります。翻訳にあたっては、著者の意図する分かりやすさを損なわないよう努めたこともあり、説明が不十分に感じられる個所もあるかもしれません。本文を読み進めるうえでそれらが妨げにならないようできるかぎり［訳注］で補足するようにしました。それでも本書は、唯一無二の指南書ではあり得ません。コードにもまだ改善の余地があるということも忘れないでください。

必要と思われる個所には、参考書籍についても［訳注］で紹介しています。さらに、日本語で参照できる書籍や情報元を「補章3 継続して学ぶために」で紹介しています。本書をアルゴリズムとデータ構造の世界への入り口として読み進め、もう一歩踏み込んで学びたくなったら各書籍を参照してみてください。

第13章と第16章には、それぞれ補章を用意しました。補章ではアルゴリズムをイメージしやすいように、プログラムの動作を可視化する方法を紹介しています。それ以外の章でも、理解が難しいと感じる場合はこの可視化を適用してみてください。また、本書への問い合わせや指摘などは、https://nkbp.jp/booksQA にお寄せください。

訳者からひとこと

■ **新木雅也**：「2冊目の本を構想中なんだよ」。著者のコーリーから聞かされたのは2019年末ごろだったかと思います。1冊目の訳者として前作、『独学プログラマー』に関わらせていただき、難しい内容を簡潔に書く彼の説明に、焦点の絞り方のうまさを感じました。さらにコーリーに対面する機会もあり、彼の人柄の良さと前向きな態度に好感を持ちました。そんな彼が書く2冊目の本はどんな内容になるんだろう、とワクワクしたのを覚えています。翻訳中は、私自身も知らないアルゴリズムが出てきて、用語に戸惑ったりしつつ、楽しく翻訳することができました。アルゴリズムなどの本にしては読みやすいと思いますので、この本が1人でも多くのコンピューターサイエンティストを育む一助になれば幸いです。

- **tell-k**：本書を翻訳していて、自分が初学者だったときに、ロバート・セジウィック氏の『アルゴリズムC++』を読んで悪戦苦闘したのを思い出しました。とても良い本だったのは確かですが、コンピューターサイエンスを学ばずにプログラミングを始めた私にとって、本格的なアルゴリズム本はとてもハードルが高く、難しく感じられました。本書はコンピューターサイエンスを学んだことがない初学者を前提に書かれているので、比較的読みやすく、そして理解しやすいように、アルゴリズムが解説されています。そのため初学者の方々に、本格的なアルゴリズム本を読む前にぜひ読んでほしいと思います。
- **大村和子**：『独学プログラマー』はいろいろな内容を詰め込んでいるのに読みやすい本でした。同じようにこの本にも、誰も教えてくれないけれど、教養としてエンジニアが知っておきたい内容が詰め込まれています。この本で学んだ内容は、さらに専門的な知識が必要になったときに、それらを学び始める助けになるでしょう。私も分かっているつもりだったのに、翻訳のために詳しく学び直した内容がありました。
- **清水川貴之**：ゲームを作りたくて高校生からプログラミングをしていましたが、大学の授業で『アルゴリズムイントロダクション』の難しさとつまらなさでガッカリしたことをよく覚えています。そのときはまだ必要性を分かっていなかったのです。結局のところ、コンピューターサイエンスの基礎はあらゆるプログラミングに必要な知識でした。ゲームで自動追尾してくる敵の動きを計算しようとすれば、グラフから最短経路を瞬時に求める必要があります。シミュレーションゲームの処理順を扱うには優先度付きキューが必要になります。それを知らなくてもゲームは作れますが、思いどおりに動かなかったり、計算量が大きくなりすぎて遅かったりと、満足のいくレベルにはなかなか届きませんでした。そのような試行錯誤を繰り返しているとき、本書のような本に出会えていたらと思います。本書は、そんな当時の私が読みたかったアルゴリズムとデータ構造の入門書です。

本書では、前回も一緒だった新木さん、前回レビューアーだった大村さんとtell-kさん、そして私（清水川）の合計4名で翻訳しました。分かりやすさと厳密さの適切なバランスをとるために4人で多くの議論を交わしました。その議論を通し、原著書を読み込んで見えてきた「理解するうえでのハードル」を下げつつも著者の意図は変えずに、より分かりやすい書籍にできたのでは、と思います。

訳者を代表して次の方々に感謝いたします。レビューには寺田さん（@terapyon）、Nitsumariさんの2名に多大なる協力をいただきました。快くレビューアーを引き受け全力で的確なレビューを与えてくれたお二人のおかげで本書を洗練することができました。日経BPの田島さんにも感謝いたします。本書を翻訳するというすばらしい企画を持ちかけていただき、遅れがちな翻訳作業において可能なかぎりの調整、サポート、編集をしていただきました。こうした方々と一緒にすばらしい書籍を作り上げることができ、とても楽しかったです。ありがとうございました。

最後になってしまいましたが、コーリーの前作『独学プログラマー』の読者の皆様に感謝いたします。この本が出せたのも、多くの方々に『独学プログラマー』を読んでいただいたおかげです。ありがとうございました。

多くの方々のご協力とご支援のもと、この日本語版が形になりました。この書籍が、より良いプログラミングを志す皆さんにとって、コンピューターサイエンスへの大きく開かれた入り口として役立つことを願っています。

索引

太字は、本文中で用語として太字で表示しているページです。

DEFGH

IJKLM

NOPQR

STUVXZ

コード関連

インスタンス

クラス

関数

メソッド

変数

その他

日本語

あ行

か行

さ行

た行

な行

は行

ま行、や行、ら行

[著者]

コーリー・アルソフ（Cory Althoff）

プログラマー、講演者、『独学プログラマー』などの著者。最初の著書『独学プログラマー』は7つの言語で出版され、「独学プログラマー」という言葉をプログラミング分野での一般用語として広める役割を果たした。BookAuthority[訳注1]は『独学プログラマー』をこれまででもっとも優れたプログラミング書籍の1つとして選出し、The Next Web[訳注2]はソフトウェアエンジニアのキャリアアップにつながる10冊のうちの1つとして選んだ。彼が育てた人気のFacebookグループやブログ、ニュースレター、Udemyコースを通して、20万人以上のプログラマーが、彼の築き上げた独学プログラマー・コミュニティに所属している。

妻と子供とともにカリフォルニアで暮らしている。

[技術主幹]

ハンヌ・パルヴィアイネン博士（Dr. Hannu Parviainen）

カナリア諸島にあるカナリア天体物理研究所で太陽系外惑星の研究をする天体物理学者。同研究所は世界トップレベルの天体物理研究所であり、現在運用されている世界最大の光学望遠鏡を有する。同研究所勤務の前は、博士研究員としてオックスフォード大学で数年間勤務。彼の主要テーマには科学技術計算と数値解析が含まれており、Pythonによるプログラミングの経験は20年以上。

［訳注1］ Book Authorityは、独自のさまざまな統計と経営者や著名人、専門家が言及した本の情報を集計し、ウェブ上で評価、紹介するサイト。

［訳注2］ The Next Webは、アムステルダムに拠点を置くテクノロジー系メディア。

［監訳・訳］

清水川 貴之

2003年からPythonを使い始め、そのころからオープンソースに関わりコミュニティ活動を始めた。カンファレンスや書籍、OSS開発を通じてPython技術情報を発信している。

著書／訳書：『Sphinxをはじめよう第3版』（オライリー・ジャパン）、『エキスパートPythonプログラミング 改訂3版』（アスキードワンゴ）、『自走プログラマー』（技術評論社）、『独学プログラマー』（日経BP）。

株式会社ビープラウド所属。一般社団法人PyCon JP Association会計理事。Sphinxコミッター。Python mini hack-a-thonやSphinx-Users.jpの運営の1人。

http://清水川.jp/

［訳］

新木 雅也

大学院研究のシミュレーションモデル構築のためにPythonを利用するようになり、その後さまざまな用途でPythonと関わる。現在は、データエンジニアとして、パイプラインの構築やデータ分析などに携わる。前作の『独学プログラマー』（日経BP）の翻訳を担当。

［訳］

大村 和子

システムエンジニアを長年務めていたが、Google BigQueryを操作するためにPythonでスクリプトやアプリケーションを書き始めたところすっかりはまってしまい、ウェブエンジニアに転身。現在はPython製ウェブサービスの開発、運用、保守に携わる。

株式会社ビープラウド所属。PyLadies Tokyoスタッフ。

［訳］

tell-k

2005年からPHPやPerlを利用したウェブアプリケーション開発の仕事に従事し、2011年から本格的に仕事でPythonを使い始める。最近はもっぱらお猫様のお世話に忙しい。

共著：『自走プログラマー』（技術評論社）、『Pythonプロフェッショナルプログラミング第3版』（秀和システム）

独学コンピューターサイエンティスト

Pythonで学ぶアルゴリズムとデータ構造

2022年 8 月29日　第1版第1刷発行

著　者	コーリー・アルソフ
訳　者	新木 雅也、tell-k、大村 和子、清水川 貴之
監　訳	清水川 貴之
発行者	村上 広樹
発　行	株式会社日経BP
発　売	株式会社日経BPマーケティング 〒105-8308　東京都港区虎ノ門4-3-12
装　丁	小口 翔平＋阿部 早紀子（tobufune）
制　作	相羽 裕太（株式会社明昌堂）
編　集	田島 篤
印刷・製本	図書印刷株式会社

本書籍に関するお問い合わせ、ご連絡は下記にて承ります。
https://nkbp.jp/booksQA

ISBN978-4-296-07034-3
Printed in Japan